尚志钧本草文献全集

本草古籍辑注丛书·第一辑

2018年度国家古籍整理出版专项经费资助项目

尚志钧/辑注
尚元胜 尚云飞
尚元藕 任何/整理

尚志钧百年诞辰典藏

《雷公药对》辑校

【北齐】徐之才 著
尚志钧 尚元胜 辑校

《海药本草》辑校

【五代】李珣 著
尚志钧 辑校

北京科学技术出版社

图书在版编目（CIP）数据

本草古籍辑注丛书．第一辑．《雷公药对》辑校、《海药本草》辑校／（北齐）徐之才，（五代）李珣著；尚志钧，尚元胜辑校．—北京：北京科学技术出版社，2019.1

ISBN 978－7－5304－9982－5

Ⅰ.①本… Ⅱ.①徐…②李…③尚…④尚… Ⅲ.①本草－中医典籍－注释②中药配伍－配伍禁忌－中国－古代③方书－中国－五代 Ⅳ.①R281.3

中国版本图书馆 CIP 数据核字（2018）第 268710 号

本草古籍辑注丛书·第一辑．《雷公药对》辑校　《海药本草》辑校

辑　　校：尚志钧　尚元胜
策划编辑：侍　伟　白世敬
责任编辑：杨朝晖　张　洁　董桂红　白世敬　朱会兰　吴　丹
责任印制：张　良
责任校对：贾　荣
出 版 人：曾庆宇
出版发行：北京科学技术出版社
社　　址：北京西直门南大街 16 号
邮政编码：100035
电话传真：0086－10－66135495（总编室）
0086－10－66113227（发行部）
0086－10－66161952（发行部传真）
电子信箱：bjkj@bjkjpress.com
网　　址：www.bkydw.cn
经　　销：新华书店
印　　刷：北京七彩京通数码快印有限公司
开　　本：787mm×1092mm　1/16
字　　数：353 千字
印　　张：19.75
版　　次：2019 年 1 月第 1 版
印　　次：2019 年 1 月第 1 次印刷
ISBN 978－7－5304－9982－5/R·2537

定　　价：500.00 元

编校说明

（一）本书为尚志钧先生辑注的本草古籍。本次整理以尚志钧先生已出版的图书《雷公药对（辑复本）》《海药本草（辑校本）》为基础书稿。

（二）尚志钧先生原书有简化字本，也有繁体字本，本次统一使用简化字编排。对书稿进行编辑加工时，主要依据国家语言文字工作委员会文字规范文件（《简化字总表》《异体字整理表》等）的规定以及《汉语大字典》的相关释义，在不影响原义的情况下，将书稿中的繁体字、异体字、通假字等改为现行规范字。但对以下情况做变通或特别处理。

1. 简化字可能使字义淆错或不明晰的，不予简化。如中医病名“癥瘕”之“癥”不简化为“症”，禹餘粮之“餘”只简化为“馀”而不作“余”。

2.《异体字整理表》等归并不当或关系有歧见的异体字，不做简单归并。如《异体字整理表》将“剉”并入“锉”，但中草药切制古只作“剉”，与“锉”使用的工具、加工的方式与结果都不相同，故不予归并；“鱓”与“鼍”“鳝”二字有关，不易确定古书中的指向，故保留原字。

3. 古书中的特有、习惯表达，不改为现代用字。如中医濡脉，“濡”同“软”，但“濡”字习用，故不改“软”。

4. 同一物名，若古今用字不同，尚志钧先生已出注说明者，不予改动。尚志钧先生摘录古籍药名时为尊重古籍文字原貌，所写药名与现代规范药名不同者，也不做改动，如“芒消”“斑猫”“荜拨”等。

（三）对于书稿中明显的错别字以及常识性错误，编校时直接予以改正，不予出注。

（四）为方便读者阅读，古籍卷页均以阿拉伯数字表示。（如卷4页14，卷999页2，等）

（五）本书提到的诸多地名，如南海、东海等，因涉及复杂的地理、历史学知识，即使前后解释不甚相同，亦未轻易改动，以尊尚志钧先生文字原貌。

（六）书稿中部分引文前后不一致，但由于无从查证尚志钧先生当时所用版本，故尊原书，不予改动。

（七）为方便查找及统计，尊重并保留原书对古籍药物条文添加的编号。

（八）文中涉及的反切注音，悉尊原书。

在本书的编辑整理过程中，得到了尚志钧先生弟子郑金生研究员以及国内多位中医文献学者、古籍出版专家的悉心指教。由于本书体量巨大，且出版时间紧促，编辑水平有限，疏漏谬误，恐所难免，欢迎广大读者批评指正，以期再版更正。

目　录

《雷公药对》辑校

【北齐】徐之才 著
尚志钧 尚元胜 辑校

前　言

清代姚振宗《汉书艺文志拾补》方技略载"《雷公药对》二卷"。《隋书·经籍志》卷3所载《桐君药录》书名下，著录"梁有《药对》二卷"，但未题名雷公著。其实《雷公药对》在《隋书·经籍志》以前，已有文献记载了。如在陶弘景《本草经集注》序中已提到。兹以敦煌出土陶弘景《本草经集注·序录》（1955年群联出版社出版）来研究。《本草经集注》页2云："药性所主，当以识识相因，不尔何由得闻，至乎桐、雷，乃著在篇简。"此文中所讲桐、雷，即指桐君、雷公而言。《本草经集注》页3云："又有《桐君采药录》，说其华叶形色。《药对》四卷，论其佐使相须。"在陶序中，既提到《药对》书名，又讲到《药对》的内容，并说《药对》是讨论药物佐使相须［《神农本草经》（以下简称《本经》）序文简称之为"七情"］之书。

陶弘景《本草经集注·序录》中，有一节内容是记载药物七情的。陶氏所记，是以《本经》为基础，参考《药对》写的。所以陶氏在记载七情药物时说："《神农本经》（即《本经》）相使只各一种，兼以《药对》参之，乃有两三。"（见《本草经集注》页81）

关于陶弘景著《本草经集注》时，参考《药对》，还有其他的例子。《本草经集注》页91有5条文字是引用《药对》的，该书页92对这5条文字说明道："右（上）此五条出《药对》中，义旨渊深，非世所究，虽莫可遵用，而是主统之本，故亦载之也。”

从陶弘景著《本草经集注》参考《药对》的事实，说明《药对》在陶弘景以前就有了。但陶弘景所引用的《药对》，没有讲明是雷公所著。

到了唐代，《旧唐书·经籍志》载“《雷公药对》二卷”。而《新唐书·艺文志》直题“徐之才《药对》二卷”。宋代掌禹锡《嘉祐本草》补注所引书传云：“《药对》，北齐尚书令西阳王徐之才撰。”唐代书志所载《雷公药对》和宋代书志所载《药对》都题徐之才著。则唐、宋认为《雷公药对》与《药对》是异名同书。所以宋代书对此等书名是通用的。如《崇文总目辑释》和《通志·艺文略》著录为“《药对》二卷，徐之才撰”。王应麟《玉海》卷3著录为“《雷公药对》二卷”。

明代李时珍《本草纲目》历代诸家本草亦题为《雷公药对》，并注云：“盖黄帝时雷公所著，之才增饰之尔。”可是《本草纲目》全书中有关《本经》或《名医别录》（以下简称《别录》）药“气味”专目内，凡属药物七情畏恶资料均冠以“之才曰”。

《本草纲目》是以《证类本草》为蓝本编写的。《证类本草》同上推溯，源于陶弘景《本草经集注》。将《本草纲目》《证类本草》《本草经集注》三书中有关药物七情畏恶资料互勘，发现几乎完全相同。

兹以1957年人民卫生出版社版《本草纲目》、1957年人民卫生出版社版《证类本草》、1955年群联出版社版《本草经集注》为例，比较如下。

如曾青，《本草纲目》页668引之才曰：“畏菟丝子。”《证类本草》页91亦注云：“畏菟丝子。”《本草经集注》页81亦注云：“畏菟丝子。”

石胆，《本草纲目》页670引之才曰：“水英为之使，畏牡桂、菌桂、芫花、辛夷、白薇。”《证类本草》页89、《本草经集注》页81所注与《本草纲目》全同。

青琅玕，《本草纲目》页617引之才曰：“杀锡毒，得水银良，畏鸡骨。”《证类本草》页132、《本草经集注》页82所注与《本草纲目》亦全同。

方解石，《本草纲目》页643引之才曰：“恶巴豆。”《证类本草》页135、《本草经集注》页83所注与《本草纲目》亦全同。

通检全书皆是如此，为了节省篇幅，此处从略。

《本草纲目》既把所引“七情畏恶资料”出处，标为“徐之才曰”，那就意味着《本草纲目》中所引的《药对》是徐之才著的。但《本草经集注》中的“七情畏恶资料”全同《本草纲目》，那么《本草经集注》所参考的《药对》是否出于徐之才《药对》呢？

《本草经集注》是陶弘景著的，那要看陶弘景和徐之才二人谁年龄大了。从《南北史》来看，陶弘景比徐之才大。

《北史》卷90“列传七十八”、《北齐书》卷8记载，徐之才武平二年（571）任尚书令，封西阳郡王，卒时年80，死后其弟继承爵位，至580年北齐亡。据此推测徐之才卒于572—578年。

《南史》卷76“列传六十六”载，陶弘景死于梁大同二年（536），比徐之才早死40年左右。两人都活80岁，所以陶弘景比徐之才大40岁左右。

陶弘景是在公元500年即44岁时著成《本草经集注》的，那时徐之才还是个儿童。那么陶弘景作《本草经集注》时，是不可能见到徐之才《药对》的。所以《本草经集注》引用的《药对》，当非徐之才撰的《药对》。

现在《本草纲目》中，所标注“之才曰”的《药对》资料，实际上在陶弘景所见的《药对》早已有记载了。据此可以判断陶弘景所见的《药对》，很可能就是最古老的《雷公药对》的简称。稍晚于陶弘景的徐之才《药对》，很可能是在这古老的《雷公药对》基础上增修而成的。《嘉祐本草》补注所引书传中的《药对》即是徐之才增修的《药对》，却并未注明徐之才增修之事。《本草纲目》等历代诸家本草，在《雷公药对》书名下注云：“《雷公药对》，盖黄帝时雷公所著，之才增饰之尔。”

因此，徐之才《药对》已包含有《雷公药对》的内容。《本草纲目》各卷药物气味项下所注“之才曰”资料，均同陶弘景《本草经集注》序录所引的《药对》内容，则《本草纲目》所引徐之才文，实为《雷公药对》的文字。而掌禹锡所引《药对》资料，并不见于陶弘景《本草经集注》中，则掌禹锡所引《药对》资料，疑是徐之才增饰的内容。

本书将《本草经集注》《千金翼方》《证类本草》《本草纲目》等书中，凡标注“药对”或“之才曰”的资料辑录为篇，汇集成册，分上、下两篇，上篇为总论，下篇为各论。对某些资料均注明出处。其中有同异处，亦进行勘比，做出小注。对某些疑点或有争论处，亦附以考证。

由于我们学识水平低，所辑错误难免，敬希读者指正为盼。

尚志钧　尚元胜

于皖南医学院弋矶山医院

辑校凡例

（一）《雷公药对》原书久佚，无任何底本可据。各底本所引《药对》文字都是片断的，本书辑录时，将同一个药物所辑不同的内容归并在一起，对其中内容按药名、性味、主治、七情畏恶等次序排列。对相同内容资料选现存最早者为主，以晚者补之，并注明出处。

（二）本书共为2卷。卷1为“序录”，卷2为“众药名品”。序录包括“徐之才《药对》序”、诸病通用药、有相制使诸药、《药对》岁物药品，末附十剂。众药名品，共辑得资料千余条，归并其重复，尚得413条。分为玉石、草、木、虫兽、果菜米五部。每味药物编以自然序码。

（三）所辑原文中涉及的某些药名，因内容无从辑得者，暂不作专条列出。例如校点本《本草纲目》卷9石钟乳条引之才曰“畏蘘草”；同书卷11消石条引之才曰：“萤火为之使，恶苦菜”；同书卷10阳起石条引之才曰：“恶石葵”。此文涉及蘘草、萤火、苦菜、石葵等药名，但其具体内容无从辑得，故暂不作专条列出。类似此例很多。

（四）本书的校勘原则，以所据资料年代最早者为据，校之以晚者，并以各自不同版本对校，参以他校，适当采用了理校，同时分别出校记。例如商务印书馆影印《政和本草》卷2页55瘀血条，掌禹锡引《药对》云：“芍药主逐贼风。”文中“风”字，人民卫生出版社影印《政和本草》作“血”。从中医理论来讲，芍药以治血为主，当用“血”字，故本文从人民卫生出版社影印《政和本草》为正。

（五）凡校勘处，均于其字、词或句末右上角加脚注序码，注文附在当药条文之下。

（六）本书从敦煌出土《本草经集注》《千金方》《医心方》《太平御览》《证类本草》等书中辑录最多。《证类本草》以柯刻《大观本草》、日本望草玄刻《大观本草》、人民卫生出版社影印《政和本草》、商务印书馆影印《政和本草》进行校勘，并以敦煌出土《本草经集注》、商务印书馆本《太平御览》、人民卫生出版社影印《政和本草》为底本，以其他版本为校本，及以1957年人民卫生出版社影印《本草纲目》和1957—1981年人民卫生出版社校点本《本草纲目》、1936年商务印书馆版《本草品汇精要》为旁校本。

（七）辑校援引书目，一律采用通称。正文中凡注明《本草经集注》者，为1955年群联出版社出版的《本草经集注·序录》简称；注明《证类本草》者，为1957年人民卫生出版社影印《重修政和经史证类备用本草》的简称。

（八）各校本中有明显字误或脱漏之处，一般不出校记。

（九）所辑原文，按底本转录，并对其中明确的异体字、古体字、错别字进行改正，并加标点。

（十）对于某些资料，各书所引文字互有出入者，在辑文后均附加考证。例如徐之才《药对》“序录”之文，《千金方》和《证类本草》均提示出于徐之才，而《本草纲目》注出于陈藏器；“十剂”资料，《证类本草》提示出于陈藏器，而《本草纲目》注明出于徐之才。类似此等资料，均做出考证附于资料之下。

目 录

序录 卷第一

众药名品　卷第二

果菜米部 …… (169)

序录 卷第一

徐之才《药对》叙

《药对》曰：夫众病积聚，皆起于虚，虚生百病。积者五脏之所积，聚者六腑之所聚，如斯等疾，多从旧方，不假增损。虚而劳者，其弊万端，宜应随病增减。古之善为医者，皆自采药，审其体性所主，取其时节早晚，早则药势未成，晚则盛势已歇。今之为医，不自采药，且不委节气早晚，只共采取，用以为药。又不知冷热消息，分两多少，徒有疗病之心，永无必愈之效，此实浮惑，聊复审其冷热，记其增损之主耳。虚劳而苦头痛复热，加枸杞、萎蕤。虚而欲吐，加人参。虚而不安，亦加人参。虚而多梦纷纭，加龙骨。虚而多热，加地黄、牡蛎、地肤子、甘草。虚而冷，加当归、芎䓖、干姜。虚而损，加钟乳、棘刺、肉苁蓉、巴戟天。虚而大热，加黄芩、天门冬。虚而多忘，加茯神、远志。虚而惊悸不安，加龙齿、紫石英、沙参、小草。冷则用紫石英、小草。若客热即用沙参、龙齿。不冷不热，无用之。虚而口干，加麦门冬、知母。虚而吸吸，加胡麻、覆盆子、柏子人。虚而多气，兼微咳，加五味子、大枣。虚而身疆，腰中不利，加磁石、杜仲。虚而多冷，加桂心、吴茱萸、附子、乌头。虚而小便赤，加黄芩。虚而客热，加地骨皮、白水黄耆。虚而冷，用陇西黄耆。虚而痰，复有气，加生姜、半夏、枳实。虚而小肠利，加桑螵蛸、龙骨、鸡肶胵。虚而小肠不利，加茯苓、泽泻。虚而溺白，加厚朴。诸药无有一一历而用之，但据体性冷热的相主对。聊叙增损之一隅，入处方者，宜准此。[1]

【校注】

[1] 此文录自《千金方》卷1序例处方第五。《证类本草》卷1页37序例上“臣禹锡等谨按徐之才药对……序例”载文同此。但《本草纲目》卷2序例下将此文冠以“陈藏器诸虚用药凡例”的标题，显然是张冠李戴。笔者对此曾撰“《本草纲目》所题‘陈藏器诸虚用药凡例’质疑”一文，刊于《中华医史杂志》1984年第1期页58。今附于下。

【附】《本草纲目》所题“陈藏器诸虚用药凡例”质疑

《本草纲目》卷2序例下，一共有13个小标题，其中第8个小标题是“陈藏器诸虚用药凡例”（以下简称“凡例”，见《本草纲目》页123，1977年人民卫生出版社出版）。

为着研究方便，兹将“凡例”抄录如下。

“夫众病积聚，皆起于虚也，虚生百病。积者五脏之所积，聚者六腑之所聚，如斯等疾，多从旧方，不假增损。虚而劳者，其弊万端，宜应随病增减。古为善为医者，皆自采药，审其体性所主，取其时节早晚，早则药势未成，晚则盛势已歇。今之为医，不自采药，且不委节气早晚，又不知冷热消息，分两多少，徒有疗病之名，永无必愈之效，此实浮惑。聊复审其冷热，记增损之主尔。虚而头痛复热，加枸杞、萎蕤。虚而欲吐，加人参。虚而不安，亦加人参。虚而多梦纷纭，加龙骨。虚而多热，加地黄、牡蛎、地肤子、甘草。虚而冷，加当归、芎䓖、干姜。虚而损，加钟乳、棘刺、苁蓉、巴戟天。虚而大热，加黄芩、天门冬。虚而多忘，加茯神、远志。虚而口干，加麦门冬、知母。虚而吸吸加胡麻、覆盆子、柏子人。虚而多气，兼微咳，加五味子、大枣。虚而惊悸不安，加龙齿、沙参、紫石英、小草。若冷，则用紫石英、小草；若客热，即用沙参、龙齿；不冷不热，皆用之。虚而身强，腰中不利，加磁石、杜仲。虚而多冷，加桂心、吴茱萸、附子、乌头。虚而劳，小便赤，加黄芩。虚而客热，加地骨皮、白水黄耆。白水，地名。虚而冷，加陇西黄耆。虚而痰，复有气，加生姜、半夏、枳实。虚而小肠利，加桑螵蛸、龙骨、鸡肶胵。虚而小肠不利，加茯苓、泽泻。虚而损，溺白，加厚朴。髓竭不足，加生地黄、当归。肺气不足，加天门冬、麦门冬、五味子。心气不足，加上党参、茯神、菖蒲。肝气不足，加天麻、川芎䓖。脾气不足，加白术、白芍药、益智。肾气不足，加熟地黄、远志、牡丹皮。胆气不足，加细辛、酸枣人、地榆。神昏不足，加朱砂、预知子、茯神。”

在这个“凡例”中，开头是个“概论”，即“夫众病积聚……记增损之主尔”，共142字。以下是用药凡例30条。

查这个“凡例”的出典，系《证类本草》卷1序例上（见《证类本草》页37，1957年人民卫生出版社出版）。

《证类本草》虽载有这个“凡例”的资料，但无“陈藏器诸虚用药凡例”标题，这个标题是李时珍著《本草纲目》时加的。

现在要问这个“凡例”的资料，是否出于陈藏器之文。

按，《证类本草》序例上页37～39是宋代掌禹锡撰《嘉祐本草》序的全文，约1300字。掌氏在这个序文开头，注云：“臣禹锡等谨按徐之才《药对》、孙思邈《千金方》、陈藏器《本草拾遗》序例如后”。从该注文可以了解，掌氏这个序文，是将徐之才《药对》、孙思邈《千金方》和陈藏器《本草拾遗》三书资料组合而成。但是掌氏在这个序文中，并未注明徐、孙、陈等三家之文的起止。

要分辨徐之才、孙思邈、陈藏器三家文的起止，还要借助于《千金方》。因为《千金方》也引用了徐、孙、陈三家之文。

把掌禹锡所撰的序文，和《千金方》所引的文字比较一下，即可看出掌禹锡序文中第一段文字“夫众病积聚……夫处方者准此”和《千金方》卷1序例处方第五所引的“《药对》曰”文字全同（见《千金方》页4下12行）。这就说明掌禹锡序文第一段文字是出于徐之才《药对》的文字。

掌禹锡序文第一段文字既出于徐之才《药对》，而《本草纲目》把这一段文字的出典注为陈藏器文，并加标题为“陈藏器诸虚用药凡例”，显然是有问题的。

诸病通用药

［**说明**］《证类本草》卷1页39序例上补注所引书传《雷公药对》条下，掌禹锡云：“徐之才以众药名品君臣佐使，性毒相反及所主疾病分类而记之。”其标题应以掌禹锡“诸病通用药”名之（通用药的名称，见《证类本草》卷21原蚕蛾条掌禹锡所云）。兹将掌禹锡所引《雷公药对》“诸病通用药”，摘录如下。

1　疗风通用

防风　《本经》温。

防己　《本经》平，《别录》温。

秦艽　《本经》平，《别录》微温。

独活　《本经》平，《别录》微温。

芎䓖　《本经》温。

羌活　《本经》平，《别录》微温。

麻黄　《本经》温，《别录》微温。

枫香　平，治瘮痒毒，臣。

薏苡人　微寒，主风筋挛急，屈伸不得，君。

萎蕤　平，治中风暴热，不能转动者，君。

巴戟天　微温，治风邪气，君。

侧子　大热，治湿风大风拘急，使。

鳖头血　治口僻，臣。

山茱萸　平，治风气，臣。

淡竹沥及叶　大寒，主风瘴疾，臣。

牛膝　平，主风挛急，君。

细辛　温，主风挛急，君。

菖蒲　温，君。

菖蒲并桂心　大热，吹鼻中，主风痦，君。

梁上尘　微寒，以小豆大，吹鼻中，治中风，使。

葛根　平，主暴中风，臣。

白鲜皮　寒，治风不得屈伸，风热，臣。

白薇　大寒，治暴风身热，四肢急满不知人，臣。

2　风眩

菊花　《本经》平。

飞廉　《本经》平。

羊踯躅　《本经》温。

虎掌　《本经》温，《别录》微寒。

杜若　《本经》微温。

茯神　《别录》平。

茯苓　《本经》平。

白芷　《本经》温。

鸱头　《别录》平。

芎䓖　温，臣。

防风　微温，主头眩颠倒，大风湿痹，臣。

人参　微温，主头眩转，臣。

兔头骨　平，臣。

3　头面风

芎䓖　《本经》温。

薯蓣　《本经》温，《别录》平。

天雄　《本经》温，《别录》大温。

山茱萸　《本经》平，《别录》微温。

荠草　《本经》温。

辛夷　《本经》温。

牡荆实　《别录》温。

蔓荆实　《本经》微寒，《别录》平，温。

藁本 《本经》温，《别录》微温。

蘼芜 《本经》温。

葈耳 《本经》温。

皂荚 温，主风眩，使。

巴戟天 微温，主头面风，君。

白芷 温，主头面风，臣。

防风 温，治头面来去风气，臣。

4 中风脚弱

石斛 《本经》平。

石钟乳 《本经》温。

殷孽 《本经》温。

孔公孽 《本经》温。

石硫黄 《本经》温，《别录》大热。

附子 《本经》温，《别录》大热。

豉 《别录》寒。

丹参 《本经》微寒。

五加皮 《本经》温，《别录》微寒。

竹沥 《别录》大寒。

大豆 《本经》平。

天雄 《本经》温，《别录》大温。

侧子 《别录》大热。

木防己 平，治挛急，臣。

独活 微温，主脚弱，君。

松节 温，治脚膝弱，君。

牛膝 平，治痛痹，君。

5 久风湿痹

菖蒲 《本经》温，《别录》平。

茵芋 《本经》温，《别录》微温。

天雄 《本经》温，《别录》大温。

附子 《本经》温，《别录》大热。

乌头 《本经》温，《别录》大热。

蜀椒 《本经》温，《别录》大热。

牛膝 《别录》平。

天门冬 《本经》平，《别录》大寒。

术 《本经》温。

丹参 《本经》微寒。

石龙芮 《本经》平。

茵陈蒿 《本经》平，《别录》微寒。

细辛 《本经》温。

松节 《别录》温。

侧子 《别录》大热。

松叶 《别录》温。

薏苡人 微寒，治中风湿痹筋挛，君。

羊踯躅 温，治风，使。

柏子人 平，治风湿痹，君。

独活 微温，治风，四肢无力拘急，君。

6 贼风挛痛

茵芋 《本经》温，《别录》微温。

附子 《本经》温，《别录》大热。

侧子 《别录》大热。

麻黄 《本经》温，《别录》微温。

芎䓖 《本经》温。

杜仲 《本经》平，《别录》温。

萆薢 《本经》平。

狗脊 《本经》平，《别录》微温。

白鲜皮 《本经》寒。

白及 《本经》平，《别录》微寒。

葈耳 《本经》温。

猪椒 《别录》温。

7 暴风瘙痒

蛇床子 《本经》平。

蒴藋 《别录》温。

乌喙 《别录》微温。

蒺藜子 《本经》温，《别录》微寒。

景天 《本经》平。

茺蔚子 《本经》微温，《别录》微寒。

青葙子 《本经》微寒。

枫香脂 平。

藜芦 《本经》寒，《别录》微寒。

葶苈子 寒，主中暴风，使。

枳实 微寒，主大风在皮肤中痒，君。

蒴茎 主身瘾疹，煮水洗，臣。

8 伤寒

麻黄 《本经》温，《别录》微温。

葛根 《本经》平。

杏人 《本经》温。

前胡 《别录》微寒。

柴胡 《本经》平，《别录》微寒。

大青 《别录》大寒。

龙胆 《本经》寒，《别录》大寒。

芍药 《本经》平，《别录》微寒。

薰草 《别录》平。

升麻 《别录》平，微寒。

牡丹 《本经》寒，《别录》微寒。

虎掌 《本经》温。 《别录》微寒。

术 《本经》温。

防己 《本经》平，《别录》温。

石膏 《本经》微寒，《别录》大寒。

牡蛎 《本经》平，《别录》微寒。

贝母 《本经》平，《别录》微寒。

鳖甲 《本经》平。

犀角 《本经》寒，《别录》微寒。

羚羊角 《本经》寒，《别录》微寒。

葱白 《别录》平。

生姜 《别录》微温。

豉 《别录》寒。

人溺 《别录》寒。

芒消 《别录》大寒。

栝楼 寒，主烦热渴，发黄，臣。

葱根 寒，主头痛，发表，臣。

大黄 大寒，使。

雄黄 平，君。

白鲜皮 寒，主时病，出汗，臣。

射干 微温，治时气病，鼻塞，喉痹，阴毒，使。

茵陈蒿 平，微寒，主发黄，臣。

栀子 大寒，臣。

青竹茹 微寒，主头痛，臣。

寒水石 大寒，主五内大热，臣。

水牛角 平，主温病，使。

紫草 寒，主骨肉中痛，臣。

葈耳 微寒，臣。

虎骨 平，主伤寒。

9 大热

凝水石 《本经》寒，《别录》大寒。

石膏 《本经》微寒，《别录》大寒。

滑石 《本经》寒，《别录》大寒。

黄芩 《本经》平，《别录》大寒。

知母 《本经》寒。

白鲜皮 《本经》寒。

玄参 《本经》微寒。

大黄 《本经》寒，《别录》大寒。

沙参 《本经》微寒。

苦参 《本经》寒。

茵陈蒿 《本经》平，《别录》微寒。

鼠李根皮 《别录》微寒。

竹沥 《别录》大寒。

栀子 《本经》寒，《别录》大寒。

蛇莓 《别录》大寒。

人粪汁 《别录》寒。

白茎蚯蚓 《本经》寒，《别录》大寒。

芒消 《别录》大寒。

梓白皮 寒，除热，使。

地肤子 寒，主去皮肤中热气。

小麦 微寒，主胃中热，使。

木兰皮 寒，主身大热暴热，面皰，臣。

水中萍 寒，主暴热，身痒。

理石 寒，君。

石胆 寒，主肝脏中热，臣。

牛黄 平，主小儿热痫，口不开，君。

羚羊角 微寒，主热在肌肤，臣。

垣衣 大寒，主发疮。

白薇 大寒，臣。

景天 平，主身热，小儿发热，惊气，君。

升麻 微寒，主热毒，君。

龙齿、角 平，主小儿身热，臣。

葶苈 寒，主身暴热，利小便，使。

蓝叶、实 寒，主五心烦热闷，君。

蜣螂 寒，主狂语，头发热，使。

楝实 寒，作汤浴通身热，主温病，使。

荆沥 大寒，主胸中痰热，臣。

10 劳复

鼠屎 《别录》微寒。

豉 《别录》寒。

竹沥 《别录》大寒。

人粪汁 《别录》寒。

11 温疟

常山 《本经》寒，《别录》微寒。

蜀漆 《本经》平，《别录》微温。

牡蛎 《本经》平，《别录》微寒。

鳖甲 《本经》平。

麝香 《本经》温。

麻黄 《本经》温，《别录》微温。

大青 《别录》大寒。

防葵 《本经》寒。

猪苓 《本经》平。

防己 《本经》平，《别录》温。

茵芋 《本经》温，《别录》微温。

巴豆 《本经》温，《别录》生温熟寒。

白头翁 《本经》温。

女青 《本经》平。

芫花 《本经》温，《别录》微温。

白薇 《本经》平，《别录》大寒。

松萝 《本经》平。

龟甲 平，臣。

小麦 微寒。

羊踯躅 温，使。

白蔹 微寒，主温疟寒热，使。

蒴藋根 温，使。

当归 温，主疟寒热，君。

竹叶 平，合常山煮，主孩子久疟，极良。鸡子黄和常山为丸，用竹叶汤下，主久疟。

12 中恶

麝香 《本经》温。

雄黄 《本经》平、寒，《别录》大温。

丹砂 《本经》微寒。

升麻 《别录》平，微寒。

干姜 《本经》温，《别录》人热。

巴豆 《本经》温，《别录》生温熟寒。

当归 《本经》温，《别录》大温。

芍药 《本经》平，《别录》微寒。

吴茱萸 《本经》温，《别录》大热。

鬼箭 《本经》寒。

桃枭 《本经》微温。

桃皮 《别录》平。

桃胶 《别录》微温。

乌头 《本经》温，《别录》大温。

乌雌鸡血 《别录》平。

牛黄 平，君。

芎䓖 温，臣。

苦参 寒，君。

栀子 大寒，臣。

菓耳叶 微寒，臣。

桔梗 微温，臣。

桃花 平，使。

13 霍乱

人参 《本经》微寒，《别录》微温。

术 《本经》温。

附子 《本经》温，《别录》大热。

桂心 《别录》大热。

干姜 《本经》温，《别录》大热。

橘皮 《本经》温。

厚朴 《本经》温，《别录》大温。

香薷 《别录》微温。

麋舌 《别录》微温。

高良姜 《别录》大温。

木瓜 《别录》温。

吴茱萸 大热，臣。

14 呕啘

厚朴 《本经》温，《别录》大温。

香薷 《别录》微温。

麋舌 《别录》微温。

附子 《本经》温，《别录》大热。

小蒜 《别录》温。

楠材 《别录》微温。

高良姜 《别录》大温。

木瓜 《别录》温。

桂 《别录》大热。

橘皮 《本经》温。

鸡舌香 《别录》微温。

青竹茹 微寒，主啘呕，臣。

芦根 寒，生主啘。

通草 平，主啘，臣。

生蘡薁藤汁 寒。

15 转筋

小蒜 《别录》温。

木瓜 《别录》温。

橘皮 《本经》温。

鸡舌香 《别录》温。

楠材 《别录》微温。

豆蔻 《别录》温。

香薷 《别录》微温。

杉木 《别录》微温。

扁豆 《别录》微温。

生姜 《本经》微温。

16 大腹水肿

大戟 《本经》寒，《别录》大寒。

甘遂 《本经》寒，《别录》大寒。

泽漆 《本经》微寒。

葶苈 《本经》寒，《别录》大寒。

芫花 《本经》温，《别录》微温。

巴豆 《本经》温，《别录》生温熟寒。

猪苓 《本经》平。

防己 《本经》平，《别录》温。

泽兰 《本经》微温。

桑根白皮 《本经》寒。

商陆 《本经》平。

泽泻 《本经》寒。

郁李仁 《本经》平。

海藻 《本经》寒。

昆布 《别录》寒。

苦瓠 《本经》寒。

小豆 《本经》平。

瓜蒂 《本经》寒。

蠡鱼 《本经》寒。

鲤鱼 平（见《证类》页419掌禹锡引“药对”）。

大豆 《本经》平。

荛花 《本经》寒，《别录》微寒。

黄牛溺 《别录》寒。

糓米 微寒，主逐水肿，利小便，臣。

香薷 微温，主水肿，臣。

通草 平，主利水肿及小便，臣。

麦门冬 微寒，臣。

椒目 寒，主除风水满，使。

柳花 寒，主腹肿，使。

雄黄 平，君。

白术 温，逐风水结肿，君。

秦艽 微温，主下大水，臣。

17 肠澼下痢

赤石脂 《别录》大温。

龙骨 《本经》平，《别录》微寒。

牡蛎 《本经》平，《别录》微寒。

干姜 《本经》温，《别录》大热。

黄连 《本经》寒，《别录》微寒。

黄芩 《本经》平，《别录》大寒。

当归 《本经》温，《别录》大温。

附子 《本经》温，《别录》大热。

禹馀粮 《本经》寒，《别录》平。

藜芦 《本经》寒，《别录》微寒。

檗木 《本经》寒。

云实 《本经》温。

矾石 《本经》寒。

阿胶 《本经》平，《别录》微温。

熟艾 《别录》微温。

陟厘 《别录》大温。

石硫黄 《本经》温，《别录》大热。

蜡 《本经》微温。

乌梅 《别录》平。

石榴皮 《别录》平。

枳实 《本经》寒，《别录》微寒。

白石脂 平，主水痢，臣。

牛角鳃 温，治痢，臣。

滑石 寒，主澼下，君。

地榆 微寒，止血痢。

桂心 大热，主下痢，君。

吴茱萸 温，大热，主冷下泄，臣。

鲫鱼头 温，主下痢。

厚朴 温，大温，主下泄腹痛，臣。

白术 温，主胃虚冷痢，君。

蜜 平，主赤白痢，君。

龟甲 平，主下泄，臣。

久蚬壳 寒，主下痢，使。

薤白 温，主下赤白痢，臣。

白头翁 温，主毒痢，止痛，使。

猬皮 平，主赤白痢，臣。

蚺蛇胆 寒，主下痢,䘌虫，使。

柏叶 微温，主血痢，君。

蒲黄 平，主下血，臣。

小豆花 平，主下痢，使。

曲 温，主腹胀，冷积下痢，臣。

猪悬蹄 微寒，主下漏泄，使。

鸡子 平，主下痢。

贝子 平，主下血。

白蘘荷 微温，主赤白痢，臣。

葛縠 平，主十年赤白痢，臣。

青羊脂 温，主下血，臣。

苁蓉 微温，主赤白下痢，臣。

赤白花鼠尾草 微寒，主赤白下痢，使。

18 大便不通

大黄 《本经》寒，《别录》大寒。

巴豆 《本经》温，《别录》生温熟寒。

石蜜 《本经》平，《别录》微温。

麻子 《本经》平。

牛胆 《别录》大寒。

猪胆 《别录》微寒。

19 小便淋

滑石 《本经》寒，《别录》大寒。

冬葵子及根 《本经》寒。

白茅根 《本经》寒。

瞿麦 《本经》寒。

榆皮 《本经》平。

石韦 《本经》平。

葶苈 《本经》寒，《别录》大寒。

蒲黄 《本经》平。

麻子 《本经》平。

琥珀 《别录》平。

石蚕 《本经》寒。

蜥蜴 《本经》寒。

胡燕屎 《本经》平。

衣鱼 《本经》温。

乱发 《别录》微温。

车前子 寒，主淋。

茯苓 平，主淋，利小便，君。

黄芩 大寒，主利小便，臣。

泽泻 寒，主淋，利三焦停水，君。

败豉皮 平，主利小便，臣。

冬瓜 微寒，主淋，小便不通，君。

桑螵蛸 平，主五淋，利小便，臣。

20 小便利

牡蛎 《本经》平，《别录》微寒。

龙骨 《本经》平，《别录》微寒。

鹿茸 《本经》温，《别录》微温。

桑螵蛸 《本经》平。

漏芦 《本经》寒，《别录》大寒。

土瓜根 《本经》寒。

鸡肶胵 《别录》微寒。

鸡肠草 《别录》微寒。

菖蒲 温，止小便利，君。

蒟酱 温，主尿不节，臣。

21 溺血

戎盐 《本经》寒。

蒲黄 《本经》平。

龙骨 《本经》平，《别录》微寒。

鹿茸 《本经》温，《别录》微寒。

干地黄 《本经》寒。

22 消渴

白石英 《本经》微温。

石膏 《本经》微寒，《别录》大寒。

茯神 《别录》平。

麦门冬 《本经》平，《别录》大寒。

黄连 《本经》寒，《别录》微寒。

知母 《本经》寒。

栝楼根 《本经》寒。

茅根 《本经》寒。

枸杞根 《别录》大寒。

小麦 《别录》微寒。

篁竹叶 《别录》大寒。

土瓜根 《本经》寒。

葛根 《本经》平。

李根 《别录》大寒。

芦根 《别录》寒。

菰根 《别录》大寒。

冬瓜 《别录》微寒。

马乳 《别录》冷。

牛乳 《别录》微寒。

羊乳 《别录》温。

桑根白皮 《本经》寒。

茯苓 平，主口干，君。

理石 寒，主口干，消热毒，君。

菟丝子 平，主口干，消渴。

牛胆 大寒，主渴，利中焦热，君。

苎汁 寒，止渴，使。

古屋瓦苔 寒，主消渴。

兔骨 平，治热中，消渴，臣。

猪苓 平，主渴痢，使。

23 黄疸

茵陈蒿 《本经》平，《别录》微寒。

栀子 《本经》寒，《别录》大寒。

紫草 《本经》寒。

白鲜皮 《本经》寒。

生鼠 《别录》微温。

大黄 《本经》寒，《别录》大寒。

猪屎 《别录》寒。

瓜蒂 《本经》寒。

栝楼 《本经》寒。

秦艽 《本经》平。

24 上气咳嗽

麻黄 《本经》温，《别录》微温。

杏人 《本经》温。

白前 《别录》微温。

橘皮 《本经》温。

紫菀 《本经》温。

桂心 《别录》大热。

款冬花 《本经》温。

五味子 《本经》温。

细辛 《本经》温。

蜀椒 《本经》温，《别录》大热。

半夏 《本经》平，《别录》生微寒熟温。

生姜 《别录》微温。

桃人 《本经》平。

紫苏子 《别录》温。

射干 《本经》平，《别录》微温。

芫花 《本经》温，《别录》微温。

百部根 《别录》微温。

干姜 《本经》温，《别录》大热。

贝母 《本经》平，《别录》微寒。

皂荚 《本经》温。

钟乳 温，主上气，臣。

獭肝 平，主气嗽，使。

乌头 大热，主嗽逆上气，使。

藜芦 微寒，主嗽逆，使。

鲤鱼 平，烧末，主咳嗽，臣。

淡竹叶 大寒，主嗽逆上气，臣。

海蛤 平，主上气，臣。

石硫黄 大热，主气嗽，臣。

25 呕吐

厚朴 《本经》温，《别录》大温。

橘皮 《本经》温。

人参 《本经》微寒，《别录》微温。

半夏 《本经》平，《别录》生微寒熟温。

麦门冬 《本经》平，《别录》微寒。

白芷 《本经》温。

生姜 《别录》微温。

铅丹 《本经》微寒。

鸡子 《别录》微寒。

薤白 《本经》温。

甘竹叶 《别录》大寒。

附子 大热，主呕逆，使。

竹茹 微寒，主干呕，臣。

26 痰饮

大黄 《本经》寒，《别录》大寒。

甘遂 《本经》寒，《别录》大寒。

芒消 《别录》大寒。

茯苓 《本经》平。

柴胡 《本经》平，《别录》微寒。

芫花 《本经》温，《别录》微温。

前胡 《别录》微寒。

术 《本经》温。

细辛 《本经》温。

旋覆花 《本经》温。

厚朴 《本经》温，《别录》大温。

人参 《本经》微寒，《别录》微温。

枳实 《本经》寒，《别录》微寒。

橘皮 《本经》温。

半夏 《本经》平，《别录》生微寒熟温。

生姜 《别录》微温。

甘竹叶 《别录》大寒。

荛花 《本经》寒，《别录》微寒。

射干 微温，主胸中结气，使。

乌头 大热，主心中痰冷不下食，使。

吴茱萸 大热，主痰冷，腹内诸冷，臣。

朴消 大寒，主痰满停结，君。

巴豆 温，主痰饮留结，利水谷，破肠中痰。

27 宿食

大黄 《本经》寒，《别录》大寒。

巴豆 《本经》温，《别录》生温熟寒。

朴消 《本经》寒，《别录》大寒。

柴胡 《本经》平，《别录》微寒。

术 《本经》温。

桔梗 《本经》微温。

厚朴 《本经》温，《别录》大温。

皂荚 《本经》温。

曲 《别录》温。

蘗 《别录》温。

槟榔 《本经》温。

28 腹胀满

麝香 《本经》温。

甘草 《本经》平。

人参 《本经》微寒，《别录》微温。

术 《本经》温。

干姜 《本经》温，《别录》大热。

百合 《本经》平。

厚朴 《本经》温，《别录》大温。

菴茼子 《本经》微寒，《别录》微温。

枳实 《本经》寒，《别录》微寒。

桑根白皮 《本经》寒。

皂荚 《本经》温。

大豆黄卷 《本经》平。

忍冬 温，主腹满，君。

射干 微温，主胁下满急，使。

香菜 微温，主腹满水肿，臣。

旋覆花 温，主胁下寒热，下水，臣。

29 心腹冷痛

当归 《本经》温，《别录》大温。

人参 《本经》微寒，《别录》微温。

芍药 《本经》平，《别录》微寒。

桔梗 《本经》微温。

干姜 《本经》温，《别录》大热。

桂心 《别录》大热。

蜀椒 《本经》温，《别录》大热。

附子 《本经》温，《别录》大热。

吴茱萸 《本经》温，《别录》大热。

乌头 《本经》温，《别录》大热。

术 《本经》温。

甘草 《本经》平。

礜石 《本经》大热，《别录》生温熟热。

黄芩 大寒，臣。

戎盐 寒，臣。

厚朴 温，臣。

萆薢 平，臣。

芎䓖 温，臣。

30 肠鸣

丹参 《本经》微寒。

桔梗 《本经》微温。

海藻 《本经》寒。

昆布 《别录》寒。

31 心下满急

茯苓 《本经》平。

枳实 《本经》寒，《别录》微寒。

半夏 《本经》平，《别录》生微寒熟温。

术 《本经》温。

生姜 《别录》微温。

百合 《本经》平，

橘皮 《本经》温。

菴蕳子 微寒，主心下坚，臣。

杏人 温，主心下急满，臣。

石膏 大寒，主心下急，臣。

32 心烦

石膏 《本经》微寒，《别录》大寒。

滑石 《本经》寒，《别录》大寒。

杏人 《本经》温。

栀子 《本经》寒，《别录》大寒。

茯苓 《本经》平。

贝母 《本经》平，《别录》微寒。

通草 《本经》平。

李根 《别录》大寒。

竹沥 《别录》大寒。

乌梅 《别录》平。

鸡子 《别录》微寒。

豉 《别录》寒。

甘草 《本经》平。

知母 《本经》寒。

尿 《别录》寒。

王不留行 平，主心烦，君。

石龙芮 平，主心烦，君。

玉屑 平，主胃中热，心烦，君。

鸡肶胵 微寒，除热，主烦热，臣。

寒水石 大寒，主烦热，臣。

蓝汁 寒，主烦热，君。

楝实 寒，主大热狂，使。

廪米 温，止烦热，臣。

败酱 微寒，主烦热，臣。

梅核人 平，除烦热，臣。

蒺藜子 微寒，主心烦，臣。

龙齿、角 平，主小儿身热，臣。

牛黄 平，主小儿痫热，口不开，心烦，君。

酸枣 平，主心烦。

33 积聚癥瘕

空青 《本经》寒，《别录》大寒。

朴消 《本经》寒，《别录》大寒。

芒消 《别录》大寒。

石硫黄 《本经》温，《别录》大热。

粉锡 《本经》寒。

大黄 《本经》寒，《别录》大寒。

狼毒 《本经》平。

巴豆 《本经》温，《别录》生温熟寒。

附子 《本经》温，《别录》大热。

乌头 《本经》温，《别录》大热。

苦参 《本经》寒。

柴胡 《本经》平，《别录》微寒。

鳖甲 《本经》平。

蜈蚣 《本经》温。

赭魁 《别录》平。

白马溺 《别录》微寒。

鮀甲 《本经》微温。

礜石 《本经》大热，《别录》生温熟热。

芫花 《本经》温，《别录》微温。

牡蒙 平。

蜀漆 平，主癥结癖气，使。

贯众 微寒，主肠中邪气积聚，使。

甘遂 寒，主散癥结积聚，使。

天雄 大热，主破癥结积聚，使。

理石 寒，主除热结，破积聚。

消石 寒，主破积聚坚结，君。

34 鬼疰尸疰

雄黄 《本经》平、寒，《别录》大温。

丹砂 《本经》微寒。

金牙 《别录》平。

野葛 《本经》温。

马目毒公 《本经》温，《别录》微温。

女青 《本经》平。

徐长卿 《本经》温。

虎骨 《别录》平。

狸骨 《别录》温。

鹳骨 《别录》大寒。

獭肝 《别录》平。

芫青 《别录》微温。

白僵蚕 《别录》平。

鬼臼 《本经》温，《别录》微温。

白盐 《别录》寒。

麝香 温，君。

卷柏 温，臣。

败天公 平，臣。

35 惊邪

雄黄 《本经》平、寒，《别录》大温。

丹砂 《本经》微寒。

紫石英 《本经》温。

茯神 《别录》平。

龙齿 《本经》平。

龙胆 《本经》寒，《别录》大寒。

防葵 《本经》寒。

马目毒公 《本经》温，《别录》微温。

升麻 《别录》平，微寒。

麝香 《本经》温。

人参 《本经》微寒，《别录》微温。

沙参 《本经》微寒。

桔梗 《本经》微温。

白薇 《本经》平，《别录》大寒。

远志 《本经》温。

柏实 《本经》平。

鬼箭 《本经》寒。

鬼督邮 《别录》平。

小草 《本经》温。

卷柏 《本经》温，《别录》平、微寒。

紫菀 《别录》温。

羚羊角 《本经》寒，《别录》微寒。

鮀甲 《本经》微温。

丹雄鸡 《本经》微温，《别录》微寒。

犀角 《本经》寒，《别录》微寒。

羖羊角 《本经》温，《别录》微寒。

茯苓 《本经》平。

蚱蝉 《本经》寒。

36 癫痫

龙齿、 角 《别录》平。

牛黄 《本经》平。

防葵 《本经》寒。

牡丹 《本经》寒，《别录》微寒。

白蔹 《本经》平，《别录》微寒。

莨菪子 《本经》寒。

雷丸 《本经》寒，《别录》微寒。

钩藤 《别录》微寒。

白僵蚕 《别录》平。

蛇床子 《本经》平。

蛇蜕 《本经》平。

蜣螂 《本经》寒。

白马目 《本经》平。

铅丹 《本经》微寒。

蚱蝉 《本经》寒。

白狗血 《别录》温。

豚卵 《本经》温。

猪、牛、犬等齿 《别录》平。

熊胆 《别录》寒。

白马悬蹄 平，臣。

淡竹沥 大寒，臣。

蛇衔 微寒，主寒热，臣。

秦皮 微寒，大寒。

头发 温。

鸡子 平，主发热。

狗粪中骨 平，臣。

露蜂房 平，使。

白鲜皮 寒，臣。

雀甕 平，使。

甘遂 寒，使。

升麻 微寒，君。

大黄 大寒，使。

37 喉痹痛

升麻 《别录》平，微寒。

射干 《本经》平，《别录》微温。

杏人 《本经》温。

蒺藜子 《本经》温，《别录》微寒。

棘针 《别录》寒。

络石 《本经》温，《别录》微寒。

百合 《本经》平。

篁竹叶 《别录》大寒。

荠草 《本经》温。

苦竹叶 《别录》大寒。

豉 寒，治喉闭不通，使。

当归 温，切，醋熬傅肿上，亦主喉闭不通，君。

38 噎病

羚羊角 《本经》寒，《别录》微寒。

通草 《本经》平。

青竹茹 《别录》微寒。

头垢 《别录》微寒。

芦根 《别录》寒。

牛齝 《别录》平。

舂杵头细糠 《别录》平。

鸬鹚头 微寒，主噎不通。

39 鲠

狸头骨 《别录》温。

鹭鸶骨 《别录》微寒。

獭骨 《别录》平。

40 齿痛

当归 《本经》温，《别录》大温。

独活 《本经》平。

细辛 《本经》温。

蜀椒 《本经》温，《别录》大热。

芎䓖 《本经》温。

附子 《本经》温，《别录》大热。

荠草 《本经》温。

矾石 《本经》寒。

蛇床子 《本经》平。

生地黄 《别录》大寒。

莨菪子 《本经》寒。

鸡舌香 《别录》微温。

车下李根 《别录》寒。

马悬蹄 《本经》平。

雄雀屎 《别录》温。

金钗 火烧针齿痛即止。

乌头 大热，使。

白头翁 温，使。

酒渍枳根 微寒。

41 口疮

黄连 《本经》寒，《别录》微寒。

檗木 《本经》寒。

龙胆 《本经》寒，《别录》大寒。

升麻 《本经》平，《别录》微寒。

大青 《别录》大寒。

苦竹叶 《别录》大寒。

石蜜 《本经》平，《别录》微温。

酪 《别录》寒。

酥 《别录》微寒。

豉 《别录》寒。

干地黄 平。

42 吐唾血

羚羊角 《本经》寒，《别录》微寒。

白胶 《本经》平，《别录》温。

戎盐 《本经》寒。

柏叶 《别录》微温。

艾叶 《别录》微温。

水苏 《本经》微温。

生地黄 《别录》大寒。

大、小蓟 《别录》温。

蛴螬 《本经》微温，《别录》微寒。

饴糖 《别录》微温。

伏龙肝 《别录》微温。

黄土 《别录》平。

马通 微温，使。

小麦 微寒，使。

麦句姜 寒，君。天名精也。

43 鼻衄血

矾石 《本经》寒。

蒲黄 《本经》平。

虾蟆蓝 （《本经》天名精名虾蟆蓝）寒。

鸡苏 （《本经》水苏名鸡苏）微温。

大蓟 《别录》温。

艾叶 《别录》微温。

桑耳 《本经》平。

竹茹 《别录》微寒。

猬皮 《本经》平。

溺垽 《别录》平。

蓝 《本经》寒。

狗胆 《本经》平。

烧乱发 《别录》微温。

热马通 微温，傅顶止衄，使。

44 鼻齆

通草 《本经》平。

细辛 《本经》温。

桂心 《别录》大热。

蕤核 《本经》温，《别录》微寒。

薰草 《别录》平。

瓜蒂 《本经》寒。

45 鼻息肉

藜芦 《本经》寒，《别录》微寒。

矾石 《本经》寒。

地胆 《本经》寒。

通草 《本经》平。

白狗胆 《别录》平。

细辛 温，君。

桂心 大热。

瓜蒂 寒，臣。

46 耳聋

磁石 《本经》寒。

菖蒲 《本经》温，《别录》平。

葱涕 《别录》平。

雀脑 《别录》平。

白鹅膏 《别录》微寒。

鲤鱼脑 《别录》温。

络石 《本经》温，《别录》微寒。

白颈蚯蚓 《本经》寒，《别录》大寒。

生麻油 微寒，君。

乌贼鱼骨 微温，臣。

土瓜 寒。

乌鸡骨 寒。

47 目赤热痛

黄连 《本经》寒，《别录》微寒。

蕤核 《本经》温，《别录》微温。

石胆 《本经》寒。

空青 《本经》寒，《别录》大寒。

曾青 《本经》小寒。

决明子 《本经》平，《别录》微寒。

檗木 《本经》寒。

栀子 《本经》寒，《别录》大寒。

荠子 《别录》温。

苦竹叶 《别录》大寒。

鸡子白 《别录》微寒。

鲤鱼胆 《本经》寒。

田中螺 《别录》大寒。

车前子 《本经》寒。

菥蓂子 《本经》微温。

细辛 温，明目，君。

铜青 寒，主风烂泪出。

秦皮 微寒，主目赤热泪出。

石榴皮 温，主目赤痛，泪下，使。

白薇 大寒，主目赤热，臣。

48 目肤翳

秦皮 《本经》微寒，《别录》大寒。

细辛 《本经》温。

贝子 《本经》平。

石决明 《别录》平。

麝香 《本经》温。

马目毒公 《本经》温，《别录》微温。

伏翼 《本经》平。

青羊胆 《别录》平。

蛴螬汁 《本经》微温，《别录》微寒。

菟丝子 《本经》平。

丹砂 微寒。

49 声音哑

菖蒲 《本经》温，《别录》平。

石钟乳 《本经》温。

孔公孽 《本经》温。

皂角 《本经》温。

苦竹叶 《别录》大寒。

麻油 《别录》微寒。

通草 平，利九窍，出声，臣。

50 面皯皰

菟丝子 《本经》平。

麝香 《本经》温。

熊脂 《本经》微寒，《别录》微温。

女萎 《本经》平。

藁本 《本经》温，《别录》微寒。

木兰 《本经》寒。

栀子 《本经》寒，《别录》大寒。

紫草 《本经》寒。

白瓜子 《本经》平，《别录》寒。

蜂子 微寒，君。

白蔹 平，主光泽。

白术 温，君。

山茱萸 平，臣。

51 皮秃落

桑上寄生 《本经》平。

秦椒 《本经》温，《别录》生温熟寒。

桑根白皮 《本经》寒。

麻子 《本经》平。

桐叶 《本经》寒。

猪膏 《别录》微寒。

雁肪 《本经》平。

马鬐膏 《别录》平。

松叶 《别录》温。

枣根

鸡肪 寒。

荆子 《本经》微寒，《别录》温。

52 灭瘢

鹰屎白 《别录》平。

白僵蚕 《别录》平。

衣鱼 《本经》温。

53 金疮

石胆 《本经》寒。

蔷薇 《本经》温，《别录》微寒。

地榆 《本经》微寒。

艾叶 《别录》微温。

王不留行 《别录》平。

白头翁 《本经》温。

钓樟根 《别录》温。

石灰 《本经》温。

狗头骨 《别录》平。

薤白 温，主金疮，止痛，疮中风水肿，臣。

车前子 寒，止血。

当归 温，君。

芦竹箨 寒，主金疮，生肉，使。

桑灰汤 平，臣。

蛇衔 微寒，臣。

葛根 平，臣。

54 踒折

生鼠 《别录》微温。

生龟 《别录》平。

生地黄 《别录》大寒。

乌雄鸡血 《别录》平。

乌鸡骨 《别录》平。

李核人 《别录》平。

续断 微温，臣。

55 瘀血

蒲黄 《本经》平。

琥珀 《别录》平。

羚羊角 《本经》寒，《别录》微寒。

牛膝 《别录》平。

大黄 《本经》寒，《别录》大寒。

干地黄 《本经》寒。

朴消 《本经》寒，《别录》大寒。

紫参 《本经》寒，《别录》微寒。

桃人 《本经》平。

虎杖 《别录》微温。

茅根 《本经》寒。

䗪虫 《本经》寒。

虻虫 《本经》微寒。

水蛭 《本经》平，《别录》微寒。

蜚蠊 《本经》寒。

鲍鱼 温，主踒跌。

饴糖 微温，去血病，臣。

神屋 平，主血。

菴蕳 微寒，主藏血，身中有毒，臣。

芍药 微寒，主逐贼血。

鹿茸 温，主血流在腹，臣。

车前子 寒，主瘀血痛。

牡丹 微寒，主除留血，使。

射干 微温，主除留血老血，使。

藕汁 寒，主消血。

天名精 地菘是也，寒。

56 火灼

柏白皮 《别录》微寒。

生胡麻 《本经》平。

盐 《本经》寒。

豆酱 《别录》寒。

井底泥 《别录》寒。

醋 《别录》温。

黄芩 《本经》平，《别录》大寒。

牛膝 《别录》平。

栀子 《本经》寒，《别录》大寒。

57 痈疽

络石 《本经》温，《别录》微寒。

黄耆 《本经》微温。

白蔹 《本经》平，《别录》微寒。

乌喙 《别录》微温。

通草 《本经》平。

败酱 《本经》平，《别录》微寒。

白及 《本经》平，《别录》微寒。

大黄 《本经》寒，《别录》大寒。

半夏 《本经》平，《别录》生微寒熟温。

玄参 《本经》微寒。

蔷蘼 《别录》微寒。

鹿角 《本经》温，《别录》微温。

虾蟆 《本经》寒。

土蜂子 《本经》平。

伏龙肝 《别录》微温。

甘焦根 《别录》大寒。

砺石 火烧于苦酒中焠，杵破，醋和贴之即消。

乌贼鱼骨 微温，臣。

鹿茸 温，臣。

升麻 微寒，贴诸毒，君。

赤小豆 平，主贴肿易消，臣。

侧子 大热，主痈肿。

58 恶疮

雄黄 《本经》平、寒，《别录》大温。

雌黄 《本经》平，《别录》大寒。

粉锡 《本经》寒。

石硫黄 《本经》温，《别录》大热。

矾石 《本经》寒。

松脂 《本经》温。

蛇床子 《本经》平。

地榆 《本经》微寒。

水银 《本经》寒。

蛇衔 《本经》微寒。

白蔹 《本经》平，《别录》微寒。

漏芦 《本经》寒，《别录》大寒。

檗木 《本经》寒。

占斯 《别录》温。

雚菌 《本经》平，《别录》微温。

莽草 《本经》温。

青葙子 《本经》微寒。

白及 《本经》平，《别录》微寒。

楝实 《本经》寒。

及巳 《别录》平。

狼跋 《别录》寒。

桐叶 《本经》寒。

虎骨 《别录》平。

猪肚 《别录》微温。

蔄茹 《本经》寒，《别录》微寒。

藜芦 《本经》寒，《别录》微寒。

石灰 《本经》温。

狸骨 《别录》温。

铁浆 《别录》平。

苦参 寒，主诸恶疮软疖，君。

白石脂 平，主疽痔恶疮，臣。

蘩蒌 平，主积年恶疮，臣。

藁本 温，臣。

菖蒲 温，主风瘙，君。

艾叶 微温，苦酒煎，主除癣及下部疮，臣。

槲皮 平，臣。

葵根 寒，君。

柳华 寒，主马疥恶疮，煮洗立差，使。

五加皮 微寒，主疽疮，使。

梓叶 微寒，使。

苧根 寒，主小儿赤丹，使。

穀叶 平，洗之，令生肉，臣。

萹竹 平，主浸淫疥恶疮，使。

天麻 平，臣。

孔公孽 温，主男女阴蚀疮，臣。

紫草 寒，主小儿面上疮，使。

马鞭草 平，主下部疮，臣。

59 漆疮

蟹 《别录》寒。

吴茱萸 《本经》温，《别录》大热。

苦芙 《别录》微寒。

鸡子白 《别录》微寒。

鼠查 微温。

井中苔、萍 《别录》大寒。

秫米 《别录》微寒。

杉材 《别录》微温。

芒消 大寒，傅漆疮，君。

60 瘿瘤

小麦 《别录》微寒。

海藻 《本经》寒。

昆布 《别录》寒。

文蛤 《别录》平。

半夏 《本经》平，《别录》生微寒熟温。

贝母 《本经》平，《别录》微寒。

通草 《本经》平。

松萝 《本经》平。

连翘 《本经》平。

白头翁 《本经》温。

海蛤 《本经》平。

生姜 《别录》微温。

玄参 微寒，主散颈下肿核，臣。

杜衡 温，臣。

61 瘘疮

雄黄 《本经》平、寒，《别录》大温。

礜石 《本经》大热，《别录》生温熟热。

常山 《本经》寒，《别录》微寒。

狼毒 《本经》平。

侧子 《别录》大热。

连翘 《本经》平。

昆布 《别录》寒。

狸骨 《别录》温。

王不留行 《别录》平。

斑猫 《本经》寒。

地胆 《本经》寒。

鳖甲 《本经》平。

蟾蜍 寒，臣。

附子 大热，使。

漏芦 寒，主诸瘘。

白矾 寒，主瘘恶疮瘰疬，使。

雌黄 平，主瘘疮恶疮，臣。

车前子 寒。

蛇衔 微寒，主鼠瘘，臣。

62 五痔

白桐叶 《本经》寒。

萹蓄 《本经》平。

猬皮 《本经》平。

猪悬蹄 《本经》平。

黄耆 《本经》微温。

龟甲 平，主五痔，臣。

赤石脂 大温，君。

蘖木 大寒，主肠痔。

榧子 平，臣。

槐子 寒，君。

蛇蜕 平。

腊月鸲鹆 平，作屑，主五痔。

鳖甲 平，主五痔，臣。

腐木檽 寒，臣。

竹茹 微寒，臣。

菓耳 微寒，臣。

槲脉 平，烧作散，主痔。

63 脱肛

鳖头 《别录》平。

卷柏 《本经》温，《别录》平、微寒。

铁精 《别录》微温。

东壁土 《别录》平。

蜗牛 《别录》寒。

生铁 《别录》微寒。

64 䘌

青葙子 《本经》微寒。

苦参 《本经》寒。

蚺蛇胆 《别录》寒。

蝮蛇胆 《别录》微寒。.

大蒜 《别录》温。

戎盐 《别录》寒。

艾叶煎 微温，臣。

65 蛔虫

薏苡根 《本经》微寒。

雚菌 《本经》平，《别录》微温。

干漆 《本经》温。

楝根 《别录》微寒。

吴茱萸根 《本经》温，《别录》大热。

艾叶 《别录》微温。

石榴根 平，使。

槟榔 《别录》温。

66 寸白

槟榔 《别录》温。

芜荑 《别录》平。

贯众 《本经》微温。

狼牙 《本经》寒。

雷丸 《本经》寒,《别录》微寒。

青葙子 《本经》微寒。

橘皮 《本经》温。

吴茱萸根 《本经》温,《别录》大热。

石榴根 《别录》平。

榧子 《别录》平。

桑根白皮 寒,臣。

67 虚劳

丹砂 《本经》微寒。

空青 《本经》寒,《别录》大寒。

石钟乳 《本经》温。

紫石英 《本经》温。

白石英 《本经》微温。

磁石 《本经》寒。

龙骨 《本经》平,《别录》微寒。

茯苓 《本经》平。

黄耆 《本经》微温。

干地黄 《本经》寒。

茯神 《别录》平。

天门冬 《本经》平,《别录》大寒。

薯预 《本经》温,《别录》平。

石斛 《本经》平。

沙参 《本经》微寒。

人参 《本经》微寒,《别录》微温。

玄参 《本经》微寒。

五味子 《本经》温。

肉苁蓉 《本经》微温。

续断 《本经》微温。

泽泻 《本经》寒。

牡丹 《本经》寒,《别录》微寒。

芍药 《本经》平,《别录》微寒。

牡桂 《本经》温。

远志 《本经》温。

当归 《本经》温,《别录》大温。

牡蛎 《本经》平,《别录》微寒。

五加皮 《本经》温,《别录》微寒。

白棘 《本经》寒。

覆盆子 《别录》平。

巴戟天 《本经》微温。

牛膝 《别录》平。

杜仲 《本经》平,《别录》温。

柏实 《本经》平。

桑螵蛸 《本经》平。

石龙芮 《本经》平。

石南 《本经》平。

桑根白皮 《本经》寒。

地肤子 《本经》寒。

车前子 《本经》寒。

麦门冬 《本经》平，《别录》微寒。

干漆 《本经》温。

菟丝子 《本经》平。

蛇床子 《本经》平。

枸杞子 《别录》微寒，

大枣 《本经》平。

枸杞根 《别录》大寒。

麻子 《本经》平。

胡麻 《本经》平。

甘草 平，补益五脏，下气，长肌肉，制诸药，君。

黄雌鸡 平，主续绝，臣。

萎蕤 平，补不足，除虚劳客热，头痛，君。

甘菊 平，补中，益五脏，君。

紫菀 温，主劳气，臣。

狗脊 平，补益丈夫，臣。

藕实 平，寒，补中养气，君。

蜂子 微寒，补虚冷，君。

芜菁、芦菔 温，益五脏，轻身，君。

赤石脂 大温，主养心气，君。

蔷薇 微寒，主五脏寒热，君。

云母 平，主气益精，君。

枳实 微寒，主虚羸少气，君。

防葵 寒，君。

68 阴痿

白石英 《本经》微温。

阳起石 《本经》微温。

巴戟天 《本经》微温。

肉苁蓉 《本经》微温。

五味子 《本经》温。

蛇床子 《本经》平。

地肤子 《本经》寒。

铁精 《别录》微温。

白马茎 《本经》平。

菟丝子 《本经》平。

原蚕蛾 《别录》热。

狗阴茎 《本经》平。

雀卵 《别录》温。

樗鸡 平，使。

五加皮 微寒，主阴痿，下湿，使。

覆盆子 平，能长阴，臣。

牛膝 平，主阴湿，君。

石南 平，使。

白及 微寒，主阴痿，使。

小豆花 平，主阴痿不起，使。

69 阴癀

海藻 《本经》寒。

铁精 《别录》微温。

狸阴茎 《别录》温。

狐阴茎 《别录》微寒。

蜘蛛 《别录》微寒。

蒺藜 《本经》温，《别录》微寒。

鼠阴 《别录》平。

虾蟆衣 寒，主阴肿。

地肤子 寒。

槐皮 煮汁，主阴肿。

70 囊湿

五加皮 《本经》温，《别录》微寒。

檗木 《本经》寒。

虎掌 《别录》微寒，《本经》温。

菴蔺子 《本经》微寒，《别录》微温。

蛇床子 《本经》平。

牡蛎 《本经》平，《别录》微寒。

71 泄精

韭子 《别录》温。

白龙骨 《本经》平，《别录》微寒。

鹿茸 《本经》温，《别录》微温。

牡蛎 《本经》平，《别录》微寒。

桑螵蛸 《本经》平。

车前子叶 《本经》寒。

泽泻 《本经》寒。

石榴皮 《别录》平。

獐骨 《别录》微温。

五味子 温，主泄精，臣。

棘刺 寒，使。

菟丝子 平，主精自出，臣。

薰草 平，臣。

石斛 平，君。

钟乳 温，臣。

麦门冬 微寒，臣。

72 好眠

通草 《本经》平。

孔公孽 《本经》温。

马头骨 《别录》微寒。

牡鼠目 《别录》平。

茶茗 《别录》微寒。

73 不得眠

酸枣人 《本经》平。

榆叶 《别录》平。

细辛 《本经》温。

沙参 微寒，臣。

74 腰痛

杜仲 《本经》平，《别录》温。

萆薢 《本经》平。

狗脊 《本经》平，《别录》微温。

梅实 《本经》平。

鳖甲 《本经》平。

五加皮 《本经》温，《别录》微寒。

菝葜 《别录》平温。

爵床 《本经》寒。

牡丹 《本经》寒，《别录》微寒，使。

石斛 平，君。

附子 《本经》温，《别录》大热，使。

75 妇人崩中

石胆 《本经》寒。

禹馀粮 《本经》寒，《别录》平。

赤石脂 《别录》大温。

牡蛎 《本经》平，《别录》微寒。

龙骨 《本经》平，《别录》微寒。

蒲黄 《本经》平。

白僵蚕 《别录》平。

牛角鰓 《本经》温。

乌贼鱼骨 《本经》微温。

紫葳 《本经》微寒。

桑耳 《本经》平。

生地黄 《别录》大寒。

檗木 《本经》寒。

白茅根 《本经》寒。

艾叶 《别录》微温。

鮀甲 《本经》微温。

鳖甲 《本经》平。

马蹄 《别录》平。

白胶 《本经》平，《别录》温。

丹雄鸡 《本经》微温，《别录》微寒。

阿胶 《本经》平，《别录》微温。

鬼箭 《本经》寒。

鹿茸 《本经》温，《别录》微温。

大、小蓟根 《别录》温。

马通 《别录》微温。

伏龙肝 《别录》微温。

干地黄 《本经》寒。

代赭 《本经》寒。

柏叶 微温，酒渍主吐血，及崩中赤白，君。

续断 温，臣。

淡竹茹 微寒，臣。

白芷 温，主漏下赤白，臣。

蝟皮 平，臣，

饴糖 微温，臣。

地榆 微寒，主漏下赤血。

76 月闭

鼠妇 《本经》微温，《别录》微寒。

䗪虫 《本经》寒。

虻虫 《本经》微寒。

水蛭 《本经》平，《别录》微寒。

蛴螬 《本经》微温，《别录》微寒。

桃人 《本经》平。

狸阴茎 《别录》温。

土瓜根 《本经》寒。

牡丹 《本经》寒，《别录》微寒。

牛膝 《别录》平。

占斯 《别录》温。

虎杖 《别录》微温。

阳起石 《本经》微温。

桃毛 《本经》平。

白垩 《本经》温。

铜镜鼻 《本经》平。

白茅根 寒，主血闭，臣。

大黄 《本经》大寒，《别录》寒，治月候不通，使。

射干 微温，使。

卷柏 温，臣。

生地黄 大寒，君。

干漆 温，治血闭，臣。

鬼箭 寒，破陈血，使。

菴蕳子 微寒，臣。

朴消 《本经》寒，《别录》大寒，君。

77 无子

紫石英 《本经》温。

石钟乳 《本经》温。

阳起石 《本经》微温。

紫葳 《本经》微寒。

桑螵蛸 《本经》平。

艾叶 《别录》微温。

秦皮 《本经》微寒，《别录》大寒。

卷柏 《本经》温，《别录》平，微寒。

覆盆子 平，臣。

白胶 温，君。

白薇 大寒，臣。

78 安胎

紫葳 《本经》微寒。

白胶 《本经》平，《别录》温。

桑上寄生 《本经》平。

鲤鱼 《别录》寒。

乌雌鸡 《本经》温。

葱白 《别录》平。

阿胶 《本经》平，《别录》微温。

艾叶 微温。

79 堕胎

雄黄 《本经》平、寒，《别录》大温。

雌黄 《本经》平，《别录》大寒。

水银 《本经》寒。

粉锡 《本经》寒。

朴消 《本经》寒，《别录》大寒。

飞生虫 《别录》平。

溲疏 《本经》寒，《别录》微寒。

大戟 《本经》寒，《别录》大寒。

巴豆 《本经》温，《别录》生温熟寒。
野葛 《本经》温。
牛黄 《本经》平。
藜芦 《本经》寒，《别录》微寒。
牡丹 《本经》寒，《别录》微寒。
牛膝 《别录》平。
桂心 《别录》大热。
皂荚 《本经》温。
蔄茹 《本经》寒，《别录》微寒。
羊踯躅 《本经》温。
鬼箭 《本经》寒。
槐子 《本经》寒。
薏苡人 《本经》微寒。
瞿麦 《本经》寒。
附子 《本经》温，《别录》大热。
天雄 《本经》温，《别录》大温。
乌头 《本经》温，《别录》大热。
乌喙 《别录》微温。
侧子 《别录》大热。
蜈蚣 《本经》温。
地胆 《本经》寒。
斑猫 《本经》寒。
芫青 《别录》微温。
葛上亭长 《别录》微温。
水蛭 《本经》平，《别录》微寒。
虻虫 《本经》微寒。
䗪虫 《本经》寒。
蝼蛄 《本经》寒。
蛴螬 《本经》微温，《别录》微寒。
猬皮 《本经》平。
蜥蜴 《本经》寒。
蛇蜕 《本经》平。
蟹爪 《别录》寒。
芒消 《别录》大寒。
榄根 大热，使。
茼草 温，使。
牵牛子 寒，使。

80　难产

槐子 《本经》寒。
桂心 《别录》大热。
滑石 《本经》寒，《别录》大寒。
贝母 《本经》平，《别录》微寒。
蒺藜 《本经》温，《别录》微寒。
皂荚 《本经》温。
酸浆 《本经》平，《别录》寒。
蚱蝉 《本经》寒。
蝼蛄 《本经》寒。
鼺鼠 《本经》微温。
生鼠肝 《别录》平。
乌雄鸡冠血 《别录》温。
弓弩弦 《别录》平。
马衔 《别录》平。
败酱 《本经》微寒，《别录》平。
榆皮 《本经》平。
蛇蜕 《本经》平。
麻油 微寒，治产难胞不出，君。
泽泻 寒，治胞不出。
牛膝 平。

陈姜 大热。

猪脂酒 各随多少，主产难衣不出。

81 产后病

干地黄 《本经》寒。

秦椒 《本经》温，《别录》生温熟寒。

败酱 《本经》微寒，《别录》平。

泽兰 《本经》微温。

地榆 《本经》微寒。

大豆 《别录》平。

大豆紫汤 温，治产后中风，恶血不尽，痛。

羖羊角 微寒，烧灰酒服，治疗产后烦闷，臣。

羚羊角 微寒，主产后血闷，臣。

鹿角散 温，主堕娠血不尽，臣。

小豆散 平，主产后血不尽，烦闷，臣。

三岁陈枣核 平，烧灰，治产后腹痛，使。

82 下乳汁

石钟乳 《本经》温。

漏芦 《本经》寒，《别录》大寒。

蛴螬 《本经》微温，《别录》微寒。

栝楼 《本经》寒。

土瓜根 《本经》寒。

狗四足 《别录》平。

猫四足 《别录》小寒。

葵子 寒。

猪胰 平，臣。

83 中蛊

桔梗 《本经》微温。

鬼臼 《本经》温，《别录》微温。

马目毒公 《本经》温，《别录》微温。

犀角 《本经》寒，《别录》微寒。

斑猫 《本经》寒。

芫青 《别录》微温。

葛上亭长 《别录》微温。

射罔 《别录》大热。

鬼督邮 《别录》平。

白蘘荷 《别录》微温。

败鼓皮 《别录》平。

蓝实 《本经》寒。

赭魁 平，使。

徐长卿 温，使。

羖羊角 微寒，臣。

野葛 温，使。

羖羊皮 平，使。

獭肝 平，使。

露蜂房 平，使。

雄黄 平，君。

槲树皮 平。

84 出汗

麻黄 温，臣。

杏人 温，臣。

枣叶 平，君。

葱白 平，臣。

石膏 大寒，臣。

贝母 微寒，臣。

山茱萸 平，臣。

葛根 平，臣。

85 止汗

干姜 《本经》温，《别录》大热，臣。

柏实 平，君。

麻黄根并故竹扇末 臣。

白木 温，君。

粢粉杂豆豉熬末半夏 平，生微寒，熟温，使。

牡蛎 微寒。

杂杜仲 平，水服。

86 惊悸心气

络石 《本经》温，《别录》微寒，主大惊入腹，君。

人参 《本经》微寒，《别录》微温，君。

茯苓 平，君。

柏实 平，君。

沙参 微寒，臣。

龙胆 大寒，主惊伤五内，君。

羖羊角 微寒，臣。

桔梗 微温，臣。

小草 温，君。

远志 温，君。

银屑 平，君。

紫石英 温，君。

87 肺痿

人参 《本经》微寒，《别录》微温，治肺痿，君。

天门冬 大寒，治肺气，君。

蒺藜子 微寒，治肺痿，臣。

茯苓 平，君。

白石英 微温，君。

薏苡人 微寒，主肺。

麦门冬 微寒，治肺痿，臣。

88 下气

麻黄 《本经》温，《别录》微温，臣。

杏人 温，冷利，臣。

厚朴 《本经》温，《别录》大温，臣。

橘皮 温，臣。

半夏 平，生微寒，熟温，使。

白前 微温，臣。

生姜 微温，臣。

前胡 微寒，臣。

李树根白皮 大寒，臣。

苏子 温，臣。

石硫黄 《本经》温，《别录》大热，臣。

白茅根 寒，臣。

蒺藜子 微寒，臣。

89 蚀脓

蕳茹 寒。

雄黄 《本经》平、寒，《别录》大温。

桔梗 微温。

龙骨 微寒。

麝香 温。

白芷 温。

大黄 大寒。

芍药 平，微寒。

当归 《本经》温，《别录》大温。

藜芦 寒。

巴豆 生温熟寒。

地榆 微寒。

90 女人血闭腹痛

黄耆 微温。

芍药 平，微寒。

紫参 寒。

桃人 平。

细辛 温。

紫石英 温。

干姜 《本经》温，《别录》大热。

桂心 大热。

茯苓 平。

91 女人血气历腰痛

泽兰 微温。

当归 《本经》温，《别录》大温。

甘草 平。

细辛 温。

柏实 平。

牡丹 《本经》寒，《别录》微寒。

牡蛎 微寒。

92 女人腹坚胀

芍药 平，微寒。

茯苓 平。

黄芩 大寒。

有相制使诸药

［**说明**］有相制使，孙星衍《本经》卷3（页133）称之为“诸药制使”，《本草纲目》卷2（页386）称之为“相须相使相畏相恶诸药”。李时珍注云：“出徐之才药对”。但敦煌出土《本草经集注·序录》页81～90已有著录。陶弘景云：“神农本草经相使止各一种，兼以药对参之，乃有两三。”则《本草经集注·序录》所载“有相制使诸药”，应出《雷公药对》。《本草经集注·序录》页3云：“《药对》4卷，论其佐使相须。”兹将敦煌出土《本草经集注·序录》所载“有相制使诸药”，摘录如下。

石 上

玉屑 恶鹿角。

玉泉 畏款冬花。

丹砂 恶磁石，畏咸水。

水银 恶磁石。

曾青 畏兔丝子。

石胆 水英为之使，畏牡桂、菌桂、芫花、辛夷、白薇。

云母 恶徐长卿，泽泻为之使，反流水，畏鱓甲。

朴消 畏麦句姜。

消石 萤火为之使，恶苦参、苦莱，畏女菀、粥。

矾石 甘草为之使，恶牡蛎。

芒消 石韦为之使，畏麦句姜。

滑石 石韦为之使，恶曾青。

紫石英 长石为之使，不欲鱓甲、黄连、麦句姜，畏扁青、附子。

赤石脂 恶大黄，畏芫花。

白石英 恶马目毒公。

黄石脂 曾青为之使，恶细辛，畏蜚蠊。

太一禹馀粮 杜仲为之使，畏贝母、菖蒲、铁落。

白石脂 燕屎为之使，恶松脂，畏黄芩。

石　中

钟乳　蛇床为之使，恶牡丹、玄石、牡蒙，畏紫石英、蘘草。

殷孽　恶术、防已。

孔公孽　木兰为之使，恶细辛。

磁石　柴胡为之使，恶牡丹、莽草，畏黄石脂，杀铁毒。

凝水石　畏地榆，解巴豆毒。

石膏　鸡子为之使，恶莽草、毒公。

阳起石　桑螵蛸为之使，恶泽泻、菌桂、雷丸、蛇蜕皮，畏菟丝子。

玄石　恶松脂、柏子、菌桂。

理石　滑石为之使，畏麻黄。

石　下

青琅玕　得水银良，畏乌鸡骨，杀锡毒。

礜石　得火良，棘针为之使，恶毒公、虎掌、鹜屎、细辛，畏水。

方解石　恶巴豆。

代赭　畏天雄。

大盐　漏芦为之使。

特生礜石　火炼之良，畏水。

草　上

六芝　薯蓣为之使，得发良，恶恒山，畏扁青、茵陈蒿。

茯苓、茯神　马间为之使，恶白蔹，畏牡蒙、地榆、雄黄、秦椒、龟甲。

柏子　牡蛎、桂、瓜子为之使，恶菊花、羊蹄、诸石、面、曲。

天门冬　垣衣、地黄为之使，畏曾青、青耳。

麦门冬　地黄、车前为之使，恶款冬花、苦瓠，畏苦参、青蘘、青耳。

术　防风、地榆为之使。

女萎　畏卤咸。

干地黄　得麦门冬、清酒良，恶贝母，畏芜荑。

菖蒲　秦胶、秦皮为之使，恶地胆、麻黄去节。

远志　得茯苓、冬葵、龙骨良，畏真珠、蜚蠊、藜芦、蛴螬，杀天雄、附子毒。

泽泻　畏海蛤、文蛤。

薯预　紫芝为之使，恶甘遂。

菊花　术、枸杞根、桑根白皮为之使。

甘草　术、干漆、苦参为之使，恶远志，反甘遂、大戟、芫花、海藻。

人参　茯苓为之使，恶溲疏，反藜芦。

石斛　陆英为之使，恶凝水石、巴豆，畏姜蚕、雷丸。

石龙芮　大戟为之使，畏蛇蜕、茱萸。

落石　杜仲、牡丹为之使，恶铁落，畏菖蒲、贝母。

龙胆 贯众为之使，恶防葵、地黄。

牛膝 恶萤火、龟甲、陆英，畏白前。

杜仲 畏蛇皮、玄参。

干漆 半夏为之使，畏鸡子。

细辛 曾青、桑根白皮为之使，反藜芦，恶狼毒、山茱萸、黄耆，畏滑石、消石。

独活 蠡实为之使。

茈胡 半夏为之使，恶皂荚，畏女菀、藜芦。

酸枣 恶防己。

槐子 景天为之使。

菴芦 荆子、薏苡为之使。

蛇床子 恶巴豆、牡丹、贝母。

菟丝子 宜丸不宜煮，得酒良，薯预、松脂为之使，恶雚菌。

菥蓂子 得荆实、细辛良，恶干姜、苦参。

蒺藜子 乌头为之使。

茜根 畏鼠姑。

天名精 垣衣为之使。

牡荆实 防风为之使，恶石膏。

秦椒 恶栝楼、防葵，畏雌黄。

蔓荆实 恶乌头、石膏。

辛夷 芎䓖为之使，恶五石脂，畏菖蒲、黄连、石膏、黄环。

草　中

当归 恶䕡茹，畏菖蒲、海藻、牡蒙。

防风 恶干姜、藜芦、白蔹、芫花，煞附子毒。

秦艽 菖蒲为之使。

黄耆 恶鳖甲。

吴茱萸 寥实为之使，恶丹参、消石、白垩，畏紫石英。

黄芩 山茱萸、龙骨为之使，恶葱实，畏丹参、牡丹、藜芦。

黄连 黄芩、龙骨、理石为之使，恶菊花、芫花、玄参、白鲜，畏款冬，胜乌头，解巴豆毒。

五味 苁蓉为之使，恶萎蕤，胜乌头。

决明子 芪实为之使，恶大麻子。

芍药 须丸为之使，恶石斛、芒消，畏消石、鳖甲、小蓟，反藜芦。

桔梗 节皮为之使，畏白及、龙眼、龙胆。

芎䓖 白芷为之使，恶黄连。

藁本 恶䕡茹。

麻黄 厚朴为之使，恶辛夷、石韦。

葛根 煞野葛、巴豆、百药毒。

前胡 半夏为之使，恶皂荚，畏藜芦。

贝母 厚朴、白薇为之使，恶桃花，畏秦椒、礜石、莽草，反乌头。

栝楼 枸杞为之使，恶干姜，畏牛膝、干漆，反乌头。

丹参 畏咸水，反藜芦。

厚朴 干姜为之使，恶泽泻、寒水石、消石。

玄参 恶黄耆、干姜、大枣、山茱萸，反藜芦。

沙参 恶防己，反藜芦。

苦参 玄参为之使，恶贝母、漏芦、菟丝子，反藜芦。

续断 地黄为之使，恶雷丸。

山茱萸 蓼实为之使，恶桔梗、防风、防己。

桑根白皮 续断、桂、麻子为之使。

狗脊 萆薢为之使，恶败酱。

萆薢 薏苡为之使，畏葵根、大黄、茈胡、牡蛎、前胡。

石韦 杏人为之使，得菖蒲良。

瞿麦 蘘草、牡丹为之使，恶桑螵蛸。

秦皮 大戟为之使，恶茱萸。

白芷 当归为之使，恶旋覆花。

杜若 得辛夷、细辛良，恶茈胡、前胡。

黄檗 恶干漆。

白薇 恶黄耆、干姜、干漆、大枣、山茱萸。

栀子 解踯躅毒。

紫菀 款冬为之使，恶天雄、瞿麦、雷丸、远志，畏茵陈。

白鲜 恶桑螵蛸、桔梗、茯苓、萆薢。

薇衔 得秦皮良。

井水蓝 煞巴豆、野葛诸毒。

海藻 反甘草。

干姜 秦椒为之使，恶黄芩、天鼠屎，煞半夏、莨菪毒。

草　下

大黄 黄芩为之使，无所畏。

蜀椒 杏人为之使，畏橐吾。

巴豆 芫花为之使，恶蘘草，畏大黄、黄连、藜芦。

甘遂 瓜蒂为之使，恶远志，反甘草。

葶历 榆皮为之使，得酒良，恶僵蚕、石龙芮。

大戟 反甘草。

泽漆 小豆为之使，恶薯预。

芫花 次明为之使，反甘草。

钩吻 半夏为之使，恶黄芩。

狼毒 大豆为之使，恶麦句姜，畏天名精。

鬼臼 畏垣衣。

天雄 远志为之使，恶腐婢。

乌头、乌喙 莽草为之使，反半夏、栝楼、贝母、白蔹、白及，恶藜芦。

附子 地胆为之使，恶蜈蚣，畏防风、甘草、黄耆、人参、乌韭、大豆。

皂荚 青葙为之使，恶麦门冬，畏空青、人参、苦参。

蜀漆 栝楼为之使，恶贯众。

半夏 射干为之使，恶皂荚，畏雄黄、生姜、干姜、秦皮、龟甲，反乌头。

款冬 杏人为之使，得紫菀良，恶皂荚、消石、玄参，畏贝母、辛夷、麻黄、黄芩、黄连、青葙。

牡丹 畏菟丝子。

防己 殷孽为之使，恶细辛，畏萆薢，煞雄黄毒。

黄环 鸢尾为之使，恶茯苓。

巴戟天 覆盆为之使，恶朝生、雷丸、丹参。

石南草 五茄为之使。

女菀 畏卤咸。

地榆 得发良，恶麦门冬。

五茄 远志为之使，畏蛇皮、玄参。

泽 防己为之使。

紫参 畏辛夷。

藋菌 得酒良，畏鸡子。

雷丸 荔实、厚朴为之使，恶葛根。

贯众 雚菌为之使。

狼牙 芜荑为之使，恶地榆。

藜芦 黄连为之使，反细辛、芍药、五参，恶大黄。

蔄茹 甘草为之使，恶麦门冬。

白蔹 代赭为之使，反乌头。

白及 紫石英为之使，恶理石、杏核人、李子。

占斯 解狼毒毒。

蜚蠊 得乌头良，恶麻黄。

淫羊藿 薯蓣为之使。

虎掌 蜀漆为之使，恶莽草。

栾花 决明为之使。

蕈草 矾石为之使。

荩草 畏鼠妇。

恒山 畏玉札。

夏枯草 土瓜为之使。

戈共 畏玉札、蜚蠊。

溲疏 漏芦为之使。

虫 上

龙骨 得人参、牛黄良，畏石膏。

龙角 畏干漆、蜀椒、理石。

牛黄 人参为之使，恶龙骨、地黄、龙胆、蜚蠊，畏牛膝。

蜡蜜 恶芫花、齐蛤。

蜂子 畏黄芩、芍药、牡蛎。

白胶 得火良，畏大黄。

阿胶 得火良，畏大黄。

牡蛎 贝母为之使，得甘草、牛膝、远志、蛇舌良，恶麻黄、茱萸、辛夷。

虫 中

羖羊角 菟丝子为之使。

犀角 松脂为之使，恶雚菌、雷丸。

鹿茸 麻勃为之使。

鹿角 杜仲为之使。

伏翼 苋实、云实为之使。

蝟皮 得酒良，畏桔梗、麦门冬。

蜥蜴 恶硫黄、斑苗、芜荑。

蜂房 恶干姜、丹参、黄芩、芍药、牡蛎。

桑螵蛸 得龙骨治泄精，畏旋覆花。

䗪虫 畏皂荚、菖蒲。

蛴螬 蜚虻为之使，恶附子。

海蛤 蜀漆为之使，畏狗胆、甘遂、芫花。

鳖甲 恶矾石。

龟甲 恶沙参、蜚蠊。

鳝甲 蜀漆为之使，畏狗胆、甘遂、芫花。

乌贼鱼骨 恶白蔹、白及。

蟹 杀莨菪毒。

白马茎 得火良。

虫　下

麋脂　畏大黄。

蛇蜕　畏磁石及酒，少熬之良。

蜣螂　畏羊角、石膏。

地胆　恶甘草。

马刀　得水良。

天鼠屎　恶白蔹、白薇。

斑苗　马刀为之使，畏巴豆、丹参、空青，恶肤青、通草。

果　上

大枣　杀乌头毒。

果　下

杏核　得火良，恶黄耆、黄芩、葛根、胡粉，畏蘘草，解锡毒。

菜　上

冬葵子　黄芩为之使。

葵根　解蜀椒毒。

菜　中

葱实　杀百草毒，能消桂化为水。

米食上

麻蕡、麻子　畏牡蛎、白薇，恶茯苓。

米食中

大豆黄卷　恶五参、龙胆，得前胡、乌喙、杏人、牡蛎良，杀乌头毒。

豉　杀六畜胎子毒。

大麦　食蜜为之使。

[附] 新汲水　解马刀毒。（《本草纲目》卷5页559新汲水条主治引《雷公药对》）。

《药对》岁物药品[1]

（录自敦煌出土《本草经集注·序录》页91）

立冬之日[2]，菊、卷柏先生时，为阳起石、桑螵蛸凡十物使，主二百草为之长。

立春之日，木兰、射干先生，为柴胡、半夏使，主头痛四十五节。

立夏之日，蜚蠊先生，为人参、茯苓使，主腹中七节，保神守中。

夏至之日，豕首、茱萸先生，为牡蛎、乌喙使，主四肢三十二节。

立秋之日，白芷、防风先生，为细辛、蜀椒[3]使，主胸背二十四节[4]。

【校注】

[1] **《药对》岁物药品** 此题为辑本所加，共有5条。《本草纲目》卷2序例下页398引掌禹锡曰："五条出《药对》中，义旨渊深，非俗所究，而是主统之本，故载之。"此5条，敦煌出土《本草经集注·序录》已有著录。陶弘景云："右（上）此五条出《药对》中，义旨渊深，非世所究，虽莫可遵用，而是主统领之本，故亦载之也。"

[2] **立冬之日** 李时珍曰："此文以立冬日为始，则上古以建子为正也。"古代计算年、月、日时，以干支即甲子、乙丑、丙寅等六十甲子计算。在一日中，以夜半（子夜）为一日的开始。在一月中，以农历每月初一（朔旦）为一月的开始。在一年中，以冬至为一年的开始。冬至在农历是十一月。按子、丑、寅……次序排列，十一月为子月，十二月为丑月，次年正月为寅月。上古以农历冬月为正月的开始，称建子为正月。

[3] **蜀椒** 《证类本草》《本草纲目》以及孙星衍、黄奭所辑《本经》所引《雷公药对》文，均作"蜀漆"。

[4] **立冬之日……主胸背二十四节** 陶弘景注云："右（上）此五条，出《药对》中，义旨渊深，非世所究，虽莫可遵用，而是主统领之本，故亦载之也。"

十　剂

（录自《本草纲目》卷1页364序例上"十剂"）

［徐之才曰］药有宣、通、补、泄、轻、重、涩、滑、燥、湿十种，是药之大

体，而本经不言，后人未述。凡用药者，审而详之，则靡所遗失矣。

宣剂　［之才曰］宣可去壅，生姜、橘皮之属是也。

通剂　［之才曰］通可去滞，通草、防已之属是也。

补剂　［之才曰］补可去弱，人参、羊肉之属是也。

泄剂　［之才曰］泄可去闭，葶苈、大黄之属是也。

轻剂　［之才曰］轻可去实，麻黄、葛根之属是也。

重剂　［之才曰］重可去怯，磁石、铁粉之属是也。

滑剂　［之才曰］滑可去着，冬葵子、榆白皮之属是也。

涩剂　［之才曰］涩可去脱，牡蛎、龙骨之属是也。

燥剂　［之才曰］燥可去湿，桑白皮、赤小豆之属是也。

湿剂　［之才曰］湿可去枯，白石英、紫石英之属是也。

[附]“十剂”之说提出者的讨论

十剂即宣、通、补、泄、轻、重、滑、涩、燥、湿十种。它是方剂分类法的一种。

宋代掌禹锡《嘉祐本草·序例》云：“诸药有宣、通、补、泄、轻、重、涩、滑、燥、湿，此十种者是药之大体。”[1]则《嘉祐本草》称“十剂”为“十种”，未讲是谁提出的。

宋代寇宗奭《本草衍义》序例上云：“陶隐居云：‘药有宣、通、补、泄、轻、重、涩、滑、燥、湿’。此十种今详之：惟寒热二种，何独见遗？如寒可去热，大黄、朴消之属是也。如热可去寒，附子、桂之属是也。今特补此二种，以尽厥旨。”[2][3]

照寇氏的说法，十剂是陶隐居（即陶弘景）提出的。而寇氏并补充了寒、热二种。后来王好古作《汤液本草》时，在十剂之末，转录了寇氏的话。[4]

宋代成无己《注解伤寒论》《伤寒明理论》曾多次引用十剂作为注解的依据。例如《注解伤寒论》葛根汤方末云：“本草云：轻可去实，麻黄、葛根之属是也。”[5]《伤寒明理论》脾约丸方注云：“本草曰：润可去枯。”[6]成无己仅言本草曰，未讲明是谁提出的。《伤寒明理论》的药方论序云：“制方之体，宣、通、补、泻、轻、重、涩、滑、燥、湿，十剂是也”，则成无己将此“十种”改为“十剂”，并视为制方之体。自此以后，“十剂”之名就形成了。

金代刘完素《素问病机气宜保命集》本草论第九即以“十剂者宣、通、补、泻、轻、重、涩、滑、燥、湿”[7]为标题，详加论述，并对十剂中每剂的名称加以说明。但是刘完素亦未讲十剂是谁提出的。

金代张子和《儒门事亲》在“七方十剂绳墨订”的标题下，引用了十剂，并加以论述。但张氏仅言“剂有十，旧矣”[8]，亦未言明是谁提出的。明代陈嘉谟《本草蒙筌》总论，对十剂加以引用与发挥，但未指出十剂是谁提出的。

明代李时珍作《本草纲目》，言明十剂是出于徐之才，并引徐之才曰：“药有宣、通、补、泄、轻、重、取、滑、燥、湿十种，是药之大体，而本经不言，后人未述。凡用药者，审而详之，则靡所遗失矣”[9]，并在各剂之下注有“之才曰”三字。从此以后，凡言“十剂”，均作“徐之才曰”。如清代沈金鳌《要药分剂》即以“十剂”为纲对药物进行分类，且在每剂开头，皆有“徐之才曰”[10]字样。

从以上文献来看，指明“十剂”之说提出者，一是宋代寇宗奭，二是明代李时珍。寇宗奭指明“十剂”为陶弘景提出，李时珍指明“十剂”为徐之才提出。由于李时珍《本草纲目》是权威性著作，翻印得多，流传广泛，说“十剂”出于徐之才已成了习惯，没有怀疑的必要。但是从“十剂”内容和文献记载来看，又不像出于徐之才。兹分别讨论如下。

(1) 在“十剂”内容上，有唐代以后的药物。如“十剂”中重剂云：“重可去怯，即磁石、铁粉之属是也。”铁粉是《开宝本草》新增的药，《证类本草》卷4玉石中品有铁粉，条末标明“今附”[11]二字。“今附”即表示本药为《开宝本草》编纂时增附的药。《本草纲目》金石部钢铁条下所列“铁粉”，亦注明出于“宋开宝”。而徐之才是北齐时（550—580）人，在隋、唐、宋以前，那时是否已将铁粉作为常用药很难说。如果有，为何《唐本草》不收录？直到唐代中期，陈藏器《本草拾遗》在针砂条才提到铁粉，则铁粉出现似在徐之才后。

(2) 讲“通”的作用，陈藏器《本草拾遗》才开始记载。例如《证类本草》通草条引陈藏器云：“通草……利大小便，宣通去烦热。”[12]又，防己条引陈藏器云：“按木、汉二防己，即是根为名，汉主水气，木主风气宣通。”[13]其他古本草皆少“宣通”的记载。

(3) 从《嘉祐本草·序例》来看“十剂”产生的时代。《证类本草》卷1序例上页37～39是宋代掌禹锡《嘉祐本草·序例》的全文，约1300字。掌氏在这个序文开头注云：“臣禹锡等谨按徐之才《药对》、孙思邈《千金方》、陈藏器《本草拾遗》序例如后。”从该注文可以了解掌氏所写这个序文，是合徐之才《雷公药对》、孙思邈《千金方》、陈藏器《本草拾遗》三家资料而成的。但掌氏在这个序文中，并未注明徐、孙、陈三家之文的起止。

我们仔细研究掌氏的序文，其大致可分为三段：第一段“夫众病积聚……夫处方者宜准此”（《证类本草》页37下19行至页38上18行）；第二段“凡诸药于人……务令极细”（《证类本草》页38上19行至页38下12行）；第三段“诸药有宣、通、补、泄……不遂其宜耳”（《证类本草》页38下13行至页39上17行）。

查《千金方》卷1序例处方第五所引《雷公药对》曰的文字[14]，发现其和掌氏序例第一段文字相同，说明掌氏序例第一段文字是出于徐之才《雷公药对》；《千金方》卷1序例合和第七的文字[15]和掌氏序例第二段文字基本相同，说明掌氏序例第二段文字是出于《千金方》。

掌氏在序文开头，言明序例文采自徐之才《雷公药对》、孙思邈《千金方》、陈藏器《本草拾遗》三家文字。掌氏序例文分三段，第一段出于徐之才《雷公药对》，第二段出于孙思邈《千金方》，余下第三段当是出于陈藏器《本草拾遗》。但是《本草纲目》把掌禹锡序文第一段文字注为陈藏器文，把第三段包含有“十剂”内容的文字，注为徐之才文，是值得商榷的。

上述（1）、（2）、（3）三点，论证“十剂”之说提出似应是陈藏器，而不是徐之才，李时珍说“十剂”出于徐之才是可疑的。

至于寇宗奭说“十剂”出于陶弘景，亦可疑。因为敦煌出土的陶弘景《本草经集注》中并无“十剂”的内容。寇宗奭为什么要说“十剂”出于陶弘景呢？盖《嘉祐本草·序例》文所载的“十剂”是附在梁·陶隐居序之后，所以寇宗奭遂误解“十剂”出于陶弘景。

【校注】

[1]《嘉祐本草》原书佚。今据《重修政和经史证类备用本草》卷1页38序例上转引。

[2] 宋·寇宗奭. 本草衍义 [M]. 上海：商务印书馆，1957：8~9.

[3] 宋·唐慎微. 重修政和经史证类备用本草 [M]. 北京：人民卫生出版社，1957：46.

[4] 元·王好古. 汤液本草 [M]. 北京：人民卫生出版社，1956：20~21.

[5] 宋·成无己. 注解伤寒论 [M]. 上海：商务印书馆，1955：73.

[6] 宋·成无己. 伤寒明理论 [M]. 上海：上海科学技术出版社，1959：68.

[7] 金·刘完素. 素问病机气宜保命集 [M]. 北京：人民卫生出版社，1959：19.

[8] 金·张子和. 儒门事亲 [M]. 上海：上海科学技术出版社，1959：1.

[9] 明·李时珍. 本草纲目 [M]. 北京：人民卫生出版社，1957：364.

[10] 清·沈金鳌. 要药分剂 [M]. 上海：上海科学技术出版社，1959：1.

[11] 明·李时珍. 本草纲目 [M]. 北京：人民卫生出版社，1957：115.

［12］唐·孙思邈. 备急千金要方［M］. 北京：人民卫生出版社，1955：201.
［13］唐·孙思邈. 备急千金要方［M］. 北京：人民卫生出版社，1955：223.
［14］唐·孙思邈. 备急千金要方［M］. 北京：人民卫生出版社，1955：4.
［15］唐·孙思邈. 备急千金要方［M］. 北京：人民卫生出版社，1955：9.

众药名品　卷第二

玉石部

1 丹砂

微寒，主目肤翳[1]。恶磁石，畏咸水[2]，忌一切血[3]。(《本草经集注》页 81，《证类本草》卷 3 页 79，《本草纲目》卷 9 页 625)

【校注】

[1] **微寒，主目肤翳** 见《证类本草》卷 2 页 61 目肤翳条引《雷公药对》。

[2] **恶磁石，畏咸水** 《本草纲目》注出处为徐之才文。

[3] **忌一切血** 《本草经集注》《证类本草》无，据《本草纲目》增。《本草纲目》注此条文出处为徐之才文。

2 云母

平，主气益精，君[1]。泽泻为之使，畏鳝甲，反[2]流水[3]。恶徐长卿[4]。(《本草经集注》页 81，《证类本草》卷 3 页 80，《本草纲目》卷 8 页 620)

【校注】

[1] **平，主气益精，君** 见《证类本草》卷 2 页 65 虚劳引《雷公药对》。

[2] **反** 《千金方》《大观本草》《政和本草》《证类本草》《本草纲目》作“及”，《本草经集注》《医心方》作“反”。

[3] **泽泻……反流水** 《本草纲目》注为徐之才文。《本草经集注》页 81 已有著录。

[4] **恶徐长卿** 《大观本草》《政和本草》《证类本草》《本草纲目》无此四字。《本草经集注》《千金方》《医心方》有此四字。

3 玉屑

平，主胃热，心烦，君[1]。恶鹿角，养丹砂[2]。(《本草经集注》页81，《证类本草》卷3页81，《本草纲目》卷8页615)

【校注】

[1] **平，主胃热，心烦，君** 见《证类本草》卷2页58心烦引《雷公药对》。

[2] **养丹砂** 《本草经集注》《证类本草》无，据《本草纲目》增。本文，《本草纲目》注出处为徐之才文。

4 玉泉

雷公：甘[1]。畏款冬花[2]、青竹[3]。(《本草经集注》页81，《证类本草》卷3页82，《本草纲目》卷8页615)

【校注】

[1] **雷公：甘** 见《太平御览》卷988页6引《吴普本草》。

[2] **畏款冬花** 见《本草经集注》《证类本草》《本草纲目》。《本草纲目》注此文出处为徐之才文。

[3] **青竹** 同本药校注[1]。

5 石钟乳

温，主上气[1]，泄精，臣[2]。虚而损加钟乳[3]。蛇床为之使，恶牡丹、玄石、牡蒙，畏紫石英、蘘[4]草，忌羊血[5]。(《证类本草》卷3页83，《本草纲目》卷9页650)

【校注】

[1] **温，主上气** 见《证类本草》卷2页57上气咳嗽引《雷公药对》。

[2] **泄精，臣** 见《证类本草》卷2页66泄精引《雷公药对》。

[3] **虚而损加钟乳** 见《千金方》卷1页4处方第五引《雷公药对》，《证类本草》卷1页38引《雷公药对》。

[4] **蘘** 《本草纲目》作“蘘”。

[5] **忌羊血** 《证类本草》缺，据《本草纲目》增。此条，《本草纲目》注出处为徐之才文。此条，《本草经集注》已有著录。

6 白矾

寒，雷公：酸，无毒[1]。主瘘，恶疮，瘰疬，使[2]。甘草为之使，恶牡蛎，畏麻黄[3]。(《本草经集注》页82，《证类本草》卷3页84，《本草纲目》卷11页706)

【校注】

[1] **雷公：酸，无毒** 见《太平御览》卷988页4引《吴普本草》。

[2] **主瘘，恶疮，瘰疬，使** 见《证类本草》卷2页64瘘疮引《雷公药对》。

[3] **畏麻黄** 《本草经集注》《证类本草》无此三字，据《本草纲目》增。此条，《本草纲目》注出处为徐之才文。

7 消石

寒，主破积聚坚结，君[1]。萤火[2]为之使，恶苦参、苦菜，畏女菀、杏人、竹叶[3]。(《本草经集注》页82，《证类本草》卷3页85，《本草纲目》卷11页696)

【校注】

[1] **寒，主破积聚坚结，君** 见《证类本草》卷2页53积聚癥瘕引《雷公药对》。

[2] **萤火** 《本草经集注》《医心方》作“萤火”，其他各本无“萤”字。

[3] **杏人、竹叶** 《证类本草》无，据《本草纲目》补。本条，《本草纲目》注出处为徐之才文。

8 芒消

大寒，傅漆疮，臣[1]。石韦为之使，恶麦句姜[2]。(《本草经集注》页82，《证类本草》卷3页86，《本草纲目》卷11页692)

【校注】

[1] **大寒，傅漆疮，臣** 见《证类本草》卷2页63漆疮引《雷公药对》。

[2] **石韦为之使，恶麦句姜** 《本草纲目》并在朴消条中。

9 朴消

《本经》寒，《别录》大寒[1]，雷公：无毒[2]。主痰满停结[3]及月闭，君[4]。石韦为之使[5]，畏[6]麦句姜[7]。(《本草经集注》页 81，《证类本草》卷 3 页 87，《本草纲目》卷 11 页 692)

【校注】

[1] **《本经》寒，《别录》大寒** 见《证类本草》卷 2 页 66 月闭引《雷公药对》。

[2] **雷公：无毒** 见《太平御览》卷 988 页 2 引《吴普本草》。

[3] **主痰满停结** 见《证类本草》卷 2 页 57 痰饮引《雷公药对》。

[4] **月闭，君** 同本药校注 [1]。

[5] **石韦为之使** 《本草经集注》《证类本草》无，据《本草纲目》增。《本草纲目》注此五字为徐之才文。

[6] **畏** 《本草纲目》作“恶”，《证类本草》作“畏”。

[7] 本条，《本草纲目》注出处为徐之才文。

10 滑石

寒，主澼下，君[1]。石韦为之使，恶曾青，制雄黄[2]。(《本草经集注》页 82，《证类本草》卷 3 页 88，《本草纲目》卷 9 页 643)

【校注】

[1] **寒，主澼下，君** 见《证类本草》卷 2 页 55 肠澼下痢引《雷公药对》。

[2] **制雄黄** 《证类本草》无此三字，据《本草纲目》补。此条，《本草纲目》注出处为徐之才文。

11 石胆

寒，主肝脏中热，臣[1]。水英为之使。畏牡[2]桂、菌桂、芫花、辛夷、白薇[3]。(《本草经集注》页 81，《证类本草》卷 3 页 89，《本草纲目》卷 10 页 670)

【校注】

[1] **寒，主肝脏中热，臣** 见《证类本草》卷 2 页 53 大热引《雷公药对》。

[2] **牡** 《图经衍义》卷 2 页 5 作“牡丹”。

[3] **水英为之使……白薇** 《本草纲目》注此十六字为徐之才文。

12 曾青

畏[1]菟丝子[2]。(《本草经集注》页81,《证类本草》卷3页91,《本草纲目》卷10页668)

【校注】

[1] **畏** 《医心方》作"恶"。

[2] **畏菟丝子** 《本草纲目》注此四字为徐之才文。此条,《本草经集注》页81已有著录。

13 禹馀粮

牡丹为之使。伏五金,制三黄[1]。(《证类本草》卷3页91,《本草纲目》卷10页665)

【校注】

[1] **伏五金,制三黄** 此六字,《证类本草》无,据《本草纲目》补。《本草纲目》注此条出处为徐之才文。

14 太一馀粮

雷公:甘,平[1]。杜仲为之使。畏贝母、菖蒲、铁落[2]。(《本草经集注》页82,《证类本草》卷3页91,《本草纲目》卷10页666)

【校注】

[1] **雷公:甘,平** 见《太平御览》卷988页2引《吴普本草》。

[2] 本条,《本草纲目》注出处为徐之才文。

15 白石英

微温,雷公:无毒[1]。主肺痿,君[2]。恶马目毒公[3]。(《本草经集注》页82,《证类本草》卷3页92,《本草纲目》卷8页621)

【校注】

[1] **雷公:无毒** 见《太平御览》卷987页2引《吴普本草》。

［2］**主肺痿，君**　见《证类本草》卷2页69肺痿引《雷公药对》。

［3］**恶马目毒公**　《本草纲目》注出处为徐之才文。

16　紫石英

温，雷公：大温[1]。主女人血闭腹痛，君[2]。疗惊悸心气[3]，虚而惊悸不安加紫石英，若冷，则用紫石英[4]。长石为之使。得茯苓、人参、芍药[5]，共疗心中结气。得天雄、菖蒲共疗霍乱。畏扁青、附子，不欲[6]䱇甲、黄连、麦句姜[7]。（《本草经集注》页82，《证类本草》卷3页92，《本草纲目》卷8页622）

【校注】

［1］**雷公：大温**　见《太平御览》卷987页2引《吴普本草》。

［2］**主女人血闭腹痛，君**　见《证类本草》卷2页69女人血闭引《雷公药对》。

［3］**疗惊悸心气**　见《证类本草》卷2页68惊悸心气引《雷公药对》。

［4］**虚而惊悸不安加紫石英，若冷，则用紫石英**　见《千金方》卷1页4处方第五引《雷公药对》，《证类本草》卷1页38引《雷公药对》。

［5］**芍药**　《本草纲目》无此二字。

［6］**不欲**　《本草纲目》作“恶”。

［7］本条，《本草纲目》注出处为徐之才文。

17　五石脂

雷公：酸，无毒。（《太平御览》卷987页5引《吴普本草》）

18　黄符

一名黄石脂。雷公：苦[1]。曾青为之使，恶细辛，畏蜚蠊、黄连、甘草[2]。（《证类本草》卷3页93，《本草纲目》卷9页647）

【校注】

［1］**一名黄石脂。雷公：苦**　见《太平御览》卷987页5引《吴普本草》。

［2］**黄连、甘草**　《证类本草》无此文，据《本草纲目》补。此条，《本草纲目》注出处为徐之才文。

19　白符

一名白石脂。平，雷公：酸，无毒[1]。主水痢[2]，疽痔恶疮，臣[3]。得厚朴

并[4]米汁饮，止使脓。燕屎为之使，恶松脂，畏黄芩[5]。(《证类本草》卷3页94，《本草纲目》卷9页647)

【校注】

[1] **一名白石脂。平，雷公：酸，无毒** 见《太平御览》卷987页5引《吴普本草》。

[2] **主水痢** 见《证类本草》卷2页55肠澼下痢引《雷公药对》。

[3] **痈痔恶疮，臣** 见《证类本草》卷2页63恶疮引《雷公药对》。

[4] **并** 《本草纲目》无此字。

[5] 本条，《本草纲目》注出处为徐之才文。

20 赤符

一名赤石脂。雷公：甘[1]，大温，主五痔[2]，养心气，君[3]。恶大黄、松脂[4]，畏芫花[5]。(《证类本草》卷3页93，《本草纲目》卷9页647)

【校注】

[1] **一名赤石脂。雷公：甘** 见《太平御览》卷987页5引《吴普本草》。

[2] **大温，主五痔** 见《证类本草》卷2页64五痔引《雷公药对》。

[3] **养心气，君** 见《证类本草》卷2页65虚劳引《雷公药对》。

[4] **松脂** 《证类本草》无此二字，据《本草纲目》补。

[5] 本条，《本草纲目》注出处为徐之才文。

21 白青

雷公：咸，无毒。(《太平御览》卷988页5引《吴普本草》)

22 扁青

雷公：小寒，无毒。(《太平御览》卷988页5引《吴普本草》)

23 雄黄

《本经》平，寒，《别录》大温，主蚀脓[1]、中蛊[2]、伤寒[3]，大腹水肿，君[4]。

【校注】

[1] **《本经》平，寒，《别录》大温，主蚀脓** 见《证类本草》卷2页69蚀脓引《雷公药对》。

[2] **中蛊** 见《证类本草》卷2页68中蛊引《雷公药对》。

[3] **伤寒** 见《证类本草》卷2页53伤寒引《雷公药对》。

[4] **大腹水肿，君** 见《证类本草》卷2页55大腹水肿引《雷公药对》。

24 雌黄

平，主瘘疽恶疮，臣。(《证类本草》卷2页64瘘疮引《雷公药对》)

25 石硫黄

《本经》温，《别录》大热，雷公：咸，有毒[1]。主下气[2]，气嗽，臣[3]。曾青为之使，畏细辛、飞廉、朴消、铁、醋[4]。(《本草纲目》卷11页702)

【校注】

[1] **雷公：咸，有毒** 见《太平御览》卷987页3引《吴普本草》。

[2] **主下气** 见《证类本草》卷2页69下气引《雷公药对》。

[3] **气嗽，臣** 见《证类本草》卷2页57上气咳嗽引《雷公药对》。

[4] **曾青为之使……铁、醋** 《本草纲目》注出处为徐之才文。按，《证类本草》卷4页102石硫黄条无此文，其下引《日华子本草》有此文。此文似出《日华子本草》文。

26 石膏

大寒。主心下急[1]，出汗，臣[2]。鸡子为之使，恶莽草、巴豆、马目毒公[3]，畏铁[4]。(《本草经集注》页82，《证类本草》卷4页108，《本草纲目》卷9页639)

【校注】

[1] **大寒。主心下急** 见《证类本草》卷2页58心下满急引《雷公药对》。

[2] **出汗，臣** 见《证类本草》卷2页68出汗引《雷公药对》。

[3] **马目毒公** 《本草经集注》《医心方》《唐本草》《千金方》作“毒公”，《大观本草》《政和本草》《证类本草》《本草纲目》《本经疏证》俱作“马目毒公”。

[4] **畏铁** 《本草经集注》《证类本草》无，据《本草纲目》增。此条，《本草纲目》注出处为徐之才文。

27 水银

畏磁石[1]、砒霜[2]。(《证类本草》卷4页107,《本草纲目》卷9页628)

【校注】

[1] **畏磁石** 《本草纲目》注此三字为徐之才文。《本草经集注》页81已有著录。

[2] **砒霜** 《证类本草》《本草经集注》无此二字,据《本草纲目》卷9水银条补。

28 金钗

火烧,针齿痛即止。(《证类本草》卷2页60齿痛引《雷公药对》)

29 银屑

平,主惊悸心气,君。(《证类本草》卷2页68惊悸心气引《雷公药对》)

30 铜青

寒,主风烂眼泪出[1]。(《证类本草》卷2页61,《本草纲目》卷8页598)

【校注】

[1] **寒,主风烂眼泪出** 见《证类本草》卷2页61目赤热痛引《雷公药对》。

31 磁石

虚而身僵,腰中不利加磁石[1]。柴胡为之使,恶牡丹、莽草,畏黄石脂。杀铁毒,消金[2]。(《本草经集注·序录》页82,《证类本草》卷4页111,《本草纲目》卷10页661)

【校注】

[1] **虚而身僵,腰中不利加磁石** 见《千金方》卷1页4处方第五引《雷公药对》,《证类本草》卷1页38引《雷公药对》。

[2] **消金** 《证类本草》无,据《本草纲目》增。《本草纲目》注此文出处为徐之才文。

32 玄石

恶[1]松脂、柏实、菌桂[2]。(《本草经集注》页 82,《证类本草》卷 4 页 112,《本草纲目》卷 10 页 663)

【校注】

[1] **恶** 《本草纲目》作“畏”。

[2] 本条,《本草纲目》注出处为徐之才文。

33 寒水石

一名凝水石。大寒,主五内大热[1],烦热,臣[2]。解巴豆毒,畏地榆[3]。(《本草经集注》页 82,《证类本草》卷 4 页 112,《本草纲目》卷 11 页 690)

【校注】

[1] **大寒,主五内大热** 见《证类本草》卷 2 页 53 伤寒引《雷公药对》。

[2] **烦热,臣** 见《证类本草》卷 2 页 58 心烦引《雷公药对》。

[3] **解巴豆毒,畏地榆** 《本草纲目》注出处为徐之才文。

34 殷孽

恶术、防已[1][2]。(《本草经集注·序录》页 82,《证类本草》卷 4 页 113,《本草纲目》卷 9 页 653)

【校注】

[1] **恶术、防已** 《大观本草》《政和本草》《证类本草》《本草纲目》作“恶防已,畏术”。

[2] 本条,《本草纲目》注出处为徐之才文。

35 孔公孽

温,主男女阴蚀疮,臣[1]。木兰为之使,恶细辛、术,忌羊血[2]。(《证类本草》卷 4 页 113,《本草纲目》卷 9 页 653)

【校注】

[1] **温，主男女阴蚀疮，臣** 见《证类本草》卷2页63恶疮引《雷公药对》。

[2] **术，忌羊血** 《证类本草》无，据《本草纲目》增。《本草纲目》注此文出处为徐之才文。按，此文原出于《药性论》。《嘉祐本草》引《药性论》云："孔公孽，忌羊血。"

36 阳起石

雷公：无毒[1]。桑螵蛸为之使，恶泽泻、菌桂、雷丸、石葵[2]、蛇蜕皮，畏菟丝子，忌羊血，不入汤[3]。立冬之日，菊、卷柏先生时，为阳起石，桑螵蛸凡十物使，主二百草为之长[4]。(《本草经集注》页82，《证类本草》卷4页112，《本草纲目》卷10页661)

【校注】

[1] **雷公：无毒** 见《太平御览》卷987页5引《吴普本草》。

[2] **石葵** 《本草经集注》《证类本草》无，据《本草纲目》增。

[3] **忌羊血，不入汤** 《本草经集注》《证类本草》无，据《本草纲目》增。此条，《本草纲目》注出处为徐之才文。

[4] **立冬之日……主二百草为之长** 见《本草经集注》页91。

37 礜石

得火良。棘针[1]为之使。恶马目毒公[2]、鹜屎[3]、虎掌、细辛，畏水[4]。(《本草经集注》页83，《证类本草》卷5页124，《本草纲目》卷10页671)

【校注】

[1] **棘针** 《唐本草》作"枣针"；《本草经集注》《大观本草》《政和本草》《证类本草》《本草纲目》作"棘针"。

[2] **马目毒公** 《唐本草》《千金方》《本草经集注》作"毒公"；《大观本草》《政和本草》《证类本草》《本草纲目》作"马目毒公"。

[3] **鹜屎** 《唐本草》误作"鹜屎矢"。

[4] 本条，《本草纲目》注出处为徐之才文。

38 理石

寒，主口干，消热毒，君[1]。又主治大热[2]，除热结，破积聚，臣[3]。滑

石[4]为之使，畏[5]麻黄[6]。(《本草经集注》页82，《证类本草》卷4页116，《本草纲目》卷9页642)

【校注】

［1］**寒，主口干，消热毒，君** 见《证类本草》卷2页56消渴引《雷公药对》。

［2］**主治大热** 见《证类本草》卷2页53大热引《雷公药对》。

［3］**除热结，破积聚，臣** 见《证类本草》卷2页58积聚癥瘕引《雷公药对》。

［4］**滑石** 《唐本草》作“消石”，《千金方》《大观本草》《政和本草》《证类本草》作“滑石”。

［5］**畏** 《大观本草》《政和本草》《证类本草》《本草纲目》《本草品汇精要》作“恶”，《唐本草》《本草经集注》《千金方》《医心方》作“畏”。

［6］本条，《本草纲目》注出处为徐之才文。

39　代赭石

畏天雄、附子[1]，干姜为之使[2]。(《本草经集注》页83，《证类本草》卷5页128，《本草纲目》卷10页663)

【校注】

［1］**附子** 《本草经集注》《证类本草》无，据《本草纲目》增。又，《本草纲目》注此二字为徐之才文。此二字实出于《日华子本草》文。

［2］**干姜为之使** 《本草经集注》《证类本草》无，据《本草纲目》增。《本草纲目》注此五字为徐之才文。此五字实出于《药性论》。

40　大盐

漏芦为之使[1]。(《本草经集注》页83，《证类本草》卷5页129，《本草纲目》卷11页689)

【校注】

［1］本条，《本草纲目》注出处为徐之才文。

41　戎盐

寒，主心腹痛，臣。(《证类本草》卷2页58心腹痛引《雷公药对》)

42 青琅玕

杀锡毒，得水银良，畏乌鸡骨[1]。(《本草经集注》页82，《证类本草》卷5页132，《本草纲目》卷8页617)

【校注】

[1] **畏乌鸡骨** 《证类本草》《本草纲目》作“畏鸡骨”，《本草经集注》作“畏乌鸡骨”。此条，《本草纲目》注出处为徐之才文。

43 特生礜石

火炼之良，畏水[1]。(《本草经集注》页83，《证类本草》卷5页134，《本草纲目》卷10页672)

【校注】

[1] 本条，《本草纲目》注出处为徐之才文。

44 方解石

恶巴豆[1]。(《本草经集注》页83，《证类本草》卷5页135，《本草纲目》卷9页643)

【校注】

[1] 本条，《本草纲目》注出处为徐之才文。

45 砺石

火烧于苦酒中，焠，杵破，醋和，贴痈疽即消。(《证类本草》卷2页63痈疽引《雷公药对》)

46 梁上尘

微寒，以小豆大吹鼻中，治中风，使。(《证类本草》卷2页51疗风通用引《雷公药对》，《证类本草》卷5页134梁上尘条掌禹锡引《雷公药对》云：“梁上尘，微寒。”)

47 新汲水

解马刀毒[1]。(《本草纲目》卷5页559井泉水条)

【校注】

[1] 本条,《本草纲目》注出处为徐之才文。

草部上

48 菖蒲

温,并桂心,大热,吹鼻中,主风瘖[1],又主风瘙[2],止小便利,君[3]。秦皮、秦艽为之使,恶地胆、麻黄去节[4]。(《证类本草》卷6页143,《本草纲目》卷19页1063)

【校注】

[1] **温,并桂心,大热,吹鼻中,主风瘖** 见《证类本草》卷2页51疗风通用引《雷公药对》。

[2] **主风瘙** 见《证类本草》卷2页63恶疮引《雷公药对》。

[3] **止小便利,君** 见《证类本草》卷2页56小便利引《雷公药对》。

[4] **去节** 《本草经集注》有此二字,其他各本无此二字。本条,《本草纲目》注出处为徐之才文,但《本草经集注》已有著录。

49 甘菊

平,补中,益五脏,君[1]。术[2]及枸杞根、桑根白皮、青葙叶[3]为之使[4]。立冬之日,菊、卷柏先生时,为阳起石、桑螵蛸凡十二物使,主二百草为之长[5]。(《本草经集注》页91,《证类本草》卷6页144,《本草纲目》卷15页845)

【校注】

[1] **平,补中,益五脏,君** 见《证类本草》卷2页65虚劳引《雷公药对》。

[2] **术** 《本经疏证》作“水”。

[3] **青葙叶** 《证类本草》无,据《本草纲目》增。

[4] **术及枸杞根……为之使** 《本草纲目》注出处为徐之才文。此条,《本草经集注》已有

著录。

[5] **立冬之日……主二百草为之长** 见《本草经集注》页91。

50 人参

《本经》微寒，《别录》微温，雷公：苦[1]。主惊悸心气[2]，肺痿[3]，头眩转，君[4]。虚而不安加人参，虚而欲吐加人参[5]。茯苓、马蔺[6]为之使，恶溲疏、卤咸[7]，反藜芦。一云：畏五灵脂，恶皂荚、黑豆，动紫石英[8]。立夏之日，蜚蠊先生，为人参、茯苓使，主腹中七节，保神守中[9]。（《证类本草》卷6页145，《本草纲目》卷12页722）

【校注】

[1] **雷公：苦** 见《太平御览》卷991页2引《吴普本草》。

[2] **主惊悸心气** 见《证类本草》卷2页68惊悸心气引《雷公药对》。

[3] **《本经》微寒……肺痿** 见《证类本草》卷2页69肺痿引《雷公药对》。

[4] **头眩转，君** 见《证类本草》卷2页51风眩引《雷公药对》。

[5] **虚而不安加人参，虚而欲吐加人参** 见《千金方》卷1页4处方第五引《雷公药对》，《证类本草》卷1页38引《雷公药对》。

[6] **马蔺** 《证类本草》无，据《本草纲目》增。

[7] **卤咸** 《证类本草》无，据《本草纲目》增。

[8] **一云……动紫石英** 《证类本草》无，据《本草纲目》增。此条，《本草纲目》注出处为徐之才文。

[9] **立夏之日……保神守中** 见《本草经集注》页91。

51 天门冬

大寒，主肺痿，君[1]。虚而热加天门冬[2]。垣衣、地黄、贝母[3]为之使，畏曾青[4]。（《证类本草》卷6页147，《本草纲目》卷18页1025）

【校注】

[1] **大寒，主肺痿，君** 见《证类本草》卷2页69肺痿引《雷公药对》。

[2] **虚而热加天门冬** 见《千金方》卷1页4处方第五引《雷公药对》，《证类本草》卷1页38引《雷公药对》。

[3] **贝母** 《证类本草》无此二字，据《本草纲目》增。《本草纲目》注此二字为徐之才文。

[4] **垣衣……畏曾青** 《本草纲目》注出处为徐之才文。

52 甘草

平，补益五脏，下气，长肌肉，制诸药[1]，又主女人血气历腰痛[2]。虚而多热加甘草[3]。术、干漆、苦参为之使，恶远志，反大戟、芫花、甘遂、海藻[4]。又有甘草，勿食菘菜、海藻[5]。（《证类本草》卷6页148，《本草纲目》卷12页717）

【校注】

[1] **平，补益五脏，下气，长肌肉，制诸药** 见《证类本草》卷2页65虚劳引《雷公药对》。

[2] **主女人血气历腰痛** 见《证类本草》卷2页69女人血气引《雷公药对》。

[3] **虚而多热加甘草** 见《千金方》卷1页4处方第五引《雷公药对》，《证类本草》卷1页38引《雷公药对》。

[4] **术、干漆……海藻** 《本草纲目》注出处为徐之才文。此条，《本草经集注》已有著录。

[5] **有甘草，勿食菘菜、海藻** 见《证类本草》卷2页72服药食忌例掌禹锡引《雷公药对》。

53 干地黄

平，主口疮[1]。虚而多热加地黄[2]。得麦门冬、清[3]酒良，恶贝母，畏芜荑[4]。（《证类本草》卷6页149，《本草纲目》卷16页892）

【校注】

[1] **平，主口疮** 见《证类本草》卷2页60口疮引《雷公药对》。

[2] **虚而多热加地黄** 见《千金方》卷1页4处方第五引《雷公药对》，《证类本草》卷1页38引《雷公药对》。

[3] **清** 《本草经集注》误作“渍”。

[4] **得麦门冬……畏芜荑** 《本草纲目》注出处为徐之才文。此文早在《本草经集注》已有著录。

54 生地黄

大寒，主月闭，君。（《证类本草》卷2页66月闭引《雷公药对》）

55 术

温，主胃虚冷痢[1]，逐风水结肿[2]，止汗[3]，面皯皰，君[4]。防风、地榆为之使[5]。（《证类本草》卷6页151，《本草纲目》卷12页741）

【校注】

[1] **温，主胃虚冷痢** 见《证类本草》卷2页55肠澼下痢引《雷公药对》。

[2] **逐风水结肿** 见《证类本草》卷2页55大腹水肿引《雷公药对》。

[3] **止汗** 见《证类本草》卷2页68止汗引《雷公药对》。

[4] **面皯皰，君** 见《证类本草》卷2页62面皯皰引《雷公药对》。

[5] 本条，《本草纲目》注出处为徐之才文。本条后，《本草纲目》引"权曰"："术，忌桃、李、松菜、雀肉、青鱼"。

56 牛膝

平，雷公：酸，无毒[1]。主风挛急[2]，痛痹[3]，阴湿[4]，难产[5]。恶萤火、陆英、龟甲，畏白前，忌牛肉[6]。(《证类本草》卷6页152,《本草纲目》卷16页896)

【校注】

[1] **雷公：酸，无毒** 见《太平御览》卷992页6引《吴普本草》。

[2] **主风挛急** 见《证类本草》卷2页51疗风通用引《雷公药对》。

[3] **痛痹** 见《证类本草》卷2页52中风脚弱引《雷公药对》。

[4] **阴湿** 见《证类本草》卷2页65阴痿引《雷公药对》。

[5] **难产** 见《证类本草》卷2页67难产引《雷公药对》。

[6] **忌牛肉** 《证类本草》缺，据《本草纲目》增。此三字，《本草纲目》注出处为徐之才文。

57 菟丝子

平，主口干，消渴[1]，精自出，君[2]。宜丸不宜煮[3]。得酒良，薯蓣、松脂为之使，恶藿菌[4]。(《证类本草》卷6页153,《本草纲目》卷18上页1002)

【校注】

[1] **平，主口干，消渴** 见《证类本草》卷2页56消渴引《雷公药对》。

[2] **精自出，君** 见《证类本草》卷2页65泄精引《雷公药对》。

[3] **宜丸不宜煮** 《本草纲目》无此文。

[4] **得酒良……恶藿菌** 《本草纲目》注出处为徐之才文。此文，《本草经集注》已有著录。

58 萎蕤

平，雷公：甘，无毒[1]。治暴中风热，不能转动者。主虚劳而苦，头痛复热加萎蕤[2]。补不足，除虚劳客热，头痛，君[3]。畏卤咸[4]。(《证类本草》卷6页

154，《本草纲目》卷12页734）

【校注】

[1] **雷公：甘，无毒** 见《太平御览》卷991页7引《吴普本草》。

[2] **治暴中风热……加萎蕤** 见《千金方》卷1页4引《雷公药对》。

[3] **补不足，除虚劳客热，头痛，君** 见《证类本草》卷2页65虚劳引《雷公药对》。

[4] **畏卤咸** 《本草纲目》注出处为徐之才文。

59 茈胡

雷公：苦，无毒[1]。得茯苓、桔梗、大黄、石膏、麻子人、甘草、桂，以水一斗，煮取四升，入消石三方寸匕，治伤寒寒热头痛，心下烦满[2]。半夏为之使，恶皂荚，畏女菀、藜芦[3]。立春之日，木兰、射干先生，为柴胡、半夏使，主头痛四十五节[4]。（《证类本草》卷6页155，《本草纲目》卷13页769）

【校注】

[1] **雷公：苦，无毒** 见《太平御览》卷933页5引《吴普本草》。

[2] **得茯苓……心下烦满** 《本草纲目》列在茈胡条发明下。又，《本草纲目》脱“茯苓”二字。

[3] **雷公……畏女菀、藜芦** 《本草纲目》注出处为徐之才文，但《本草经集注》已有著录。

[4] **立春之日……主头痛四十五节** 见《本草经集注》页91。

60 防葵

寒，雷公：苦，无毒[1]。主虚劳，君[2]。

【校注】

[1] **雷公：苦，无毒** 见《太平御览》卷993页4引《吴普本草》。

[2] **主虚劳，君** 见《证类本草》卷2页65虚劳引《雷公药对》。

61 麦门冬

微寒，雷公：甘，无毒[1]。主肺痿[2]，大腹水肿，臣[3]。虚而口干加麦门冬[4]。地黄、车前为之使。恶款冬、苦瓠、苦芙[5]。畏苦参、青蘘、木耳[6]。伏石钟乳[7]。（《证类本草》卷6页156，《本草纲目》卷16页899）

【校注】

[1] **雷公：甘，无毒** 见《太平御览》卷989页2引《吴普本草》。

[2] **主肺痿** 见《证类本草》卷2页69肺痿引《雷公药对》。

[3] **大腹水肿，臣** 见《证类本草》卷2页55大腹水肿引《雷公药对》。

[4] **虚而口干加麦门冬** 见《千金方》卷1页4处方第五引《雷公药对》，《证类本草》卷1页38引《雷公药对》。

[5] **苦芙** 《证类本草》无，据《本草纲目》增。《本草纲目》注此二字为徐之才文。

[6] **木耳** 《证类本草》无，据《本草纲目》增。《本草纲目》注此二字为徐之才文。

[7] **伏石钟乳** 《证类本草》无，据《本草纲目》增。此文，《本草纲目》注出处为徐之才文。

62 独活

微温，主脚弱[1]，治风，四肢无力拘急，君[2]。蠡实[3]为之使[4]。(《证类本草》卷6页157，《本草纲目》卷13页773)

【校注】

[1] **微温，主脚弱** 见《证类本草》卷2页52中风脚弱引《雷公药对》。

[2] **治风，四肢无力拘急，君** 见《证类本草》卷2页52久风湿痹引《雷公药对》。

[3] **蠡实** 《本草纲目》作“豚实”。

[4] **蠡实为之使** 《本草纲目》注出处为徐之才文。此文，《本草经集注》已有著录。

63 升麻

微寒，主热毒[1]，贴痈疽诸毒[2]，主癫痫，君[3]。

【校注】

[1] **微寒，主热毒** 见《证类本草》卷2页53大热引《雷公药对》。

[2] **贴痈疽诸毒** 见《证类本草》卷2页63痈疽引《雷公药对》。

[3] **癫痫，君** 见《证类本草》卷2页59癫痫引《雷公药对》。

64 暇蟆衣

一名车前。寒，主阴肿[1]，小便淋[2]，止血[3]，瘀血痛[4]，瘘疮[5]。

【校注】

[1] **一名车前。寒，主阴肿** 见《证类本草》卷2页65阴㿗引《雷公药对》。

［2］**小便淋**　见《证类本草》卷2页56小便淋引《雷公药对》。

［3］**止血**　见《证类本草》卷2页62金疮引《雷公药对》。

［4］**瘀血痛**　见《证类本草》卷2页62瘀血引《雷公药对》。

［5］**瘘疮**　见《证类本草》卷2页64瘘疮引《雷公药对》。

65　车前草及根

主阴瘄[1]。(《本草纲目》卷16页918)

【校注】

［1］本条，《本草纲目》注出处为徐之才文。

66　薯蓣

雷公：甘，无毒[1]。紫芝为之使，恶甘遂[2]。(《证类本草》卷6页160，《本草纲目》卷27页1223)

【校注】

［1］**雷公：甘，无毒**　见《太平御览》卷989页8引《吴普本草》。

［2］本条，《本草纲目》注出处为徐之才文。此文，《本草经集注》已有著录。

67　薏苡人

微寒，主风筋挛急，屈伸不得[1]，治中风湿痹筋挛，君[2]。又主肺痿[3]。

【校注】

［1］**微寒，主风筋挛急，屈伸不得**　见《证类本草》卷2页51疗风通用引《雷公药对》。

［2］**治中风湿痹筋挛，君**　见《证类本草》卷2页52久风湿痹引《雷公药对》。

［3］**主肺痿**　见《证类本草》卷2页69肺痿引《雷公药对》。

68　泽泻

寒，主胞衣不出[1]，治淋，利三焦停水，君[2]。虚而小肠不利加泽泻[3]。畏海蛤、文蛤[4]。(《本草经集注》页83，《证类本草》卷6页162，《本草纲目》卷19页1060)

【校注】

[1] **寒，主胞衣不出** 见《证类本草》卷2页67难产引《雷公药对》。

[2] **治淋，利三焦停水，君** 见《证类本草》卷2页56小便淋引《雷公药对》。

[3] **虚而小肠不利加泽泻** 见《千金方》卷1页4处方第五引《雷公药对》，《证类本草》卷1页38引《雷公药对》。

[4] **畏海蛤、文蛤** 《本草纲目》注出处为徐之才文。

69 远志

温。主惊悸心气，君[1]。虚而多忘加远志[2]。得茯苓、冬葵子、龙骨良。畏珍珠、藜芦、蜚蠊、蛴螬[3]。杀天雄、附子、乌头毒，煎汁饮之[4]。

【校注】

[1] **温。主惊悸心气，君** 见《证类本草》卷2页68惊悸心气引《雷公药对》。

[2] **虚而多忘加远志** 见《千金方》卷1页4处方第五引《雷公药对》，《证类本草》卷1页38引《雷公药对》。

[3] **蛴螬** 《本草纲目》作"蛴蛤"。

[4] **杀天雄、附子、乌头毒，煎汁饮之** 《证类本草》无，据《本草纲目》增。此条，《本草纲目》注出处为之徐之才文，但《本草经集注》已有著录。

70 小草

远志苗也。温，主惊悸心气，君[1]。虚而惊悸不安加小草，若冷则用小草[2]。

【校注】

[1] **远志苗也。温，主惊悸心气，君** 见《证类本草》卷2页68惊悸心气引《雷公药对》。

[2] **虚而惊悸不安加小草，若冷则用小草** 见《千金方》卷1页4处方第五引《雷公药对》，《证类本草》卷1页38引《雷公药对》。

71 龙胆

大寒，主惊伤五内，君[1]。贯众、小豆[2]为之使，恶防葵、地黄[3]。(《证类本草》卷6页163，《本草纲目》卷13页785)

【校注】

[1] **大寒，主惊伤五内，君** 见《证类本草》卷2页68惊悸心气引《雷公药对》。

[2] **小豆** 《证类本草》缺，据《本草纲目》增。

[3] 本条，《本草纲目》注出处为徐之才文。此条，《本草经集注》已有著录。

72 石斛

平，主泄精[1]，腰痛，君[2]。陆英为之使，恶凝[3]水石、巴豆，畏僵蚕。雷丸[4]。（《证类本草》卷6页164，《本草纲目》卷20页1076）

【校注】

[1] **平，主泄精** 见《证类本草》卷2页66泄精引《雷公药对》。

[2] **腰痛，君** 见《证类本草》卷2页66腰痛引《雷公药对》。

[3] **凝** 玄《大观本草》误作“疑”。

[4] **陆英……雷丸** 《本草纲目》注出处为徐之才文。此文，《本草经集注》已有著录。

73 细辛

温，雷公：辛，小温[1]，明目[2]，主鼻息肉[3]，风挛急[4]，女人血闭腹痛[5]，女人血气历腰痛[6]。曾青、桑根白皮[7]为之使，反藜芦。得当归、芍药、白芷、芎䓖、牡丹、藁本、甘草，共疗妇人。得决明、鲤鱼胆，青羊肝，共疗目痛[8]。恶狼毒、山茱萸、黄耆，忌生菜、貍肉[9]，畏滑石、消石[10]。立秋之日，白芷、防风先生，为细辛、蜀漆使，主胸背二十四节[11]。（《证类本草》卷6页164，《本草纲目》卷13页786）

【校注】

[1] **雷公：辛，小温** 见《太平御览》卷989页7引《吴普本草》。

[2] **明目** 见《证类本草》卷2页61目赤热痛引《雷公药对》。

[3] **鼻息肉** 见《证类本草》卷2页61鼻息肉引《雷公药对》。

[4] **风挛急** 见《证类本草》卷2页51疗风通用引《雷公药对》。

[5] **女人血闭腹痛** 见《证类本草》卷2页69女人血闭引《雷公药对》。

[6] **女人血气历腰痛** 见《证类本草》卷2页69女人血气引《雷公药对》。

[7] **桑根白皮** 《千金方》《大观本草》《政和本草》《证类本草》作“枣根”，《医心方》作“桑根”，《本草经集注》作“桑根白皮”。

[8] **得当归……共疗目痛** 《证类本草》缺，据《本草纲目》增。

[9] **忌生菜、狸肉** 《证类本草》缺，据《本草纲目》增。

[10] **曾青……消石** 《本草纲目》注出处为徐之才文。

[11] **立秋之日……主胸背二十四节** 见《本草经集注》页91。

74 菴蕳

微寒，雷公：苦，小温，无毒，臣[1]。主月闭[2]，心下坚[3]，主藏血，身中有毒，臣[4]。荆实、薏苡为之使[5]。(《证类本草》卷6页167，《本草纲目》卷15页847)

【校注】

[1] **雷公：苦，小温，无毒，臣** 见《太平御览》卷991页6引《吴普本草》。

[2] **主月闭** 见《证类本草》卷2页66月闭引《雷公药对》。

[3] **心下坚** 见《证类本草》卷2页58心下满急引《雷公药对》。

[4] **主藏血，身中有毒，臣** 见《证类本草》卷2页62瘀血引《雷公药对》。

[5] **荆实、薏苡为之使** 《本草纲目》注出处为徐之才文。此文，《本草经集注》已有著录。

75 巴戟天

微温，治风邪气[1]，主头面风，君[2]。虚而损加巴戟天[3]。覆盆子为之使，恶朝生、雷丸、丹参[4]。(《本草经集注》页88，《证类本草》卷6页165，《本草纲目》卷12下页748)

【校注】

[1] **微温，治风邪气** 见《证类本草》卷2页51疗风通用引《雷公药对》。

[2] **主头面风，君** 见《证类本草》卷2页52头面风引《雷公药对》。

[3] **虚而损加巴戟天** 见《千金方》卷1页4处方第五引《雷公药对》，《证类本草》卷1页38引《雷公药对》。

[4] **覆盆子……丹参** 《本草纲目》注出处为徐之才文。

76 菥蓂

雷公：辛[1]。得蔓[2]荆实、细辛良。恶干姜、苦参。一云：苦参为之使[3]。(《证类本草》卷6页167，《本草纲目》卷27页1209)

【校注】

[1] **雷公：辛** 见《太平御览》卷980页4引《吴普本草》。

[2] **蔓** 《证类本草》无，据《本草纲目》增。

[3] **一云：苦参为之使** 《证类本草》无，据《本草纲目》增。此文，《本草纲目》注出处为徐之才文，但《本草经集注》已有著录。

77 芝

青、赤、黄、白、黑、紫六芝，薯蓣为之使，得发良，得麻子人、白瓜子、牡桂共[1]益人，恶恒山[2]，畏扁青、茵陈蒿[3]。（《证类本草》卷6页168，《本草纲目》卷28页1240）

【校注】

[1] **共** 《本草纲目》作"甚"。

[2] **恒山** 《本草纲目》作"常山"。

[3] 本条，《本草纲目》注出处为徐之才文。

78 卷柏

温，雷公：甘[1]。主鬼疰、尸疰[2]、月闭，臣[3]。立冬之日，菊、卷柏先生时，为阳起石、桑螵蛸凡十物使，主二百草为之长[4]。

【校注】

[1] **雷公：甘** 见《太平御览》卷989页4引《吴普本草》。

[2] **主鬼疰、尸疰** 见《证类本草》卷2页58鬼疰尸疰引《雷公药对》。

[3] **月闭，臣** 见《证类本草》卷2页66月闭引《雷公药对》。

[4] **立冬之日……主二百草为之长** 见《本草经集注》页91。

79 蓝叶、实、汁

主五心烦闷，君[1]。蓝汁，寒，主烦热[2]。

【校注】

[1] **主五心烦闷，君** 见《证类本草》卷2页53大热引《雷公药对》。

[2] **寒，主烦热** 见《证类本草》卷2页58心烦引《雷公药对》。

80 芎䓖

温，雷公：辛，无毒[1]。主治风眩[2]，中恶[3]，心腹冷痛，臣[4]。虚而冷加芎䓖[5]。白芷为之使，得细辛、牡蛎良[6]。恶黄连[7]，伏雌黄[8]。得细辛，疗金疮止痛。得牡蛎，疗头风吐逆[9]。（《本草经集注》页85，《证类本草》卷7页174，《本草纲目》卷14页796）

【校注】

［1］**雷公：辛，无毒** 见《太平御览》卷990页6引《吴普本草》。

［2］**主治风眩** 见《证类本草》卷2页51风眩引《雷公药对》。

［3］**中恶** 见《证类本草》卷2页54中恶引《雷公药对》。

［4］**心腹冷痛，臣** 见《证类本草》卷2页58心腹冷痛引《雷公药对》。

［5］**虚而冷加芎䓖** 见《千金方》卷1页4处方第五引《雷公药对》，《证类本草》卷1页38引《雷公药对》。

［6］**得细辛、牡蛎良** 据《医心方》增。

［7］**恶黄连** 《本草纲目》《日华子本草》作“畏黄连”，《本草经集注》《唐本草》（据《证类本草》卷2页75上3行引）作“恶黄连”。

［8］**伏雌黄** 《本草经集注》《证类本草》无，据《本草纲目》增。《本草纲目》注此三字为徐之才文。

［9］**得细辛……疗头风吐逆** 《本草经集注》无，据《本草纲目》增。此文，《本草纲目》注出处为徐之才文。

81 黄连

雷公：苦，无毒[1]。黄芩、龙骨、理石为之使，恶菊花、芫花、玄参、白鲜皮、白僵蚕[2]，畏款冬、牛膝[3]，胜乌头，解巴豆毒[4]。（《本草经集注》页85，《证类本草》卷7页175，《本草纲目》卷13页761）

【校注】

［1］**雷公：苦，无毒** 见《太平御览》卷991页5引《吴普本草》。

［2］**白僵蚕** 《本草经集注》《证类本草》无，据《本草纲目》增。

［3］**牛膝** 《本草经集注》《证类本草》无，据《本草纲目》增。

［4］本条，《本草纲目》注出处为徐之才文。

82 络石

《本经》温，《别录》微寒，雷公：苦，无毒[1]。主大惊入腹，君[2]。杜仲、牡丹为之使。恶铁落。贝母[3]、菖蒲。杀殷孽毒[4]。(《证类本草》卷7页176，《本草纲目》卷18页1050)

【校注】

[1] **雷公：苦，无毒** 见《太平御览》卷993页4引《吴普本草》。

[2] **《本经》温，《别录》微寒……主大惊入腹，君** 见《证类本草》卷2页68惊悸心气引《雷公药对》。

[3] **贝母** 其上，《大观本草》《政和本草》《证类本草》《本草纲目》《古今图书集成·博物汇编·草木典》《本经续疏》有“畏”字；《本草经集注》《千金方》《医心方》皆无“畏”字。

[4] **杀殷孽毒** 《证类本草》无，据《本草纲目》增。《本草纲目》注此文出处为徐之才文。按，此文《本草经集注》已有著录。

83 蒺藜

微寒，主下气[1]，肺痿[2]，心烦，臣[3]。乌头为之使[4]。一名地行，一名地莓[5]。(《证类本草》卷7页177，《本草纲目》卷16页934)

【校注】

[1] **微寒，主下气** 见《证类本草》卷2页69下气引《雷公药对》。

[2] **肺痿** 见《证类本草》卷2页69肺痿引《雷公药对》。

[3] **心烦，臣** 见《证类本草》卷2页58心烦引《雷公药对》。

[4] **乌头为之使** 《本草纲目》注出处为徐之才文。按，此文《本草经集注》已有著录。

[5] **一名地行，一名地莓** 见《本草和名》引《雷公药对》。

84 黄耆

微温。主女人血闭腹痛[1]。虚而冷用陇西黄耆[2]，虚而客热加白水黄耆[3]。茯苓为之使[4]，恶龟甲、白鲜皮[5]。(《本草经集注》页85，《证类本草》卷7页178，《本草纲目》卷12页720)

【校注】

[1] **微温。主女人血闭腹痛** 见《证类本草》卷2页69女人血闭腹痛引《雷公药对》。

[2] **虚而冷用陇西黄耆** 见《千金方》卷1页4处方第五引《雷公药对》，《证类本草》卷1页38引《雷公药对》。

[3] **虚而客热加白水黄耆** 见《千金方》卷1页4处方第五引《雷公药对》，《证类本草》卷1页38引《雷公药对》。

[4] **茯苓为之使** 《本草经集注》《证类本草》无，据《本草纲目》增。

[5] **恶龟甲、白鲜皮** 《本草经集注》《证类本草》无，据《本草纲目》增。按，"恶白鲜皮"原属《日华子本草》文（见《证类本草》卷7黄耆条引《日华子本草》）。《本草纲目》注此四字出处为徐之才文。

85 防风

温，雷公：甘，无毒[1]。治头面来去风气[2]，头眩颠倒，大风湿痹，臣[3]。得泽泻、藁本治风，得当归、芍药、阳起石、禹馀粮治妇人子脏风。畏萆薢[4]，恶[5]干姜、黎芦、白蔹、芫花，杀附子毒。得葱白能行周身[6]。立秋之日，白芷、防风先生，为细辛、蜀漆使，主胸背二十四节[7]。（《本草经集注》页85，《证类本草》卷7页179，《本草纲目》卷13页771）

【校注】

[1] **雷公：甘，无毒** 见《太平御览》卷992页4引《吴普本草》。

[2] **治头面来去风气** 见《证类本草》卷2页52头面风引《雷公药对》。

[3] **头眩颠倒，大风湿痹，臣** 见《证类本草》卷2页51风眩引《雷公药对》。

[4] **畏萆薢** 《本草经集注》《证类本草》无，据《本草纲目》增。

[5] **恶** 《医心方》作"不欲"。

[6] **得葱白能行周身** 《本草经集注》《证类本草》无，据《本草纲目》增。《本草纲目》注此七字出处为徐之才文。

[7] **立秋之日……主胸背二十四节** 见《本草经集注》页91。

86 肉苁蓉

微温，雷公：酸[1]。主赤白下痢，臣[2]。虚而损加苁蓉[3]。

【校注】

[1] **雷公：酸** 见《太平御览》卷989页8引《吴普本草》。

[2] **主赤白下痢，臣** 见《证类本草》卷2页55肠澼下痢引《雷公药对》。

[3] **虚而损加茯苓** 见《千金方》卷1页4处方第五引《雷公药对》，《证类本草》卷1页38引《雷公药对》。

87 醮

一名香蒲。雷公：甘。(《太平御览》卷993页3引《吴普本草》)

88 蒲黄

平，主下血，臣。(《证类本草》卷2页55肠澼下痢引《雷公药对》)

89 漏芦

寒，主诸瘘[1]。连翘为之使[2]。(《证类本草》卷7页181，《本草纲目》卷15页868)

【校注】

[1] **寒，主诸瘘** 见《证类本草》卷2页64瘘疮引《雷公药对》。

[2] **连翘为之使** 《本草纲目》注出处为徐之才文。按，《证类本草》卷7页181漏芦条云，此文出于《日华子本草》。

90 续断

微温，主踒折[1]，妇人崩中，臣[2]。地黄为之使，恶雷丸[3]。(《本草经集注》页86，《证类本草》卷7页181，《本草纲目》卷15页867)

【校注】

[1] **微温，主踒折** 见《证类本草》卷2页62踒折引《雷公药对》。

[2] **妇人崩中，臣** 见《证类本草》卷2页66妇人崩中引《雷公药对》。

[3] **地黄为之使，恶雷丸** 《本草纲目》注出处为徐之才文。

91 蔷薇

一名营实。微寒，主五脏寒热，君。(《证类本草》卷2页65虚劳引《雷公药对》)

92 天名精

一名地菘。寒，主瘀血[1]。垣衣、地黄[2]为之使[3]。(《证类本草》卷7页182，

《本草纲目》卷15页878）

【校注】

［1］**一名地菘。寒，主瘀血** 见《证类本草》卷2页62瘀血引《雷公药对》。

［2］**地黄** 《证类本草》缺，据《本草纲目》增。

［3］**垣衣、地黄为之使** 《本草纲目》注此条出处为徐之才文。按，此条《本草经集注》已有著录。

93 豕首[1]

夏至之日，豕首、茱萸先生，为牡蛎、乌喙使，主四肢三十二节。（《本草经集注》页91）

【校注】

［1］**豕首** 天名精的别名称豕首，蠡实的别名亦称豕首。《尔雅》云："菿蘵，豕首"。郭璞注云："药名也，一名麦句姜。"按，天名精一名麦句姜、一名豕首，则《尔雅》所云豕首，似指天名精。

94 决明子

蓍实为之使，恶大麻子[1]。（《本草经集注》页85，《证类本草》卷7页183，《本草纲目》卷16页912）

【校注】

［1］本条，《本草纲目》注出处为徐之才文。

95 丹参

雷公：苦，无毒[1]。畏咸水，反藜芦[2]。（《本草经集注》页86，《证类本草》卷7页183，《本草纲目》卷12页754）

【校注】

［1］**雷公：苦，无毒** 见《太平御览》卷991页2引《吴普本草》。

［2］**畏咸水，反藜芦** 《本草纲目》注出处为徐之才文。

96 茜草

畏鼠姑。汁，制雄黄[1]。(《证类本草》卷7页184，《本草纲目》卷18下页1040)

【校注】

[1] **汁，制雄黄** 《证类本草》无，据《本草纲目》增。此条，《本草纲目》注出处为徐之才文。

97 飞廉[1]

得乌头良，恶麻黄[2]。(《本草经集注》页88，《证类本草》卷7页184，《本草纲目》卷15页869)

【校注】

[1] **飞廉** 《本草经集注》作"蜚廉"。

[2] 本条，《本草纲目》注出处为徐之才文。

98 五味子

温，主泄精，臣[1]。虚而多气兼微咳加五味子[2]。苁蓉为之使。恶萎蕤。胜乌头[3]。(《本草经集注》页85，《证类本草》卷7页185，《本草纲目》卷18上页1003)

【校注】

[1] **温，主泄精，臣** 见《证类本草》卷2页65泄精引《雷公药对》。

[2] **虚而多气兼微咳加五味子** 见《千金方》卷1页4处方第五引《雷公药对》，《证类本草》卷1页38引《雷公药对》。

[3] **苁蓉……胜乌头** 《本草纲目》注出处为徐之才文。

99 忍冬

温，主腹满，君。(《证类本草》卷2页57腹胀满引《雷公药对》)

100 蛇床

恶牡丹、巴豆、贝母。伏硫黄[1]。(《证类本草》卷7页186，《本草纲目》卷14页798)

【校注】

[1] **伏硫黄** 《证类本草》缺，据《本草纲目》增。此条，《本草纲目》注出处为徐之才文。按，此条《本草经集注》已有著录。

101 地肤子

寒，主去皮肤中热气[1]，阴痹[2]。虚而多热加地肤子[3]。

【校注】

[1] **寒，主去皮肤中热气** 见《证类本草》卷2页53大热引《雷公药对》。

[2] **阴痹** 见《证类本草》卷2页65阴痹引《雷公药对》。

[3] **虚而多热加地肤子** 见《千金方》卷1页4处方第五引《雷公药对》，《证类本草》卷1页38引《雷公药对》。

102 生蘡薁藤汁[1]

寒，主治呕啘。(《证类本草》卷2页54呕啘引《雷公药对》)

【校注】

[1] **生蘡薁藤汁** 《唐本草》注云："千岁汁即蘡薁藤汁也。此藤有得千岁者，茎大如椀，冬惟叶凋，茎冬不死，藤汁味甘，其茎主哕逆，大善。"

103 景天

平，主身热，小儿发热惊气，君。(《证类本草》卷2页53大热引《雷公药对》)

104 茵陈蒿

平，微寒，雷公：苦，无毒[1]。主发黄，臣[2]。

【校注】

[1] **雷公：苦，无毒** 见《太平御览》卷993页8引《吴普本草》。

[2] 本条，见《证类本草》卷2页53伤寒引《雷公药对》。

105 杜若

得辛夷、细辛良，恶柴胡、前胡[1]。(《本草经集注》页86，《证类本草》卷7页189，

《本草纲目》卷14页808）

【校注】

［1］本条，《本草纲目》注出处为徐之才文。

106 沙参

微寒，主惊悸心气[1]，不得眠，臣[2]。虚而惊悸不安加沙参，客热加沙参[3]。恶防已，反藜芦[4]。（《本草经集注》页86，《证类本草》卷7页189，《本草纲目》卷12上页728）

【校注】

［1］**微寒，主惊悸心气** 见《证类本草》卷2页68惊悸心气引《雷公药对》。

［2］**不得眠，臣** 见《证类本草》卷2页66不得眠引《雷公药对》。

［3］**虚而惊悸不安加沙参，客热加沙参** 见《千金方》卷1页4处方第五引《雷公药对》，《证类本草》卷1页38引《雷公药对》。

［4］**恶防已，反藜芦** 《本草纲目》注出处为徐之才文。

107 徐长卿

温，雷公：辛[1]。主中蛊，使[2]。

【校注】

［1］**雷公：辛** 见《太平御览》卷991页6引《吴普本草》。

［2］**主中蛊，使** 见《证类本草》卷2页68中蛊引《雷公药对》。

108 石龙刍

雷公：苦，无毒。（《太平御览》卷989页8引《吴普本草》）

109 薇衔

得秦皮良[1]。（《本草经集注》页87，《证类本草》卷7页190，《本草纲目》卷15页859）

【校注】

[1] 本条，《本草纲目》注出处为徐之才文。

110 云实

雷公：苦。(《太平御览》卷983页4引《吴普本草》)

111 王不留行

平，雷公：甘[1]。主心烦，君[2]。

【校注】

[1] **雷公：甘** 见《太平御览》卷991页6引《吴普本草》。

[2] **主心烦，君** 见《证类本草》卷2页58心烦引《雷公药对》。

草部中

112 生姜

微温，主下气，臣[1]。虚而痰复有气加生姜[2]。秦椒为之使。杀半夏、莨菪毒。恶黄芩、黄连[3]、天鼠屎[4]。(《本草经集注》页87，《证类本草》卷8页194，《本草纲目》卷26页1194)

【校注】

[1] **微温，主下气，臣** 见《证类本草》卷2页69下气引《雷公药对》。

[2] **虚而痰复有气加生姜** 见《千金方》卷1页4处方第五引《雷公药对》，《证类本草》卷1页38引《雷公药对》。

[3] **黄连** 《本草经集注》无此二字。

[4] **天鼠屎** 《证类本草》《本草纲目》作“天鼠粪”，《本草经集注》《医心方》作“天鼠矢”。矢、屎二字于古代通用。本条，《本草纲目》注出处为徐之才文。

113 干姜

一名陈姜。《本经》温，《别录》大热。主女人血闭腹痛[1]，难产[2]，止汗，臣[3]。虚而冷加干姜[4]。

【校注】

[1] **《本经》温，《别录》大热。主女人血闭腹痛** 见《证类本草》卷2页69女人血闭引《雷公药对》。

[2] **难产** 见《证类本草》卷2页67难产引《雷公药对》。

[3] **止汗，臣** 见《证类本草》第2页68止汗引《雷公药对》。

[4] **虚而冷加干姜** 见《千金方》卷1页4处方第五引《雷公药对》，《证类本草》卷1页38引《雷公药对》。

114 葈耳

微寒，主治伤寒[1]，中恶[2]，五痔，臣[3]。

【校注】

[1] **微寒，主治伤寒** 见《证类本草》卷2页53伤寒引《雷公药对》。

[2] **中恶** 见《证类本草》卷2页54中恶引《雷公药对》。

[3] **五痔，臣** 见《证类本草》卷2页64五痔引《雷公药对》。

115 葛根

平，主暴中风[1]，金疮[2]，出汗，臣[3]。杀野葛、巴豆、百药毒[4]。(《本草经集注》页85，《证类本草》卷8页196，《本草纲目》卷18页1022)

【校注】

[1] **平，主暴中风** 见《证类本草》卷2页51疗风通用引《雷公药对》。

[2] **金疮** 见《证类本草》卷2页62金疮引《雷公药对》。

[3] **出汗，臣** 见《证类本草》卷2页68出汗引《雷公药对》。

[4] **杀野葛、巴豆、百药毒** 《本草纲目》注出处为徐之才文。

116 葛谷

平，主十年赤白痢[1]，臣。(《证类本草》卷2页55肠澼下痢引《雷公药对》)

【校注】

[1] **主十年赤白痢**　《本经》作"主下痢十岁以上"。

117　当归

《本经》温，《别录》大温，雷公：辛，无毒[1]。主疟寒热[2]，女人血气历腰痛[3]，主金疮[4]，蚀脓[5]。切，醋熬傅肿上，亦主喉闭不通，君[6]。虚而冷加当归[7]。恶䕡茹、湿面[8]，畏菖蒲、海藻、牡蒙、生姜，制雄黄[9]。（《本草经集注》页85，《证类本草》卷8页199，《本草纲目》卷14页794）

【校注】

[1] **雷公：辛，无毒**　见《太平御览》卷989页6引《吴普本草》。

[2] **主疟寒热**　见《证类本草》卷2页53大热引《雷公药对》。

[3] **《本经》温，《别录》大温……女人血气历腰痛**　见《证类本草》卷2页69女人血气引《雷公药对》。

[4] **主金疮**　见《证类本草》卷2页62金疮引《雷公药对》。

[5] **《本经》温，《别录》大温……蚀脓**　见《证类本草》卷2页69蚀脓引《雷公药对》。

[6] **切，醋熬傅肿上，亦主喉闭不通，君**　见《证类本草》卷2页60喉痹痛引《雷公药对》。

[7] **虚而冷加当归**　见《千金方》卷1页4处方第五引《雷公药对》，《证类本草》卷1页38引《雷公药对》。

[8] **湿面**　《本草经集注》《证类本草》无，据《本草纲目》增。

[9] **生姜，制雄黄**　《本草经集注》《证类本草》无，据《本草纲目》增。此条，《本草纲目》注出处为徐之才文。

［附］徐王神效验胎动方佛手散，治妇人妊娠伤动，或子死腹中，血下疼痛，口噤欲死。服此探之，不损则止痛，已损便立下，此乃徐王神验方也。当归二两，芎䓖一两，为粗末。每服三钱，水一盏，煎令泣泣欲干，投酒一盏，再煎一沸，温服，或灌之。如人行五里，再服。不过三五服，便效。（见《外台秘要》卷33页915文仲徐王效神验胎动方。徐王乃北齐西阳郡王徐之才。见《北齐书》卷33徐之才传）。

118　芍药

《本经》平，《别录》微寒，雷公：酸[1]。主逐贼血[2]，蚀脓，女人腹坚胀，女人血闭腹痛[3]。须丸[4]为之使，恶石斛、芒消，畏消石、鳖甲、小蓟[5]，反藜芦[6]，恶葵菜[7]。(《本草经集注》页85，《证类本草》卷8页201，《本草纲目》卷14页802)

【校注】

[1] **雷公：酸** 见《太平御览》卷990页7引《吴普本草》。

[2] **主逐贼血** 见《证类本草》卷2页62瘀血引《雷公药对》。

[3] **《本经》平，《别录》微寒……蚀脓，女人腹坚胀，女人血闭腹痛** 见《证类本草》卷2页69蚀脓、女人腹坚胀引《雷公药对》。

[4] **须丸** 《千金方》《本经疏证》作“雷丸”。按，须丸即代赭石别名。

[5] **小蓟** 《医心方》作“山”。

[6] **须丸……反藜芦** 《本草纲目》注出处为徐之才文。

[7] **恶葵菜** 据《医心方》增。

119 栝楼根

寒，主烦热渴，发黄，臣[1]。枸杞为之使。恶干姜，畏牛膝、干漆，反乌头[2]。(《本草经集注》页85，《证类本草》卷8页197，《本草纲目》卷18页1018)

【校注】

[1] **寒，主烦热渴，发黄，臣** 《证类本草》卷2页53伤寒引《雷公药对》。

[2] **枸杞为之使……反乌头** 《本草纲目》注出处为徐之才文。

120 苦参

寒，主治中恶，君[1]；主诸恶疮软疖，臣[2]。玄参为之使，恶贝母、漏芦、菟丝，反藜芦[3]。(《本草经集注》页86，《证类本草》卷8页198，《本草纲目》卷13页776)

【校注】

[1] **寒，主治中恶，君** 见《证类本草》卷2页54中恶引《雷公药对》。

[2] **主诸恶疮软疖，臣** 见《证类本草》卷2页63恶疮引《雷公药对》。

[3] **玄参……反藜芦** 《本草纲目》注出处为徐之才文。

121 麻黄

《本经》温，《别录》微温，雷公：苦，无毒[1]。主出汗[2]，下气，臣[3]。

厚朴、白薇为之使[4]。恶辛夷、石韦。(《本草经集注》页85,《证类本草》卷8页199,《本草纲目》卷15页886)

【校注】

[1] **雷公:苦,无毒** 见《太平御览》卷993页4引《吴普本草》。

[2] **出汗** 见《证类本草》卷2页68出汗引《雷公药对》。

[3] **《本经》温……下气,臣** 见《证类本草》卷2页69下气引《雷公药对》。

[4] **白薇为之使** 《本草经集注》《证类本草》无,据《本草纲目》增。《本草纲目》注此五字为徐之才文。《证类本草》卷2掌禹锡按《蜀本草》云:"白薇为之使"。

122 麻黄根

并故竹扇末,主止汗,臣。(《证类本草》卷2页68止汗引《雷公药对》)

123 通草

平,雷公:苦[1]。利水肿及小便[2],主呕啘[3],利九窍,出声,臣[4]。

【校注】

[1] **雷公:苦** 见《太平御览》卷992页6引《吴普本草》。

[2] **利水肿及小便** 见《证类本草》卷2页55大腹水肿引《雷公药对》。

[3] **主呕啘** 见《证类本草》卷2页54呕啘引《雷公药对》。

[4] **利九窍,出声,臣** 见《证类本草》卷2页61声音哑引《雷公药对》。

124 瞿麦

蘘草、牡丹[1]为之使,恶螵蛸,伏丹砂[2]。(《本草经集注》页86,《证类本草》卷8页202,《本草纲目》卷16页914)

【校注】

[1] **牡丹** 日本望草玄刊《大观本草》误作"牧丹"。

[2] **伏丹砂** 《本草经集注》《证类本草》无,据《本草纲目》增。本条,《本草纲目》注出处为徐之才文。

125 秦艽

微温,主下大水,臣[1]。菖蒲为之使,畏牛乳[2]。(《本草经集注》页85,《证类本

草》卷8页203，《本草纲目》卷13页768）

【校注】

[1] **微温，主下大水，臣** 见《证类本草》卷2页55大腹水肿引《雷公药对》。

[2] **畏牛乳** 《本草经集注》《证类本草》无，据《本草纲目》增。“菖蒲为之使，畏牛乳”，《本草纲目》注出处为徐之才文。

126 玄参

微寒，雷公：苦，无毒[1]。主散颈下肿核，臣[2]。恶黄耆、干姜、大枣、山茱萸，反藜芦[3]。（《本草经集注》页86，《证类本草》卷8页203，《本草纲目》卷12下页752）

【校注】

[1] **雷公：苦，无毒** 见《太平御览》卷991页3。

[2] **主散颈下肿核，臣** 见《证类本草》卷2页63瘿瘤引《雷公药对》。

[3] **恶黄耆……反藜芦** 《本草纲目》注出处为徐之才文。

127 知母

虚而口干加知母。（见《千金方》卷1页4处方第五引《雷公药对》，《证类本草》卷1页38页引《雷公药对》）

128 贝母

微寒，主出汗，臣[1]。厚朴、白薇为乏使，恶桃花，畏秦艽、礜石、莽草，反[2]乌头[3]。（《本草经集注》页85，《证类本草》卷8页205，《本草纲目》卷13页780）

【校注】

[1] **微寒，主出汗，臣** 见《证类本草》卷2页68出汗引《雷公药对》。

[2] **反** 《草木典》作“及”，疑有误。

[3] **厚朴……反乌头** 《本草纲目》注出处为徐之才文。

129 白芷

温，主头面风[1]，漏下赤白[2]，蚀脓[3]，臣。当归为之使，恶旋覆花，制雄黄、硫黄[4]。立秋之日，白芷、防风先生，为细辛、蜀漆使，主胸背二十四节[5]。(《本草经集注》页86，《证类本草》卷8页206，《本草纲目》卷14页800)

【校注】

[1] **温，主头面风** 见《证类本草》卷2页52头面风引《雷公药对》。

[2] **漏下赤白** 见《证类本草》卷2页66妇人崩中引《雷公药对》。

[3] **蚀脓** 见《证类本草》卷2页69蚀脓引《雷公药对》。

[4] **制雄黄、硫黄** 《本草经集注》《证类本草》无，据《本草纲目》增。《本草纲目》注此五字出于徐之才文。

[5] **立秋之日……主胸背二十四节** 见《本草经集注》页91。

130 淫羊藿

雷公：辛[1]。薯蓣、紫芝[2]为之使，得酒良[3]。(《证类本草》卷8页206，《本草纲目》卷12页750)

【校注】

[1] **雷公：辛** 见《太平御览》卷993页3引《吴普本草》。

[2] **紫芝** 《证类本草》缺，据《本草纲目》增。

[3] **得酒良** 《证类本草》缺，据《本草纲目》增。本条，《本草纲目》注出处为徐之才文。

131 黄芩

大寒，雷公：苦，无毒[1]。主心腹痛[2]，女人腹坚胀[3]，利小便，臣[4]。虚而热加黄芩[5]，虚而小便赤加黄芩[6]。得厚朴、黄连，止腹痛。得五味子、牡蒙、牡蛎，令人有子。得黄耆、白蔹、赤小豆，治鼠瘘。山茱萸、龙骨为之使，恶葱实，畏丹砂、牡丹、藜芦[7]。(《本草经集注》页85，《证类本草》卷8页207，《本草纲目》卷13页766)

【校注】

[1] **雷公：苦，无毒** 见《太平御览》卷992页2引《吴普本草》。

[2] **主心腹痛** 见《证类本草》卷2页58心腹痛引《雷公药对》。

[3] **女人腹坚胀** 见《证类本草》卷2页69女人腹坚胀引《雷公药对》。

[4] **利小便，臣** 见《证类本草》卷2页56小便淋引《雷公药对》。

[5] **虚而热加黄芩** 见《千金方》卷1页4处方第五引《雷公药对》，《证类本草》卷1页38引

《雷公药对》。

[6] **虚而小便赤加黄芩** 见《千金方》卷1页4处方第五引《雷公药对》,《证类本草》卷1页38引《雷公药对》。

[7] **得厚朴……藜芦** 《本草纲目》注出处为徐之才文。

132 狗脊

平,雷公:甘,无毒[1]。补益丈夫,臣[2]。萆薢为之使,恶败酱、莎草[3]。(《本草经集注》页86,《证类本草》卷8页207,《本草纲目》卷12下页746)

【校注】

[1] **雷公:甘,无毒** 见《太平御览》卷990页7引《吴普本草》。

[2] **补益丈夫,臣** 见《证类本草》卷2页65虚劳引《雷公药对》。

[3] **萆薢……莎草** 《本草纲目》注此十字出处为徐之才文。《本草经集注》《证类本草》无"莎草"二字,据《本草纲目》增。

133 石龙芮

平,主心烦,君[1]。大戟为之使。畏蛇蜕皮、吴茱萸[2]。(《证类本草》卷8页207,《本草纲目》卷17页995)

【校注】

[1] **平,主心烦,君** 见《证类本草》卷2页58心烦引《雷公药对》。

[2] **大戟……吴茱萸** 《本草纲目》脱"吴"字,并注此句出处为徐之才文。

134 白茅根

寒,主血闭[1],下气,臣[2]。

【校注】

[1] **寒,主血闭** 见《证类本草》卷2页66月闭引《雷公药对》。

[2] **下气,臣** 见《证类本草》卷2页69下气引《雷公药对》。

135 紫菀

温,主劳气,臣[1]。款冬为之使。恶天雄、瞿麦、藁本[2]、雷丸、远志,畏茵

陈[3]。(《本草经集注》页 86，《证类本草》卷 8 页 209，《本草纲目》卷 16 页 898)

【校注】

[1] **温，主劳气，臣** 见《证类本草》卷 2 页 65 虚劳引《雷公药对》。

[2] **藁本** 《证类本草》《本草经集注》无，据《本草纲目》增。

[3] **款冬为之使……畏茵陈** 《本草纲目》注出处为徐之才文。

136 紫草

寒，主骨肉中痛，臣[1]。治小儿面上疮，使[2]。

【校注】

[1] **寒，主骨肉中痛，臣** 见《证类本草》卷 2 页 53 伤寒引《雷公药对》。

[2] **治小儿面上疮，使** 见《证类本草》卷 2 页 63 恶疮引《雷公药对》。

137 前胡

微寒，主下气，臣[1]：半夏为之使，恶皂荚，畏藜芦[2]。(《本草经集注》页 85，《证类本草》卷 8 页 210，《本草纲目》卷 13 页 771)

【校注】

[1] **微寒，主下气，臣** 见《证类本草》卷 2 页 69 下气引《雷公药对》。

[2] **半夏为之使……畏藜芦** 《本草纲目》注出处为徐之才文。

138 败酱

微寒，主烦热，臣。(《证类本草》卷 2 页 58 心烦引《雷公药对》)

139 白鲜

寒，主时病出汗[1]，治风不得屈伸，风热[2]，癫痫，臣[3]，恶桑[4]螵蛸、桔梗、茯苓、萆薢[5]。(《本草经集注》页 86，《证类本草》卷 8 页 210，《本草纲目》卷 13 页 778)

【校注】

[1] **寒，主时病出汗** 见《证类本草》卷 2 页 53 伤寒引《雷公药对》。

［2］**治风不得屈伸，风热**　见《证类本草》卷2页51疗风通用引《雷公药对》。

［3］**癫痫，臣**　见《证类本草》卷2页59癫痫引《雷公药对》。

［4］**桑**　《医心方》《本草纲目》脱此字。

［5］**恶桑螵蛸……萆薢**　《本草纲目》注出处为徐之才文。

140　紫参

寒，主女人血闭腹痛[1]。畏辛夷[2]。(《本草经集注》页88，《证类本草》卷8页211，《本草纲目》卷13页755)

【校注】

［1］**寒，主女人血闭腹痛**　见《证类本草》卷2页69女人血闭引《雷公药对》。

［2］**畏辛夷**　《本草纲目》注出处为徐之才文。

141　藁本

温，主恶疮，臣[1]。恶蕳茹，畏青葙子[2]。(《本草经集注》页85，《证类本草》卷8页212，《本草纲目》卷14页799)

【校注】

［1］**温，主恶疮，臣**　见《证类本草》卷2页63恶疮引《雷公药对》。

［2］**畏青葙子**　《本草经集注》《证类本草》无，据《本草纲目》增。按，此四字原出于《药性论》，但《本草纲目》注出处为徐之才文。

142　石韦

滑石[1]、杏人、射干[2]为之使，得菖蒲良。制丹砂、矾石[3]。(《本草经集注》页86，《证类本草》卷8页212，《本草纲目》卷20页1077)

【校注】

［1］**滑石**　宋·掌禹锡按《蜀本草》作"络石"。《本草经集注》缺此二字。

［2］**射干**　《本草经集注》《证类本草》缺，据《本草纲目》增。

［3］**制丹砂、矾石**　《本草经集注》《证类本草》无，据《本草纲目》增。此条，《本草纲目》注出处为徐之才文。

143　萆薢

平，主心腹冷痛，臣[1]。薏苡为之使。畏葵根、大黄、柴胡、牡蛎、前胡[2]。（《本草经集注》页86，《证类本草》卷8页212，《本草纲目》卷18下页1031）

【校注】

[1] **主心腹冷痛，臣**　见《证类本草》卷2页58心腹冷痛引《雷公药对》。

[2] **薏苡……前胡**　《本草纲目》注出处为徐之才文。

144　杜衡

温，主瘿瘤，臣。（《证类本草》卷2页63瘿瘤引《雷公药对》）

145　白薇

大寒，主治大热[1]，暴风身热，四肢急满不知人[2]。目赤热[3]，无子，臣[4]。恶黄耆、大黄、大戟[5]、干姜、干漆、山茱萸、大枣[6]。（《本草经集注》页86，《证类本草》卷8页213，《本草纲目》卷13页789）

【校注】

[1] **主治大热**　见《证类本草》卷2页53大热引《雷公药对》。

[2] **暴风身热，四肢急满不知人**　见《证类本草》卷2页51疗风通用引《雷公药对》。

[3] **目赤热**　见《证类本草》卷2页61目赤热痛引《雷公药对》。

[4] **无子，臣**　见《证类本草》卷2页67无子引《雷公药对》。

[5] **大黄、大戟**　《本草经集注》缺，据《证类本草》增。

[6] **恶黄耆……大枣**　《本草纲目》注出处为徐之才文。

146　艾叶

微温，主安胎[1]。苦酒煎，主䘌[2]，除疣及下部疮，臣[3]。

【校注】

[1] **微温，主安胎**　见《证类本草》卷2页67安胎引《雷公药对》。

[2] **主䘌**　见《证类本草》卷2页64引《雷公药对》。

[3] **除疣及下部疮，臣**　见《证类本草》卷2页63恶疮引《雷公药对》。

147　水中萍

寒，主暴热身痒。(《证类本草》卷2页53大热引《雷公药对》)

148　土瓜

寒，主耳聋。(《证类本草》卷2页61耳聋引《雷公药对》)

149　地榆

微寒，主漏下赤血[1]，止血痢[2]，主蚀脓[3]。得发良，恶麦门冬。伏丹砂、雄黄、硫黄[4]。(《本草经集注》页88，《证类本草》卷9页220，《本草纲目》卷12下页753)

【校注】

[1] **微寒，主漏下赤血**　见《证类本草》卷2页66妇人崩中引《雷公药对》。

[2] **止血痢**　见《证类本草》卷2页54肠澼下痢引《雷公药对》。

[3] **主蚀脓**　见《证类本草》卷2页69蚀脓引《雷公药对》。

[4] **伏丹砂、雄黄、硫黄**　《本草经集注》《证类本草》无，据《本草纲目》增。《本草纲目》注此文出处为徐之才文。

150　海藻

反甘草[1]。(《本草经集注》页87，《证类本草》卷9页221，《本草纲目》卷19页1072)

【校注】

[1] **反甘草**　《本草纲目》注出处为徐之才文。

151　泽兰

微温，主女人血气历腰痛[1]。防己为之使[2]。(《本草经集注》页88，《证类本草》卷9页222，《本草纲目》卷14页832)

【校注】

[1] **微温，主女人血气历腰痛**　见《证类本草》卷2页69女人血气引《雷公药对》。

[2] **防己为之使**　《本草纲目》注出处为徐之才文。

152 款冬花

杏人为之使，得紫菀良，恶皂荚、消石、玄参[1]，畏贝母[2]、辛夷、麻黄、黄耆、黄芩、黄连[3]、青葙[4]。(《本草经集注》页 88，《证类本草》卷 9 页 226，《本草纲目》卷 16 页 910)

【校注】

[1] **玄参** 《医心方》无此二字。

[2] **贝母** 《医心方》无此二字。

[3] **黄连** 《本草纲目》作“连翘”。

[4] 本条，《本草纲目》注出处为徐之才文。

153 防己

平，治挛急，臣[1]。殷孽为之使，杀雄黄毒，恶细辛，畏萆薢、女菀、卤咸，伏消石[2]。(《本草经集注》页 88，《证类本草》卷 9 页 223，《本草纲目》卷 18 下页 1042)

【校注】

[1] **平，治挛急，臣** 见《证类本草》卷 2 页 52 中风脚弱引《雷公药对》。

[2] **女菀、卤咸，伏消石** 《本草经集注》《证类本草》无，据《本草纲目》增。《本草纲目》注此七字为徐之才文。

154 牡丹

《本经》寒，《别录》微寒，雷公：苦，无毒[1]。主除留血[2]，主腰痛[3]，女人血气历腰痛[4]，使。畏贝母、大黄[5]、菟丝子[6]。(《本草经集注》页 88，《证类本草》卷 9页 227，《本草纲目》卷 14 页 804)

【校注】

[1] **雷公：苦，无毒** 见《太平御览》卷 992 页 6 引《吴普本草》。

[2] **主除留血** 见《证类本草》卷 2 页 62 瘀血引《雷公药对》。

[3] **主腰痛** 见《证类本草》卷 2 页 66 腰痛引《雷公药对》。

[4] **《本经》寒，《别录》微寒……女人血气历腰痛** 见《证类本草》卷 2 页 69 女人血气引《雷公药对》。

[5] **贝母、大黄** 《本草经集注》《证类本草》无，据《本草纲目》增。《本草纲目》注此四字为徐之才文。

[6] 本条，《本草纲目》注出处为徐之才文。

155 蔄酱

温，主尿不节，臣。(《证类本草》卷2页56小便利引《雷公药对》)

156 白前

微温，主下气，臣。(《证类本草》卷2页69下气引《雷公药对》)

157 荠苨

味甘、寒。主解百药毒[1]。(《证类本草》卷9页233，《本草纲目》卷12页729)

【校注】

[1] 本条，《本草纲目》注出处为《名医别录》。

158 垣衣

大寒，主发疮。(《证类本草》卷2页53大热引《雷公药对》)

159 陟厘[1]

河中侧梨。(《证类本草》卷9页237，《本草纲目》卷21页1087)

【校注】

[1] **陟厘** 《证类本草》卷9页237陟厘条《唐本草》注云："《药对》云：河中侧梨。侧梨、陟厘，声相近也。"又，王子年《拾遗记》云："张华撰《博物志》，上晋武帝（265—290），嫌繁，命削之，赐华侧理纸万张。"王子年云："陟厘，纸也。此纸以水苔为之，溪人语讹谓之侧理也。"

160 女菀

畏卤咸[1]。(《本草经集注》页88，《证类本草》卷9页237，《本草纲目》卷16页899)

【校注】

[1] 本条，《本草纲目》注出处为徐之才文。

161 牡蒙[1]

平，雷公：苦，无毒[2]。主积聚癥瘕[3]，金疮破血，生肌肉，止痛，赤白痢，补虚益气，除脚肿，发阴阳也[4]。（《证类本草》卷9页237，《本草纲目》卷12页756）

【校注】

[1] **牡蒙** 按，《证类本草》卷9页237王孙条《唐本草》注云："《小品》述《本草》，牡蒙一名王孙。《雷公药对》有牡蒙而无王孙。"《嘉祐本草》引《蜀本草》云："叶似及已而大，根长尺余，皮肉亦紫色。"

[2] **雷公：苦，无毒** 见《太平御览》卷993页8引《吴普本草》。

[3] **主积聚癥瘕** 见（《证类本草》卷2页58积聚癥瘕引《雷公药对》。

[4] **金疮破血……发阴阳也** 《唐本草》注云："《小品》述《本草》，牡蒙一名王孙。药对有牡蒙无王孙，此则一物明矣。又主金疮破血……发阴阳也。"

162 井中蓝

杀野葛、巴豆诸毒[1]。（《证类本草》卷9页238，《本草纲目》卷21页1087）

【校注】

[1] 本条，《本草纲目》注出处为别录。

草部下

163 附子

《本经》温，《别录》大热，雷公：甘，有毒[1]。主腰痛[2]，呕逆[3]，瘘疮，使[4]。虚而多冷加附子[5]。地胆为之使，恶蜈蚣，畏防风、甘草、黄耆、人参、乌韭、大豆[6]。（《本草经集注》页87，《证类本草》卷10页241，《本草纲目》卷17上页962）

【校注】

[1] **雷公：甘，有毒** 见《太平御览》卷990页2引《吴普本草》。

[2] **《本经》温，《别录》大热……主腰痛** 见《证类本草》卷2页66腰痛引《雷公药对》。

[3] **呕逆** 见《证类本草》卷2页57呕吐引《雷公药对》。

[4] **瘘疮，使** 见《证类本草》卷2页64瘘疮引《雷公药对》。

[5] **虚而多冷加附子** 见《千金方》卷1页4处方第五引《雷公药对》，《证类本草》卷1页38引《雷公药对》。

[6] **地胆……大豆** 《本草纲目》注出处为徐之才文。大豆，《本草纲目》作"黑豆"。

164 乌头

大热，雷公：甘，有毒[1]。主齿痛[2]，嗽逆上气[3]，心中痰冷不下食[4]。虚而多冷加乌头[5]。莽草为之使。反半夏、栝楼、贝母、白蔹、白及。恶藜芦[6]。（《本草经集注》页87，《证类本草》卷10页243，《本草纲目》卷17页972）

【校注】

[1] **雷公：甘，有毒** 见《太平御览》卷990页2引《吴普本草》。

[2] **主齿痛** 见《证类本草》卷2页60齿痛引《雷公药对》。

[3] **嗽逆上气** 见《证类本草》卷2页57上气咳嗽引《雷公药对》。

[4] **心中痰冷不下食** 见《证类本草》卷2页57痰饮引《雷公药对》。

[5] **虚而多冷加乌头** 见《千金方》卷1页4处方第五引《雷公药对》；《证类本草》卷1页38引《雷公药对》。

[6] **反半夏……恶藜芦** 《本草纲目》注出处为徐之才文，但《本草经集注》已有著录。《太平御览》卷990页2乌喙条引《吴普本草》曰："所畏恶使，尽与乌头同。"由此可见，乌头条的畏恶早在魏《吴普本草》已有记载，并非始于北齐徐之才。"芦"字，《唐本草》脱。

165 射罔[1]

温[2]。（《本草纲目》卷17下页972）

【校注】

[1] **射罔** 煎乌头汁名射罔。用以毒杀禽兽。

[2] 本条，《本草纲目》列在乌头条下，并注出处为徐之才文。

166 乌喙

夏至之日，豕首、茱萸先生，为牡蛎、乌喙使，主四肢三十二节。（《本草经集

注》页 91）

167　天雄

大热，主破癥结积聚，使[1]。远志为之使，恶腐婢[2]，忌豉汁[3]。（《本草经集注》页 87，《证类本草》卷 10 页 244，《本草纲目》卷 17 页 971）

【校注】

［1］**大热，主破癥结积聚，使**　见《证类本草》卷 2 页 58 积聚癥瘕引《雷公药对》。

［2］**婢**　《唐本草》误作“妇”。

［3］**忌豉汁**　《本草经集注》《证类本草》无，据《本草纲目》增。《本草纲目》注此三字出处为徐之才文。按，此三字出于《药性论》。《嘉祐本草》引《药性论》云：“天雄，君，忌豉汁。”

168　侧子

大热，主湿风大风拘急，使[1]。治痈肿[2]。

【校注】

［1］**大热，主湿风大风拘急，使**　见《证类本草》卷 2 页 51 疗风通用引《雷公药对》。

［2］**治痈肿**　见《证类本草》卷 2 页 63 痈疽引《雷公药对》。

169　半夏

平，生微寒，熟温。主下气，使[1]。粢粉杂豆豉熬末半夏，主止汗，使[2]。虚而有痰复有气加半夏[3]。射干为之使，恶皂荚，畏雄黄、生姜、干姜、秦皮、龟甲，反乌头[4]。立春之日，木兰、射干先生，为柴胡、半夏使，主头痛四十五节[5]。（《本草经集注》页 87，《证类本草》卷 10 页 245，《本草纲目》卷 17 下页 980）

【校注】

［1］**平，生微寒，熟温。主下气，使**　见《证类本草》卷 2 页 69 下气引《雷公药对》。

［2］**粢粉杂豆豉熬末半夏，主止汗，使**　见《证类本草》卷 2 页 68 止汗引《雷公药对》。

［3］**虚而有痰复有气加半夏**　见《千金方》卷 1 页 4 处方第五引《雷公药对》，《证类本草》卷 1 页 38 引《雷公药对》。

［4］**射干为之使……反乌头**　《本草纲目》注出处为徐之才文。

［5］**立春之日……主头痛四十五节**　见《本草经集注》页 91。

170　大黄

大寒，雷公：苦，有毒[1]。主癫痫[2]，伤寒[3]，蚀脓[4]，月候不通，使[5]。得芍药、黄芩、牡蛎、细辛、茯苓，治惊恚怒，心下悸气。得消石、紫石英、桃人，治女子血闭[6]。黄芩为之使，无所畏[7]。（《本草经集注》页87，《证类本草》卷10页246，《本草纲目》卷17上页941）

【校注】

[1] **雷公：苦，有毒**　见《太平御览》卷992页4引《吴普本草》。

[2] **主癫痫**　见《证类本草》卷2页59癫痫引《雷公药对》。

[3] **伤寒**　见《证类本草》卷2页53伤寒引《雷公药对》。

[4] **蚀脓**　见《证类本草》卷2页69蚀脓引《雷公药对》。

[5] **月候不通，使**　见《证类本草》卷2页66月闭引《雷公药对》。

[6] **得芍药……治女子血闭**　《本草经集注》无，据《证类本草》增。《本草纲目》注出处为徐之才文。《医心方》将此文书作“得芍药、黄芩、牡蛎、细辛、茯苓、消石、紫石、桃人良”。

[7] **黄芩为之使，无所畏**　《本草纲目》注出处为徐之才文。

171　虎掌、天南星

雷公：苦，无毒[1]。蜀漆为之使。恶莽草[2]。（《本草经集注》页88，《证类本草》卷10页246，《本草纲目》卷17页977）

【校注】

[1] **雷公：苦，无毒**　见《太平御览》卷990页4引《吴普本草》。

[2] **蜀漆为之使。恶莽草**　《本草纲目》注出处为徐之才文。

172　葶苈子

寒，主中暴风[1]，身暴热，利小便，使[2]。得酒良，榆皮为之使，恶白姜蚕、石龙芮[3]。（《本草经集注》页87，《证类本草》卷10页248，《本草纲目》卷16页917）

【校注】

[1] **寒，主中暴风**　见《证类本草》卷2页52暴风瘙痒引《雷公药对》。

[2] **身暴热，利小便，使**　见《证类本草》卷2页53大热引《雷公药对》。

[3] **得酒良……石龙芮** 《本草纲目》注出处为徐之才文。

173 桔梗

微温，雷公：甘，无毒[1]，主治中恶[2]，惊悸心气，臣[3]，蚀脓[4]。节皮[5]为之使。得牡蛎、远志，治恚怒。得消石、石膏，治伤寒[6]。畏白及、龙眼[7]、龙胆草，忌猪肉。白粥解其瘀毒[8]。(《本草经集注》页85，《证类本草》卷10页249，《本草纲目》卷12上页730)

【校注】

[1] **雷公：甘，无毒** 见《太平御览》卷990页2引《吴普本草》。

[2] **主治中恶** 见《证类本草》卷2页54中恶引《雷公药对》。

[3] **惊悸心气，臣** 见《证类本草》卷2页68惊悸心气引《雷公药对》。

[4] **蚀脓** 见《证类本草》卷2页69蚀脓引《雷公药对》。

[5] **节皮** 《医心方》作"秦皮"。

[6] **得牡蛎……治伤寒** 《本草经集注》《千金方》《医心方》无，据《证类本草》增。

[7] **龙眼** 《本草纲目》脱此二字。

[8] **白粥解其瘀毒** 《本草经集注》《证类本草》无，据《本草纲目》增。按，此六字原出于《日华子本草》，但《本草纲目》注出处为徐之才文。

174 藜芦

寒，雷公：辛，有毒[1]。主嗽逆，使[2]，蚀脓[3]。黄连为之使，反细辛、芍药、五参[4]，恶大黄[5]。(《本草经集注》页88，《证类本草》卷10页251，《本草纲目》卷17页961)

【校注】

[1] **雷公：辛，有毒** 见《太平御览》卷990页3引《吴普本草》。

[2] **主嗽逆，使** 见《证类本草》卷2页57上气咳嗽引《雷公药对》。

[3] **蚀脓** 见《证类本草》卷2页69蚀脓引《雷公药对》。

[4] **五参** 《本草纲目》作"人参、沙参、紫参、丹参、苦参"，《本草经集注》《证类本草》作"五参"。

[5] **黄连为之使……恶大黄** 《本草纲目》注出处为徐之才文。

175 旋覆花

温，主胁下寒热，下水，臣。(《证类本草》卷2页57腹胀满引《雷公药对》)

176 野葛

一名钩吻。温，主中蛊，使[1]。半夏为之使，恶黄芩[2]。（《本草经集注》页87，《证类本草》卷10页252，《本草纲目》卷17页998）

【校注】

[1] **一名钩吻。温，主中蛊，使** 见《证类本草》卷2页68中蛊引《雷公药对》。

[2] **半夏为之使，恶黄芩** 《本草纲目》注出处为徐之才文。

177 射干

微温，治时气病鼻塞，喉痹，阴毒[1]，主胸中结气，胁下满急[2]。除留血老血[3]，主月闭，使[4]。立春之日，木兰、射干先生，为柴胡、半夏使，主头痛四十五节[5]。

【校注】

[1] **微温，治时气病鼻塞，喉痹，阴毒** 见《证类本草》卷2页53伤寒引《雷公药对》。

[2] **主胸中结气，胁下满急** 见《证类本草》卷2页57痰饮及腹胀满引《雷公药对》。

[3] **除留血老血** 见《证类本草》卷2页62瘀血引《雷公药对》。

[4] **主月闭，使** 见《证类本草》卷2页66月闭引《雷公药对》。

[5] **立春之日……主头痛四十五节** 见《本草经集注》页91。

178 蛇衔

微寒。主寒热[1]，金疮，臣[2]。

【校注】

[1] **微寒。主寒热** 见《证类本草》卷2页59癫痫引《雷公药对》。

[2] **金疮，臣** 见《证类本草》卷2页62金疮引《雷公药对》。

179 甘遂

寒，雷公：有毒[1]。主癫痫[2]，散癥结积聚，使[3]。瓜蒂为之使，恶远志，反甘草[4]。（《本草经集注》页87，《证类本草》卷10页254，《本草纲目》卷17上页951）

【校注】

[1] **雷公：有毒** 见《太平御览》卷993页7引《吴普本草》。

[2] **主癫病** 见《证类本草》卷2页59癫痫引《雷公药对》。

[3] **散癥结积聚，使** 见《证类本草》卷2页58积聚癥瘕引《雷公药对》。

[4] **瓜蒂为之使……反甘草** 《本草纲目》注出处为徐之才文。

180 白蔹

《本经》平，《别录》微寒。主温疟寒热，使[1]。又主光泽[2]。代赭为之使，反乌头[3]。(《本草经集注》页88，《证类本草》卷10页255，《本草纲目》卷18页1033)

【校注】

[1] **微寒。主温疟寒热，使** 见《证类本草》卷2页54温疟引《雷公药对》。

[2] **主光泽** 见《证类本草》卷2页62面皯皰引《雷公药对》。

[3] **代赭为之使，反乌头** 《本草纲目》注出处为徐之才文。

181 恒山[1]

畏玉札[2]。(《本草经集注》页89，《证类本草》卷10页253，《本草纲目》卷17页958)

【校注】

[1] **恒山** 《本草纲目》作"常山"。按，历代帝王以恒为名时，则为避讳而改恒为"常"。如汉代孝文帝刘恒（前179—前156)、唐穆宗李恒（821—825)、宋真宗赵恒（998—1023)，皆因避讳改恒为"常"。

[2] **畏玉札** 《本草纲目》注此文出处为徐之才文。

182 蜀漆

平，主癥结癖气，使[1]。栝楼为之使，恶贯众[2]。立秋之日，白芷、防风先生，为细辛、蜀漆使，主胸背二十四节[3]。

【校注】

[1] **平，主癥结癖气，使** 见《证类本草》卷2页58积聚癥瘕引《雷公药对》。

[2] **栝楼为之使，恶贯众** 见《本草纲目》卷17页957蜀漆引"之才曰"。

[3] **立秋之日……主胸背二十四节** 见《本草经集注》页91。

183 蜀漆叶

雷公：辛，有毒。（《太平御览》卷992页3引《吴普本草》）

184 雚菌

得酒良，畏鸡子[1]。（《本草经集注》页88，《证类本草》卷10页255，《本草纲目》卷28页1246）

【校注】

[1] 本条，《本草纲目》注出处为“权曰”。

185 白及

微寒，雷公：辛，无毒[1]。主阴痿，使[2]。紫石英为之使，恶理石，畏李核、杏人，反乌头[3]。（《本草经集注》页88，《证类本草》卷10页255，《本草纲目》卷12页758）

【校注】

[1] **雷公：辛，无毒** 见《太平御览》卷990页8引《吴普本草》。

[2] **主阴痿，使** 见《证类本草》卷2页65阴痿引《雷公药对》。

[3] **反乌头** 《本草经集注》《证类本草》无，据《本草纲目》增。《本草纲目》注此三字为徐之才文。按，此文出于《蜀本草》。《嘉祐本草》引《蜀本草》云：“白及，反乌头。”

186 贯众

微寒，主肠中邪气积聚，使[1]。雚菌、赤小豆[2]为之使，伏石钟乳[3]。（《本草经集注》页88，《证类本草》卷10页257，《本草纲目》卷12页747）

【校注】

[1] **微寒，主肠中邪气积聚，使** 见《证类本草》卷2页58积聚癥瘕引《雷公药对》。

[2] **赤小豆** 《本草经集注》《证类本草》无，据《本草纲目》增。《本草纲目》注此三字为徐之才文。按，此三字出自《药性论》。《嘉祐本草》引《药性论》云：“贯众，使，赤小豆为之使。”

[3] **伏石钟乳** 《本草经集注》《证类本草》缺，据《本草纲目》增。《本草纲目》注此三字出处为徐之才文。

187　大戟

反甘草，用菖蒲解之[1]。(《本草经集注》页87，《证类本草》卷10页256，《本草纲目》卷17页949)

【校注】

[1] **用菖蒲解之**　《本草经集注》《证类本草》无，据《本草纲目》增。《本草纲目》注此五字为徐之才文。按，此五字出于《药性论》。《嘉祐本草》引《药性论》云："大戟，使，反芫花、海藻，毒用菖蒲解之。"

188　泽漆

小豆为之使，恶薯蓣[1]。(《本草经集注》页87，《证类本草》卷10页256，《本草纲目》卷17页950)

【校注】

[1] 本条，《本草纲目》注出处为徐之才文。

189　赭魁

平，主中蛊，使。(《证类本草》卷2页68中蛊引《雷公药对》)

190　牙子[1]

雷公：苦，无毒[2]。芜荑为之使，恶地榆、枣肌[3]。(《本草经集注》页88，《证类本草》卷10页258，《本草纲目》卷17页948)

【校注】

[1] **牙子**　《本草纲目》作"狼牙"；《证类本草》以"牙子"为正名，以"狼牙"为别名。

[2] **雷公：苦，无毒**　见《太平御览》卷993页3引《吴普本草》。

[3] **芜荑为之使……枣肌**　《本草纲目》注出处为徐之才文。

191　羊踯躅

温，治风[1]，主温疟，使[2]。

【校注】

[1] **温，治风** 见《证类本草》卷2页52久风湿痹引《雷公药对》。

[2] **主温疟，使** 见《证类本草》卷2页54温疟引《雷公药对》。

192 羊踯躅花

雷公：辛，有毒。(《太平御览》卷992页2引《吴普本草》)

193 狼毒

大豆为之使，宜醋炒[1]。恶麦句姜。畏占斯、密陀僧也[2]。(《本草经集注》页87，《证类本草》卷11页268，《本草纲目》卷17页946)

【校注】

[1] **宜醋炒** 《本草经集注》《证类本草》无，据《本草纲目》增。《本草纲目》注此三字为徐之才文。

[2] **畏占斯、密陀僧也** 《本草经集注》《证类本草》无，据《本草纲目》增。《本草纲目》注此文出处为徐之才文。

194 马鞭草

平，主下部疮，臣。(《证类本草》卷2页63恶疮引《雷公药对》)

195 蒴藋根

温，主治温疮，使。(《证类本草》卷2页54温疟引《雷公药对》)

196 牵牛子

寒，主堕胎，使[1]。反巴豆[2]。

【校注】

[1] **寒，主堕胎，使** 见《证类本草》卷2页67堕胎引《雷公药对》。

[2] **反巴豆** 见《本草纲目》卷35下页1423。

197 萹竹

平，主浸淫疥[1]，恶疮，使。(《证类本草》卷2页63恶疮引《雷公药对》)

【校注】

［1］**痳**　商务印书馆本《政和本草》作“疮”。按，萹竹即萹蓄，《本经》云：“萹蓄，主浸淫痳。”故应从“痳”字为正。

198　苎根

寒，主小儿赤丹，使。(《证类本草》卷2页63恶疮引《雷公药对》)

又，苎汁，寒，止渴，使。(《证类本草》卷2页65消渴引《雷公药对》)

199　白头翁

温，主毒痢，止痛[1]，主齿痛，使[2]。

【校注】

［1］**温，主毒痢，止痛**　见《证类本草》卷2页55肠澼下痢引《雷公药对》。

［2］**主齿痛，使**　见《证类本草》卷2页60齿痛引《雷公药对》。

200　芦根

寒，生主呕啘。(《证类本草》卷2页54呕啘引《雷公药对》)

201　芦竹箨[1]

寒，主金疮，生肉[2]，使。(《证类本草》卷2页62金疮引《雷公药对》，《本草纲目》卷15页882)

【校注】

［1］**芦竹箨**　《本草纲目》无“竹”字。

［2］**生肉**　《本草纲目》作“生肉灭瘢”。

202　鬼臼

畏垣衣[1]。(《本草经集注》页87，《证类本草》卷11页271，《本草纲目》卷17页985)

【校注】

［1］本条，《本草纲目》注出处为徐之才文。

203　赤白花鼠尾草

微寒，主赤白下痢，使。(《证类本草》卷2页55肠澼下痢引《雷公药对》)

204　翘根

雷公：甘，有毒。(《太平御览》卷991页8引《吴普本草》)

205　䕡茹

寒，主蚀脓[1]。甘草为之使，恶麦门冬[2]。(《本草经集注》页88，《证类本草》卷11页276，《本草纲目》卷17页948)

【校注】

[1] **寒，主蚀脓**　见《证类本草》卷2页69蚀脓引《雷公药对》。

[2] **甘草为之使，恶麦门冬**　《本草纲目》注出处为徐之才文。

206　石长生

雷公：辛。(《太平御览》卷991页8引《吴普本草》)

207　弓弩弦

平[1]，主难产胞衣不出。(《证类本草》卷11页281)

【校注】

[1] **平**　《证类本草》卷11页281弓弩弦条，掌禹锡云："《药对》：平。"

208　莨草

雷公：苦[1]。畏鼠妇[2]。(《本草经集注》页89，《证类本草》卷11页281，《本草纲目》卷16页934)

【校注】

[1] **雷公：苦**　见《太平御览》卷997页3引《吴普本草》。

[2] **畏鼠妇**　《本草纲目》注此三字出于徐之才文。

209　夏枯草

土瓜为之使。伏汞砂[1]。(《本草经集注》页89,《证类本草》卷11页283,《本草纲目》卷15页860)

【校注】

[1] **伏汞砂**　《本草经集注》《证类本草》无,据《本草纲目》增。本条,《本草纲目》注出处为徐之才文。

210　古屋瓦苔

寒,主消渴。(《证类本草》卷2页56消渴引《雷公药对》)

211　败天翁

平,主鬼疰尸疰,臣。(《证类本草》卷2页58鬼疰尸疰引《雷公药对》)

212　蘩蒌

平,主积年恶疮,臣。(《证类本草》卷2页63恶疮引《雷公药对》)

213　鸡肠草

微寒[1]。(《本草纲目》卷27页1210)

【校注】

[1] 本条,《本草纲目》注出处为徐之才文。

214　薰草

平,主泄精,臣。(《证类本草》卷2页66泄精引《雷公药对》)

215　蕈草

矾石为之使。(《本草经集注》页89,《唐本草》卷20页526,《证类本草》卷30页546)

216　戈共

畏[1]玉札[2]、蜚蠊[3]。(《本草经集注》页89,《证类本草》卷30页546,《本草纲目》卷21页1095)

【校注】

[1] **畏**　《大观本草》《政和本草》《证类本草》作"恶",《本草经集注》《唐本草》《医心方》作"畏"。

[2] **玉札**　《医心方》作"玉丸",《政和本草》作"主礼",《大全》作"玉礼",《品棠》作"玉扎",《本草经集注》《唐本草》、玄刻《大观本草》作"玉札"。

[3] **蜚蠊**　《唐本草》作"蜚䗪"。

217　陆英[1]

味苦,寒,无毒。

【校注】

[1] **陆英**　《证类本草》卷11页265蒴藋条《唐本草》注云:"此陆英也。《雷公药对》及古方无蒴藋,惟言陆英也。"

木　部

218　桂

得人参、麦门冬、甘草、大黄、黄芩[1],调中益气。得柴胡、紫石英[2]、干地黄,治吐逆。忌生葱、石脂[3]。(《证类本草》卷12页289,《本草纲目》卷34页1355)

【校注】

[1] **芩**　玄《大观本草》误作"岑"。

[2] **英**　《唐本草》脱此字。

[3] **忌生葱、石脂**　《证类本草》缺,据《本草纲目》增。此条,《本草纲目》注出处为徐之才文。按,此文《本草经集注》已有著录。

219　桂心

大热，主女人血闭腹痛[1]，下痢，君[2]。主鼻息肉[3]。吹鼻中，主风瘖，君[4]。虚而多冷加桂心[5]。

【校注】

[1] **大热，主女人血闭腹痛**　见《证类本草》卷2页69女人血闭引《雷公药对》。

[2] **下痢，君**　见《证类本草》卷2页55肠澼下痢引《雷公药对》。

[3] **鼻息肉**　见《证类本草》卷2页61鼻息肉引《雷公药对》。

[4] **吹鼻中，主风瘖，君**　见《证类本草》卷2页51疗风通用引《雷公药对》。

[5] **虚而多冷加桂心**　见《千金方》卷1页4处方第五引《雷公药对》，《证类本草》卷1页38引《雷公药对》。

220　松节

温，治脚膝弱，君。(《证类本草》卷2页52中风脚弱引《雷公药对》)

221　槐子

寒，主五痔，君[1]。景天为之使[2]。(《证类本草》卷12页292，《本草纲目》卷35上页1398)

【校注】

[1] **寒，主五痔，君**　见《证类本草》卷2页64五痔引《雷公药对》。

[2] **景天为之使**　《本草纲目》注出处为徐之才文。按，此文《本草经集注》已有著录。

222　槐皮

平，主阴㿗。(《证类本草》卷2页65阴㿗引《雷公药对》)

223　地骨皮

虚而客热加地骨皮。(《千金方》卷1页4处方第五引《雷公药对》，《证类本草》卷1页38引《雷公药对》)

224 枸杞

主虚劳而苦，头痛复热。（《千金方》卷1页4处方第五引《雷公药对》，《证类本草》卷1页38引《雷公药对》）

225 柏实

平，主惊悸心气[1]，止汗[2]，治风湿痹[3]，女人血气历腰痛，君[4]。虚而吸吸加柏子人[5]。牡蛎、桂、瓜子为之使，恶[6]菊花、羊蹄、诸石[7]及面曲。伏砒、消[8]。（《证类本草》卷12页295，《本草纲目》卷34页1350）

【校注】

[1] **平，主惊悸心气** 见《证类本草》卷2页68惊悸心气引《雷公药对》。

[2] **止汗** 见《证类本草》卷2页68止汗引《雷公药对》。

[3] **治风湿痹** 见《证类本草》卷2页52久风湿痹引《雷公药对》。

[4] **女人血气历腰痛，君** 见《证类本草》卷2页69女人血气引《雷公药对》。

[5] **虚而吸吸加柏子人** 见《千金方》卷1页4处方第五引《雷公药对》，《证类本草》卷1页38引《雷公药对》。

[6] **恶** 《千金方》《大观本草》《政和本草》《证类本草》《本经疏证》作“畏”，《本草经集注》《唐本草》《医心方》作“恶”。

[7] **诸石** 《医心方》作“消石”。

[8] **伏砒、消** 《证类本草》《医心方》《千金方》无此文，据《本草纲目》增。又，《本草纲目》注此文出处为徐之才文。

226 柏叶

微温，主血痢[1]。酒渍，主吐血及崩中赤白，君[2]。

【校注】

[1] **微温，主血痢** 见《证类本草》卷2页55肠澼下痢引《雷公药对》。

[2] **酒渍，主吐血及崩中赤白，君** 见《证类本草》卷2页66妇人崩中引《雷公药对》。

227 茯苓

平，雷公：甘，无毒[1]。主淋，利小便[2]，惊悸心气[3]，肺痿[4]，口干[5]，女人腹坚胀[6]，女人血闭腹痛[7]。虚而小肠不利加茯苓[8]。马间为之使。得甘草、防风、芍药、紫石英、麦门冬，共治五脏。恶白蔹，畏牡蒙、地榆、雄黄、秦艽、龟甲。忌米醋及酸物[9]。立夏之日，蜚蠊先生，为人参、茯苓使，主腹中七节，保神守中[10]。（《本草经集注》页83，《证类本草》卷12页296，《本草纲目》卷37页1468）

【校注】

［1］**雷公：甘，无毒**　见《太平御览》卷989页3引《吴普本草》。

［2］**主淋，利小便**　见《证类本草》卷2页56小便淋引《雷公药对》。

［3］**惊悸心气**　见《证类本草》卷2页68惊悸心气引《雷公药对》。

［4］**肺痿**　见《证类本草》卷2页69肺痿引《雷公药对》。

［5］**口干**　见《证类本草》卷2页56消渴引《雷公药对》。

［6］**女人腹坚胀**　见《证类本草》卷2页69女人腹坚胀引《雷公药对》。

［7］**女人血闭腹痛**　见《证类本草》卷2页69女人血闭引《雷公药对》。

［8］**虚而小肠不利加茯苓**　见《千金方》卷1页4处方第五引《雷公药对》，《证类本草》卷1页38引《雷公药对》。

［9］**马间为之使……忌米醋及酸物**　《本草纲目》注出处为徐之才文。“忌米醋及酸物”，《证类本草》无此文，据《本草纲目》卷37茯苓条增。

［10］**立夏之日……保神守中**　见《本草经集注》页91。

228　茯神

虚而多忘加茯神。（《千金方》卷1页4处方第五引《雷公药对》，《证类本草》卷1页38引《雷公药对》）

229　酸枣

平，主心烦[1]。恶防已[2]。（《本草经集注》页84，《证类本草》卷12页298，《本草纲目》卷36页1440）

【校注】

［1］**平，主心烦**　见《证类本草》卷2页58心烦引《雷公药对》。

［2］**恶防已**　《本草纲目》注出处为徐之才文。按，此文《本草经集注》已有著录。

230　檗木

寒，主肠痔[1]。恶干漆，伏硫黄[2]。（《本草经集注》页86，《证类本草》卷12页

299,《本草纲目》卷35上页1383)

【校注】

[1] **寒,主肠痔** 见《证类本草》卷2页64五痔引《雷公药对》。

[2] **伏硫黄** 《本草经集注》《证类本草》缺,据《本草纲目》增。《本草纲目》注此三字出处为徐之才文。

231 谷茎

主身隐疹,煮水洗,臣。(《证类本草》卷2页52暴风瘙痒引《雷公药对》)

232 谷叶

平,主恶疮,洗之令生肉,臣。(《证类本草》卷2页63恶疮引《雷公药对》)

233 干漆

温,治血闭,臣[1]。半夏为之使,畏鸡子,忌油脂[2]。(《证类本草》卷12页301,《本草纲目》卷35上页1391)

【校注】

[1] **温,治血闭,臣** 见《证类本草》卷2页66月闭引《雷公药对》。

[2] **忌油脂** 《证类本草》缺,据《本草纲目》增。此文,《本草纲目》注出处为徐之才文。

234 牡荆实

得术、柏实、青葙共治头风[1]。防风[2]为之使,恶[3]石膏[4]。(《本草经集注》页84,《证类本草》卷12页302,《本草纲目》卷36页1456)

【校注】

[1] **得术、柏实、青葙共治头风** 《本草纲目》作"得柏实、青葙、术,疗风"。

[2] **防风** 《本草纲目》作"防己"。

[3] **恶** 《本草纲目》作"畏"。

[4] 本条,《本草纲目》注出处为徐之才文。按,此条《本草经集注》已有著录。

235　荆沥[1]

大寒，主胸中痰热，臣。(《证类本草》卷 2 页 53 大热引《雷公药对》)

【校注】

[1] **荆沥**　即烧荆木所出黄汁。《肘后方》云："治目卒痛，烧荆木出黄汁傅之。"又云："姚氏下赤白痢五六年者，烧大荆如臂，取沥服五六合即得差。"

236　蔓荆实

恶乌头、石膏[1]。(《本草经集注》页 84，《证类本草》卷 12 页 302，《本草纲目》卷 36 页 1458)

【校注】

[1] 本条，《本草纲目》注出处为徐之才文。按，此文《本草经集注》已有著录。

237　五加

微寒，主疸疮[1]，阴痿下湿，使[2]。远志为之使。畏[3]蛇皮、玄参[4]。(《本草经集注》页 88，《证类本草》卷 12 页 301，《本草纲目》卷 36 页 1450)

【校注】

[1] **微寒，主疸疮**　见《证类本草》卷 2 页 63 恶疮引《雷公药对》。

[2] **阴痿下湿，使**　见《证类本草》卷 2 页 65 阴痿引《雷公药对》。

[3] **畏**　《本草纲目》作"恶"。

[4] **远志……玄参**　《本草纲目》注出处为徐之才文。

238　辛夷

芎䓖为之使。恶五石脂，畏菖蒲、蒲黄、黄连、石膏、黄环[1]。(《本草经集注》页 85，《证类本草》卷 12 页 303，《本草纲目》卷 34 页 1361)

【校注】

[1] 本条，《本草纲目》注出处为徐之才文。按此条，《本草经集注》已有著录。

239 杜仲

平，杂牡蛎，水服止汗[1]。虚而身傴，腰中不利加杜仲[2]。畏蛇蜕、玄参[3]。(《证类本草》卷12页305，《本草纲目》卷35页1388)

【校注】

[1] **平，杂牡蛎，水服止汗** 见《证类本草》卷2页68止汗引《雷公药对》。

[2] **虚而身傴，腰中不利加杜仲** 见《千金方》卷1页4处方第五引《雷公药对》，《证类本草》卷1页38引《雷公药对》。

[3] **蛇蜕、玄参** 《本草纲目》作"元参、蛇蜕皮"，并注出处为徐之才文。按，此文《本草经集注》已有著录。

240 枫香

平，治瘆痒毒，臣。(《证类本草》卷2页51疗风通用引《雷公药对》)

241 木兰

寒，主身大热，暴热面皰，臣[1]。立春之日，木兰、射干先生，为柴胡、半夏使，主头痛四十五节[2]。

【校注】

[1] **寒，主身大热，暴热面皰，臣** 见《证类本草》卷2页53大热引《雷公药对》。

[2] **立春之日……主头痛四十五节** 见《本草经集注》页91。

242 桑根白皮

寒，主寸白，臣[1]。续断、桂心、麻子为之使[2]。(《本草经集注》页85，《证类本草》卷13页315，《本草纲目》卷36页1429)

【校注】

[1] **寒，主寸白，臣** 见《证类本草》卷2页64寸白引《雷公药对》。

[2] **续断……为之使** 《本草纲目》注出处为徐之才文。

243 桑灰汤

平，主金疮，臣。(《证类本草》卷2页62金疮引《雷公药对》)

244 腐木檽

寒，主五痔，臣。(《证类本草》卷2页64五痔引《雷公药对》)

245 竹茹

微寒，主干呕[1]，五痔，臣[2]。青竹茹，微寒，主呕啘[3]，头痛，臣[4]。淡竹茹，微寒，主妇人崩中，臣[5]。

【校注】

[1] **微寒，主干呕** 见《证类本草》卷2页57呕吐引《雷公药对》。

[2] **五痔，臣** 见《证类本草》卷2页64五痔引《雷公药对》。

[3] **微寒，主呕啘** 见《证类本草》卷2页54呕啘引《雷公药对》。

[4] **头痛，臣** 见《证类本草》卷2页53伤寒引《雷公药对》。

[5] **微寒，主妇人崩中，臣** 见《证类本草》卷2页66妇人崩中引《雷公药对》。

246 故竹扇末

并麻黄根，主止汗，臣。(《证类本草》卷2页68止汗引《雷公药对》)

247 竹叶

平，合常山煮，主孩子久疟极良。鸡子黄和常山为丸，用竹叶汤下，主久疟。(《证类本草》卷2页54温疟引《雷公药对》)

248 淡竹叶

大寒，主嗽逆气上，风瘾疾，臣。(《证类本草》卷2页57上气咳嗽引《雷公药对》及卷2页51疗风通用引《雷公药对》)

249 淡竹沥

大寒，主癫痫，风瘾疾，臣。(《证类本草》卷2页59癫痫引《雷公药对》及卷2页51

疗风通用引《雷公药对》）

250　吴茱萸

大热，主痰冷，腹内诸冷[1]，治冷下泄[2]。霍乱，臣[3]。虚而多冷加吴茱萸[4]。寥实为之使，恶丹参、消石、白垩，畏紫石英[5]。夏至之日，豕首、茱萸先生，为牡蛎、乌喙使，主四肢三十二节[6]。（《本草经集注》页85，《证类本草》卷13页318，《本草纲目》卷32页1322）

【校注】

［1］**大热，主痰冷，腹内诸冷**　见《证类本草》卷2页57痰饮引《雷公药对》。

［2］**治冷下泄**　见《证类本草》卷2页55肠澼下痢引《雷公药对》。

［3］**霍乱，臣**　见《证类本草》卷2页54霍乱引《雷公药对》。

［4］**虚而多冷加吴茱萸**　见《千金方》卷1页4处方第五引《雷公药对》，《证类本草》卷1页38引《雷公药对》。

［5］**寥实为之使……畏紫石英**　《本草纲目》注出处为徐之才文。

［6］**夏至之日……主四肢三十二节**　见《本草经集注》页91。

251　椋根[1]

大热，主堕胎，使。（《证类本草》）卷2页69堕胎引《雷公药对》）

【校注】

［1］**椋根**　即椒椋根，似蔓椒。

252　槟榔

温，主蛔虫，君。（《证类本草》卷2页64蛔虫引《雷公药对》）

253　栀子

大寒，主治寒热[1]，中恶，臣[2]。解玉支毒[3]。（《证类本草》卷13页320，《本草纲目》卷36页1439）

【校注】

[1] **大寒，主治寒热**　见《证类本草》卷 2 页 53 伤寒引《雷公药对》。

[2] **中恶，臣**　见《证类本草》卷 2 页 54 中恶引《雷公药对》。

[3] **解玉支毒**　《本草纲目》注出处为陶弘景。“玉支”，即羊踯躅。

254　食茱萸

畏紫石英[1]。(《本草纲目》卷 32 页 1325)

【校注】

[1] 本条，《本草纲目》注出处为徐之才文。按，本条原出于《药性论》。《嘉祐本草》引《药性论》云：“食茱萸畏紫石英。”

255　枳实

微寒，雷公：酸，无毒[1]。主大风在皮肤中痒[2]，治虚羸少气，君[3]。虚而痰复有气加枳实[4]。

【校注】

[1] **雷公：酸，无毒**　见《太平御览》卷 992 页 4 引《吴普本草》。

[2] **主大风在皮肤中痒**　见《证类本草》卷 2 页 52 暴风瘙痒引《雷公药对》。

[3] **治虚羸少气，君**　见《证类本草》卷 2 页 65 虚劳引《雷公药对》。

[4] **虚而痰复有气加枳实**　见《千金方》卷 1 页 4 处方第五引《雷公药对》，《证类本草》卷 1 页 38 引《雷公药对》。

256　枳根

微寒，酒渍，主齿痛。(《证类本草》卷 2 页 60 齿痛引《雷公药对》)

257　厚朴

《本经》温，《别录》大温，雷公：苦，无毒[1]。主下气[2]，心腹冷痛[3]，下泄腹痛，臣[4]。虚而溺白加厚朴[5]。干姜为之使，恶泽泻、寒水石，忌豆，食之动气[6]。(《本草经集注》页 86，《证类本草》卷 13 页 324，《本草纲目》卷 35 上页 1386)

【校注】

[1] **雷公：苦，无毒** 见《太平御览》卷989页4引《吴普本草》。

[2] **《本经》温，《别录》大温……主下气** 见《证类本草》卷2页69下气引《雷公药对》。

[3] **心腹冷痛** 见《证类本草》卷2页58心腹冷痛引《雷公药对》。

[4] **下泄腹痛，臣** 见《证类本草》卷2页55肠澼下痢引《雷公药对》。

[5] **虚而溺白加厚朴** 见《千金方》卷1页4处方第五引《雷公药对》，《证类本草》卷1页38引《雷公药对》。

[6] **忌豆，食之动气** 此六字，《本草经集注》《证类本草》无，据《本草纲目》增。按此六字，原出《药性论》，但《本草纲目》注出处为徐之才文。

258 秦皮

一名岑皮。《本经》微寒，《别录》大寒，雷公：酸，无毒[1]。主癫痫[2]，目赤热泪出[3]。大戟为之使，恶吴[4]茱萸[5]。（《本草经集注》页86，《证类本草》卷13页325，《本草纲目》卷35下页1402）

【校注】

[1] **一名岑皮……雷公：酸，无毒** 见《太平御览》卷992页3。

[2] **主癫痫** 见《证类本草》卷2页59癫痫引《雷公药对》。

[3] **目赤热泪出** 见《证类本草》卷2页61目赤热痛引《雷公药对》。

[4] **吴** 《唐本草》脱“吴”字。

[5] **大戟为之使，恶吴茱萸** 《本草纲目》注出处为徐之才文。

259 秦椒

恶栝楼、防葵，畏雌黄[1]。（《证类本草》卷13页326，《本草纲目》卷32页1316）

【校注】

[1] 本条，《本草纲目》注出处为徐之才文。按，此条《本草经集注》已有著录。

260 山茱萸

平，雷公：酸，无毒[1]。治风气[2]，面皯皰[3]，出汗，臣[4]。寥实为之使。恶桔梗、防风、防已[5]。（《本草经集注》页86，《证类本草》卷13页326，《本草纲目》卷36页1443）

【校注】

[1] **雷公：酸，无毒** 见《太平御览》卷991页4引《吴普本草》。

[2] **治风气** 见《证类本草》卷2页51疗风通用引《雷公药对》。

[3] **面皯皰** 见《证类本草》卷2页62面皯皰引《雷公药对》。

[4] **出汗，臣** 见《证类本草》卷2页68出汗引《雷公药对》。

[5] **蓼实为之使……防己** 《本草纲目》注出处为徐之才文。

261 紫葳

雷公：酸。(《太平御览》卷992页7引《吴普本草》)

262 棘刺

寒，主泄精，使[1]。虚而损加棘刺[2]。

【校注】

[1] **寒，主泄精，使** 见《证类本草》卷2页65泄精引《雷公药对》。

[2] **虚而损加棘刺** 见《千金方》卷1页4处方第五引《雷公药对》，《证类本草》卷1页38引《雷公药对》。

263 猪苓

平，雷公：苦，无毒[1]。主渴痢，使[2]。

【校注】

[1] **雷公：苦，无毒** 见《太平御览》卷989页4引《吴普本草》。

[2] **主渴痢，使** 见《证类本草》卷2页56消渴引《雷公药对》。

264 巴豆

生温熟寒。主痰饮留结，利水谷，破肠中冷[1]，主蚀脓[2]。芫花为之使。恶蘘草[3]，畏大黄、黄连、藜芦、芦笋、菰笋、酱、豉、冷水，得火良，与牵牛相反。中其毒者，用冷水、黄连汁、大豆汁解之[4]。(《本草经集注》页87，《证类本草》卷14页339，《本草纲目》卷35下页1423)

【校注】

[1] **主痰饮留结，利水谷，破肠中冷** 见《证类本草》卷2页57痰饮引《雷公药对》。

[2] **生温熟寒……主蚀脓** 见《证类本草》卷2页69蚀脓引《雷公药对》。

[3] **蘘草** 《唐本草》作“蘘菜”，《本草经集注》《千金方》《医心方》《证类本草》《本草纲目》作“蘘草”。

[4] **芦笋……大豆汁解之** 《本草经集注》《证类本草》无，据《本草纲目》增。《本草纲目》注此文出处为徐之才文。按，此文出于《药性论》。掌禹锡引《药性论》云：“巴豆，使，中其毒，用黄连汁、大豆汁解之。忌芦笋、酱、豉、冷水。得火良。杀班蝥、蛇毒。”

265 鬼箭

一名卫矛。寒，破陈血，使。(《证类本草》卷2页66月闭引《雷公药对》)

266 蜀椒

杏人为之使，得盐味佳[1]，畏款冬[2]、防风、附子、雄黄。可收水银。中其毒者，凉水、麻仁浆解之[3]。立秋之日，白芷、防风先生，为细辛、蜀椒使，主胸背二十四节[4]。(《本草经集注》页87，《证类本草》卷14页340，《本草纲目》卷32页1316)

【校注】

[1] **得盐味佳** 《本草经集注》《证类本草》无，据《本草纲目》增。《本草纲目》注此四字为徐之才文。

[2] **款冬** 《本草经集注》作“橐吾”，《本草纲目》作“冬花”，《证类本草》作“款冬”。

[3] **防风……麻仁浆解之** 《本草经集注》《证类本草》无，据《本草纲目》增。《本草纲目》注此文出处为徐之才文。

[4] **立秋之日……主胸背二十四节** 见《木草经集注》页91。

267 椒目

寒，主除风水满，使。(《证类本草》卷2页55大腹水肿引《雷公药对》)

268 皂荚

温，主风眩，使[1]。柏实[2]为之使。恶麦门冬，畏空青、人参、苦参[3]。(《本草经集注》页87，《证类本草》卷14页341，《本草纲目》卷35下页1403)

【校注】

[1] **温，主风眩，使** 见《证类本草》卷2页52头面风引《雷公药对》。

[2] **柏实** 《本草经集注》作“青葙子”，《千金方》《医心方》作“柏子”，《大观本草》《政和本草》《证类本草》《本草纲目》作“柏实”。

[3] **柏实为之使……苦参** 《本草纲目》注出处为徐之才文。

269 柳花

寒，主大腹水肿[1]，治马疥恶疮，煮洗之立差，使[2]。

【校注】

[1] **寒，主大腹水肿** 见《证类本草》卷2页55大腹水肿引《雷公药对》。

[2] **治马疥恶疮，煮洗之立差，使** 见《证类本草》卷2页63恶疮引《雷公药对》。

270 楝实

寒，主大热狂，使[1]。作汤浴通身热，主温病[2]。

【校注】

[1] **寒，主大热狂，使** 见《证类本草》卷2页58心烦引《雷公药对》。

[2] **作汤浴通身热，主温病** 见《证类本草》卷2页53大热引《雷公药对》。

271 松脂

菟丝子条云：薯蓣、松脂为之使[1]。

【校注】

[1] 本条，见《本草纲目》卷18页1002菟丝子条气味下引“之才曰”。

272 茵草

一名莽草。温，雷公：苦，有毒[1]。主堕胎，使[2]。

【校注】

[1] **一名莽草。温，雷公：苦，有毒** 见《太平御览》卷993页3。

［2］**主堕胎，使** 见《证类本草》卷2页67堕胎引《雷公药对》。

273 雷丸

荔实、厚朴、芫花[1]为之使，恶萹蓄[2]、葛根。（《本草经集注》页88，《证类本草》卷14页347，《本草纲目》卷37页1473）

【校注】

［1］**芫花** 《本草经集注》《证类本草》无，据《本草纲目》增。《本草纲目》注此二字为徐之才文。按，此二字原出于《药性论》。《嘉祐本草》引《药性论》云："雷丸，芫花为之使。"

［2］**萹蓄** 《本草经集注》《证类本草》无，据《本草纲目》增。此二字，校点本《本草纲目》作"蓄根"，并注出处为徐之才文。按，"蓄根"二字，出于《药性论》。《嘉祐本草》引《药性论》云："雷丸，君，恶蓄根。"

274 槲皮

平，主中蛊[1]，恶疮，臣[2]。

【校注】

［1］**平，主中蛊** 见《证类本草》卷2页68中蛊引《雷公药对》。

［2］**恶疮，臣** 见《证类本草》卷2页63恶疮引《雷公药对》。

275 槲脉[1]

平，烧作散，主痔。（《证类本草》卷2页64五痔引《雷公药对》）

【校注】

［1］**槲脉** 即槲叶的叶脉。槲叶又名槲苦。

276 梓白皮

寒，除热，使。（《证类本草》卷2页53大热引《雷公药对》）

277 梓叶

微寒，主恶疮，使。（《证类本草》卷2页63恶疮引《雷公药对》）

278 石南

平，主阴痿，使[1]。五加皮为使，恶小蓟[2]。(《本草经集注》页 88，《证类本草》卷 14 页 351，《本草纲目》卷 36 页 1456)

【校注】

[1] **平，主阴痿，使** 见《证类本草》卷 2 页 65 阴痿引《雷公药对》。

[2] **恶小蓟** 《本草经集注》《证类本草》无，据《本草纲目》增。《本草纲目》注此三字为徐之才文。按，此三字出于《药性论》。《嘉祐本草》引《药性论》云："石南，臣，恶小蓟。"

279 黄环

鸢尾为之使，恶茯苓、防己、干姜[1]。(《本草经集注》页 88，《证类本草》卷 14 页 352，《本草纲目》卷 18 页 1024)

【校注】

[1] **干姜** 《本草经集注》《证类本草》缺，据《本草纲目》增。《本草纲目》注此二字出处为徐之才文。按，此二字出于《药性论》。《嘉祐本草》引《药性论》云："黄环，使，恶干姜。"

280 溲疏

漏芦为之使[1]。(《本草经集注》页 89，《证类本草》卷 14 页 353，《本草纲目》卷 36 页 1454)

【校注】

[1] 本条，《本草纲目》注出处为徐之才文。

281 栾花

决明为之使[1]。(《本草经集注》页 89，《证类本草》卷 14 页 355，《本草纲目》卷 35 页 1409)

【校注】

[1] 本条，《本草纲目》注出处为徐之才文。

282　榧子

平，主五痔，臣。(《证类本草》卷2页64五痔引《雷公药对》)

283　芫花

决明为之使。反甘草[1]。(《本草经集注》页87，《证类本草》卷14页360，《本草纲目》卷17页991)

【校注】

[1] 本条，《本草纲目》注出处为徐之才文。

284　芫花根

雷公：苦，有毒。(《太平御览》卷992页1引《吴普本草》)

285　薰陆香

治不眠[1]。(《本草纲目》卷34页1371)

【校注】

[1] **治不眠**　《本草纲目》注出处为徐之才文。

286　淮木

雷公：无毒。(《太平御览》卷990页5引《吴普本草》)

287　占斯[1]

解狼毒毒。(《本草经集注》页88，《唐本草》卷20页528，《证类本草》卷30页546)

【校注】

[1] **占斯**　李当之云："是樟树上寄生，树大衔枝在肌肉。"

虫兽部

288 头发

温，主癫痫。(《证类本草》卷2页59癫痫引《雷公药对》)

289 龙骨

微寒，主蚀脓[1]。虚而多梦纷纭加龙骨，虚而小肠利亦加龙骨[2]。得人参、牛黄良，畏石膏[3]。(《证类本草》)卷16页368，《本草纲目》卷43页1574)

【校注】

[1] **微寒，主蚀脓** 见《证类本草》卷2页69蚀脓引《雷公药对》。

[2] **虚而多梦纷纭加龙骨，虚而小肠利亦加龙骨** 见《千金方》卷1页4处方第五引《雷公药对》，《证类本草》卷1页38引《雷公药对》。

[3] **得人参……畏石膏** 《本草纲目》注出处为徐之才文。按，此文《本草经集注》已有著录。

290 龙角

平，主小儿身热，臣[1]。畏干漆、蜀椒、理石[2]。(《证类本草》卷16页368，《本草纲目》卷43页1574)

【校注】

[1] **平，主小儿身热，臣** 见《证类本草》卷2页53大热引《雷公药对》。

[2] **畏干漆、蜀椒、理石** 《本草纲目》注出处为徐之才文。按，此条《本草经集注》已有著录。又，《太平御览》卷988页7引《吴普本草》的文同此。

291 龙齿

平[1]，主小儿身热，臣[2]。虚而惊悸不安加龙齿，若客热亦加龙齿[3]。得人参、牛黄良。畏石膏、铁器[4]。(《证类本草》卷16页368，《本草纲目》卷43页1575)

【校注】

[1] **平** 《证类本草》卷16龙齿条，掌禹锡按惊邪通用药及《雷公药对》曰："平"。

[2] **主小儿身热，臣** 见《证类本草》卷2页53大热引《雷公药对》。

[3] **虚而惊悸不安加龙齿，若客热亦加龙齿** 见《千金方》卷1页4处方第五引《雷公药对》，《证类本草》卷1页38引《雷公药对》。

[4] **得人参……铁器** 《本草纲目》注出处为徐之才文。

292 麝香

温，主鬼疰、尸疰[1]，蚀脓[2]，君。

【校注】

[1] **温，主鬼疰、尸疰** 见《证类本草》卷2页59鬼疰、尸疰引《雷公药对》。

[2] **蚀脓** 见《证类本草》卷2页69蚀脓引《雷公药对》。

293 白胶

温，主无子，君[1]。得火良，畏大黄[2]。(《本草经集注》页89，《证类本草》卷16页371，《本草纲目》卷51页1778)

【校注】

[1] **温，主无子，君** 见《证类本草》卷2页67无子引《雷公药对》。

[2] **得火良，畏大黄** 《本草纲目》注出处为徐之才文。

294 马通

微温，主吐出唾血，使[1]。热马通[2]敷顶，止衄[3]。

【校注】

[1] **微温，主吐出唾血，使** 见《证类本草》卷2页60吐唾引《雷公药对》。

[2] **热马通** 《本草纲目》卷50页1745作"白马通"。时珍曰："马屎曰通，牛屎曰洞，猪屎曰零。"

[3] **敷顶，止衄** 见《证类本草》卷2页61鼻衄引《雷公药对》。此文，《本草纲目》卷50页1745注出处为徐之才文。

295 白马悬蹄

平，主癫痫，臣。(《证类本草》卷 20 页 59 癫痫引《雷公药对》)

296 鹿茸

温，主血流在腹[1]，痈疽，臣[2]。麻勃为之使[3]。(《证类本草》卷 17 页 376，《本草纲目》卷 51 上页 1775)

【校注】

[1] **温，主血流在腹** 见《证类本草》卷 2 页 62 瘀血引《雷公药对》。

[2] **痈疽，臣** 见《证类本草》卷 2 页 63 痈疽引《雷公药对》。

[3] **麻勃为之使** 《本草纲目》注出处为“甄权曰”。

297 鹿角

温。其散，主堕娠血不尽，臣[1]。杜仲为之使[2]。(《本草经集注》页 89，《证类本草》卷 17 页 376，《本草纲目》卷 51 上页 1775)

【校注】

[1] **温。其散，主堕娠血不尽，臣** 见《证类本草》卷 2 页 68 产后病引《雷公药对》。

[2] **杜仲为之使** 《证类本草》注出处为《别录》文。

298 牛黄

平，主治中恶[1]，小儿热痫，口不开[2]，心烦，君[3]。人参为之使。得牡丹、菖蒲利耳目。恶龙骨、地黄、龙胆、常山[4]、蜚蠊[5]，畏牛膝、干漆[6]。(《证类本草》卷 16 页 370，《本草纲目》卷 50 下页 1754)

【校注】

[1] **平，主治中恶** 见《证类本草》卷 2 页 54 中恶引《雷公药对》。

[2] **小儿热痫，口不开** 见《证类本草》卷 2 页 53 大热引《雷公药对》。

[3] **心烦，君** 见《证类本草》卷 2 页 58 心烦引《雷公药对》。

[4] **常山** 《证类本草》无，据《本草纲目》增。

[5] **蜚蠊** 《医心方》作“飞廉”。

[6] **人参为之使……干漆** 《本草纲目》注出处为徐之才文。按，此文《本草经集注》已有著录。“干漆”，《证类本草》无，据《本草纲目》增。

299 牛胆

大寒，主渴，利中焦热，君。（《证类本草》卷2页56消渴引《雷公药对》）

300 牛角䚡

温，主治痢，臣。（《证类本草》卷2页55肠澼下痢引《雷公药对》）

301 水牛角

平，主温病，使[1]。（《本草纲目》卷50下页1739）

【校注】

[1] **平，主温病，使** 见《证类本草》卷2页53伤寒引《雷公药对》。又，《证类本草》卷17页377水牛角条，掌禹锡按《雷公药对》云：“水牛角平”。

302 牛溺

寒[1]。（《本草纲目》卷50下页1740）

【校注】

[1] 本条，《本草纲目》注出处为徐之才文。

303 羖羊角

微寒，主惊悸心气[1]，中蛊，臣[2]。烧灰酒服，主产后烦闷[3]。菟丝为之使[4]。

【校注】

[1] **微寒，主惊悸心气** 见《证类本草》卷2页68惊悸心气引《雷公药对》。

[2] **中蛊，臣** 见《证类本草》卷2页68中蛊引《雷公药对》。

[3] **烧灰酒服，主产后烦闷** 见《证类本草》卷2页68产后病引《雷公药对》。

[4] **菟丝为之使** 见《证类本草》卷17页379，《本草纲目》卷50上页1731。

304 羖羊皮

平，主中蛊，使。(《证类本草》卷2页68中蛊引《雷公药对》)

305 青羊脂

温，主下血，臣。(《证类本草》卷2页55肠澼下痢引《雷公药对》)

306 羚羊角

微寒，主产后血闷[1]，热在肌肤，臣[2]。

【校注】

[1] **微寒，主产后血闷** 见《证类本草》卷2页68产后病引《雷公药对》。

[2] **热在肌肤，臣** 见《证类本草》卷2页53大热引《雷公药对》。

307 白狗血

温[1]。狗粪中骨，平，主癫痫，臣[2]。治寒热小儿惊痫[3]。(《证类本草》卷17页381)

【校注】

[1] **温** 见《证类本草》卷17页381掌禹锡引《雷公药对》。

[2] **平，主癫痫，臣** 见《证类本草》卷2页59癫痫引《雷公药对》。同书卷17页381掌禹锡引《雷公药对》作"狗屎中骨，平。"

[3] **治寒热小儿惊痫** 见《证类本草》卷17页381牡狗阴茎条掌禹锡引《雷公药对》。

308 犀角

松脂为之使。恶雚菌、雷丸[1]。(《本草经集注》页89,《证类本草》卷17页383,《本草纲目》卷51上页1767)

【校注】

[1] 本条,《本草纲目》注出处为徐之才文。

309 虎骨

平，主伤寒。(《证类本草》卷2页53伤寒引《雷公药对》及卷17页384掌禹锡引《雷公药对》,《本草纲目》卷51上页1761)

310 兔头骨

平，主风眩[1]，治热中消渴，臣[2]。

【校注】

[1] **平，主风眩** 见《证类本草》卷2页51风眩引《雷公药对》。

[2] **治热中消渴，臣** 见《证类本草》卷2页56消渴引《雷公药对》。

311 胰

平。主下[1]乳汁，臣。(《证类本草》卷2页68下乳汁引《雷公药对》)

【校注】

[1] **下** 《本草纲目》作“通”。

312 猪脂酒

各随多少服，主产难衣不出[1]。(《证类本草》卷2页67难产引《雷公药对》,《本草纲目》卷50上页1710)

【校注】

[1] 本条,《本草纲目》作“猪脂膏，胎产衣不下，以酒多服，佳”。

313 猪悬蹄

平，微寒。主下漏泄，使。(《证类本草》卷2页55肠澼下痢引《雷公药对》,《证类本草》卷18页388豚卵条下悬蹄的注文掌禹锡引《雷公药对》云:“猪悬蹄，平。”)

314 麋脂

畏大黄。(《唐本草》卷15页387,《证类本草》卷18页390,《本草纲目》卷51页1781)

315　獭肝

平。主气嗽[1]，中蛊，使[2]。

【校注】

[1] **平。主气嗽**　见《证类本草》卷2页57上气咳嗽引《雷公药对》。《证类本草》卷18页392獭肝条，掌禹锡引《雷公药对》云："獭肝，平。"

[2] **中蛊，使**　见《证类本草》卷2页68中蛊引《雷公药对》。

316　败鼓皮

平。主利小便，臣。治小便淋沥，涂月蚀耳疮，并烧灰用。(《证类本草》卷2页56小便淋引《雷公药对》，《本草纲目》卷50页1757注云："出《药对》。")

317　黄雌鸡

平。主续绝，臣。(《证类本草》卷2页65虚劳引《雷公药对》)

318　乌鸡骨

寒，主耳聋。(《证类本草》卷2页61耳聋引《雷公药对》)

319　鸡肪

寒。(《证类本草》卷19页397丹雄鸡条掌禹锡按《雷公药对》云："鸡肪，寒。"又，《证类本草》卷2发秃落条，掌禹锡按《雷公药对》云："鸡肪，寒。")

320　鸡肶胵

微寒，除热，主烦热，臣[1]。虚而小肠利加鸡肶胵[2]。

【校注】

[1] **微寒，除热，主烦热，臣**　见《证类本草》卷2页58心烦引《雷公药对》。

[2] **虚而小肠利加鸡肶胵**　见《千金方》卷1页4处方第五引《雷公药对》，《证类本草》卷1页38引《雷公药对》。

321 鸡子

平，主下痢[1]，发热[2]。（《证类本草》卷19页397丹雄鸡条掌禹锡按《雷公药对》）

【校注】

[1] **平，主下痢** 见《证类本草》卷2页55肠澼下痢引《雷公药对》。

[2] **发热** 见《证类本草》卷2页59癫痫引《雷公药对》。

322 卵中白皮

主久咳结气，得麻黄、紫菀和服之立已。（《证类本草》卷19页397）

323 雁肪

雷公：甘，无毒。（《太平御览》卷988页8引《吴普本草》）

324 伏翼

苋实、云实为之使[1]。（《证类本草》卷19页402，《本草纲目》卷48页1687）

【校注】

[1] 本条，《本草纲目》注出处为徐之才文。

325 天鼠屎

恶白蔹、白薇[1]。（《本草经集注》页90，《证类本草》卷19页402，《本草纲目》卷48页1689）

【校注】

[1] 本条，《本草纲目》注出处为徐之才文。

326 鸬鹚头

微寒，主噎不通。（《证类本草》卷2页60噎病引《雷公药对》）

327 腊月鸲鹆

平，作屑主五痔。(《证类本草》卷2页64五痔引《雷公药对》)

328 蜂子[1]

微寒，补虚冷[2]，主面皯皰，君[3]。畏黄芩、芍药、牡蛎、白前[4]。(《证类本草》卷20页411，《本草纲目》卷39页1505)

【校注】

[1] **蜂子** 《本草纲目》列在蜜蜂条下。

[2] **微寒，补虚冷** 见《证类本草》卷2页65虚劳引《雷公药对》。

[3] **主面皯皰，君** 见《证类本草》卷2页62面皯皰引《雷公药对》。

[4] **白前** 《证类本草》缺，据《本草纲目》增。此文，《本草纲目》注出处为徐之才文。按，《本草经集注》对本文已有著录。

329 蜜[1]

平，雷公：甘，气平[2]。主赤白痢[3]，君。

【校注】

[1] **蜜** 《太平御览》作"石蜜"。

[2] **雷公：甘，气平** 见《太平御览》卷988页5引《吴普本草》。

[3] **主赤白痢** 见《证类本草》卷2页55肠澼下痢引《雷公药对》。

330 蜜蜡[1]

恶芫花、齐蛤[2]。(《本草经集注》页89，《证类本草》卷20页412，《本草纲目》卷39页1504)

【校注】

[1] **蜜蜡** 《本草经集注》作"蠮蜜"；《证类本草》《本草纲目》作"蜜蜡"。

[2] **齐蛤** 《医心方》作"文蛤"，其他各本皆作"齐蛤"。此条，《本草纲目》注出处为徐之才文。按，此条《本草经集注》已有著录。

331　牡蛎

微寒，主女人血气历腰痛[1]。杂杜仲水服，主止汗[2]。虚而多热加牡蛎[3]。贝母为之使。得甘草、牛膝、远志、蛇床[4]良，恶麻黄、吴[5]茱萸、辛夷。伏硇砂[6]。夏至之日，豕首、茱萸先生，为牡蛎、乌喙使，主四肢三十二节[7]。(《本草经集注》页 89，《证类本草》卷 20 页 412，《本草纲目》卷 46 页 1638)

【校注】

[1] **微寒，主女人血气历腰痛**　见《证类本草》卷 2 页 69 女人血气引《雷公药对》。

[2] **杂杜仲水服，主止汗**　见《证类本草》卷 2 页 68 止汗引《雷公药对》。

[3] **虚而多热加牡蛎**　见《千金方》卷 1 页 4 处方第五引《雷公药对》，《证类本草》卷 1 页 38 引《雷公药对》。

[4] **蛇床**　《本草经集注》作“虵舌”，《千金方》《大观本草》《政和本草》《证类本草》作“蛇床”，《本草纲目》作“蛇床子”，《医心方》脱此二字。

[5] **吴**　《本草经集注》脱“吴”字。

[6] **伏硇砂**　《证类本草》缺，据《本草纲目》增。按，“硇砂”，是《唐本草》新增药。

[7] **夏至之日……主四肢三十二节**　见《本草经集注》页 91。

332　龟甲

一名神屋。平，主温疟[1]，下泄[2]，五痔[3]，主血，臣[4]。恶沙参、蜚蠊，畏狗胆、瘦银[5]。(《本草经集注》页 90，《证类本草》卷 20 页 413，《本草纲目》卷 45 页 1625)

【校注】

[1] **平，主温疟**　见《证类本草》卷 2 页 53 温疟引《雷公药对》。

[2] **下泄**　见《证类本草》卷 2 页 55 肠澼下痢引《雷公药对》。

[3] **五痔**　见《证类本草》卷 2 页 64 五痔引《雷公药对》。

[4] **主血，臣**　见《证类本草》卷 2 页 62 瘀血引《雷公药对》。

[5] **畏狗胆、瘦银**　《本草经集注》《证类本草》无此五字，据《本草纲目》增。《本草纲目》注此五字为徐之才文。其“恶狗胆”三字，原出于《药性论》。

333　桑螵蛸

平，主五淋，利小便，臣[1]，虚而小肠利加桑螵蛸[2]。得龙骨，治泄精。畏旋覆花（戴椹）[3]。立冬之日，菊、卷柏先生时，为阳起石、桑螵蛸凡十物使，主二百草为之长[4]。（《本草经集注》页 89，《证类本草》卷 20 页 415，《本草纲目》卷 39 页 1514）

【校注】

［1］**平，主五淋，利小便，臣** 见《证类本草》卷 2 页 56 小便淋引《雷公药对》。

［2］**虚而小肠利加桑螵蛸** 见《千金方》卷 1 页 4 处方第五引《雷公药对》，《证类本草》卷 1 页 38 引《雷公药对》。

［3］**得龙骨……（戴椹）** 《本草纲目》注出处为徐之才文。

［4］**立冬之日……主二百草为之长** 见《本草经集注》页 91。

334 海蛤

平，主上气，臣[1]。蜀漆为之使。畏狗胆、甘遂、芫花[2]。（《本草经集注》页 90，《证类本草》卷 20 页 416，《本草纲目》卷 46 页 1643）

【校注】

［1］**平，主上气，臣** 见《证类本草》卷 2 页 57 上气咳嗽引《雷公药对》。

［2］**蜀漆为之使……芫花** 《本草纲目》注出处为徐之才文。

335 猬皮

平，主赤白痢[1]，妇人崩中，臣[2]。得酒良，畏桔梗、麦门冬[3]。（《本草经集注》页 89，《证类本草》卷 21 页 423，《本草纲目》卷 51 下页 1805）

【校注】

［1］**平，主赤白痢** 见《证类本草》卷 2 页 55 肠澼下痢引《雷公药对》。

［2］**妇人崩中，臣** 见《证类本草》卷 2 页 66 妇人崩中引《雷公药对》。

［3］**得酒良……麦门冬** 《本草纲目》注出处为“甄权曰”。按，本文在《本草经集注》页 89 已有著录。

336 鲫鱼头[1]

温，主下痢。（《证类本草》卷 2 页 54 肠澼下痢引《雷公药对》）

【校注】

[1] **鲫鱼头** 是《唐本草》新增药，但《雷公药对》已有著录。《证类本草》卷20页418掌禹锡引《雷公药对》作“鲫鱼头灰”。

337 鲍鱼

温，主踒跌。(《证类本草》卷2页62瘀血引《雷公药对》)

338 鲤鱼胆[1]

平，烧末，主咳嗽，臣。(《证类本草》卷2页57上气嗽引《雷公药对》，《证类本草》卷20页419掌禹锡引《雷公药对》)

【校注】

[1] **鲤鱼胆** 《本草纲目》卷44页1597时珍云：“之才曰：蜀漆为之使。”按，此文出《药性论》，非徐之才文。见《证类本草》卷20页419鲤鱼胆条引《药性论》。

339 露蜂房

平，主癫痫[1]，中蛊，使[2]。恶干姜、丹参、黄芩、芍药、牡蛎[3]。(《本草经集注》页89，《证类本草》卷21页424，《本草纲目》卷39页1506)

【校注】

[1] **平，主癫痫** 见《证类本草》卷2页59癫痫引《雷公药对》。

[2] **中蛊，使** 见《证类本草》卷2页68中蛊引《雷公药对》。

[3] **恶干姜……牡蛎** 《本草纲目》注出处为徐之才文。

340 鳖甲

平，主五痔，臣[1]。恶矾石、理石[2]。(《本草经集注》页90，《证类本草》卷21页425，《本草纲目》卷45页1630)

【校注】

[1] **平，主五痔，臣** 见《证类本草》卷2页64五痔引《雷公药对》。

[2] **理石** 《本草经集注》《证类本草》无，据《本草纲目》增。《本草纲目》注此二字为徐之才文。按，此二字原出于《药性论》。

341 鳖头血

治口僻，臣。(《证类本草》卷2页51疗风通用引《雷公药对》)

342 蟹

杀莨菪毒、漆毒[1]。(《本草经集注》页90,《证类本草》卷21页426,《本草纲目》卷45页1634)

【校注】

[1] **漆毒** 《本草经集注》无，据《证类本草》增。

343 蛴螬

蜚虻[1]为之使，恶附子[2]。(《本草经集注》页90,《证类本草》卷21页428,《本草纲目》卷41页1540)

【校注】

[1] **蜚虻** 《千金方》作“蜚虫”,《大观本草》《政和本草》《证类本草》《本草纲目》作“蜚蠊”,《本草经集注》《医心方》作“蜚虻”。

[2] 本条,《本草纲目》注出处为徐之才文。

344 乌贼鱼

微温，主耳聋[1]，痈疽，臣[2]。恶白蔹、白及、附子。能淡盐，伏硇，缩银[3]。(《本草经集注》页90,《证类本草》卷21页428,《本草纲目》卷44页1615)

【校注】

[1] **微温，主耳聋** 见《证类本草》卷2页61耳聋引《雷公药对》。

[2] **痈疽，臣** 见《证类本草》卷2页63痈疽引《雷公药对》。

[3] **能淡盐，伏硇，缩银** 《本草经集注》《证类本草》无此七字，据《本草纲目》增。又,《本草纲目》注此七字为徐之才文。

345 鳣甲

蜀漆为之使，畏狗胆、芫花、甘遂[1]。(《本草经集注》页90,《证类本草》卷21页

431，《本草纲目》卷 43 页 1577）

【校注】

［1］本条，《本草纲目》注出处为《日华子本草》，但《本草经集注》页 90 已有著录。

346　石龙子

恶硫黄、斑蝥、芜荑[1]。（《本草经集注》页 89，《证类本草》卷 21 页 432，《本草纲目》卷 43 页 1579）

【校注】

［1］本条，《本草纲目》注出处为徐之才文。

347　雄原蚕蛾

热，无毒，入药炒，去翅足用[1]。（《本草纲目》卷 39 页 1520）

【校注】

［1］本条，《本草纲目》注出处为“徐之才《雷公药对》”。

348　樗鸡

平，主阴痿，使。（《证类本草》卷 2 页 65 阴痿引《雷公药对》）

349　蜚虻

恶麻黄[1]。（《证类本草》卷 21 页 433，《本草纲目》卷 41 页 1554）

【校注】

［1］本条，《本草纲目》注出处为徐之才文。按，此文出于《药性论》。《嘉祐本草》引《药性论》云：“虻虫，一名蜚虻，恶麻黄。”

350　蜚蠊

立夏之日，蜚蠊先生，为人参、茯苓使，主腹中七节，保神守中。（《本草经集

注》页 91,《证类本草》卷 2 页 77,《本草纲目》卷 41 页 1552)

351　䗪虫

畏皂荚、菖蒲、屋游[1]。(《本草经集注》页 90,《证类本草》卷 21 页 434,《本草纲目》卷 41 页 1551)

【校注】

[1] **屋游** 《本草经集注》《证类本草》无,据《本草纲目》增。《本草纲目》注此三字为徐之才文。按,此三字原出于《药性论》。

352　蟾蜍

寒,主瘘疮,臣。(《证类本草》卷 2 页 64 瘘疮引《雷公药对》)

353　久蚬壳

寒,主下痢,使。(《证类本草》卷 2 页 55 肠澼下痢引《雷公药对》)

354　蚺蛇胆

寒,主下痢䘌虫,使。(《证类本草》卷 2 页 55 肠澼下痢引《雷公药对》)

355　蛇蜕

平,主五痔[1]。畏磁石及酒[2]。(《本草经集注》页 90,《证类本草》卷 22 页 443,《本草纲目》卷 43 页 1582)

【校注】

[1] **平,主五痔** 见《证类本草》卷 2 页 64 五痔引《雷公药对》。

[2] **畏磁石及酒** 《本草纲目》注出处为"权曰"。

356　蚯蚓

畏葱、盐[1]。(《证类本草》卷 22 页 445,《本草纲目》卷 42 页 1564)

【校注】

[1] 本条，《本草纲目》注出处为徐之才文。《证类本草》无此文。《嘉祐本草》引《蜀本草》云："蚯蚓解射罔毒。"

357 斑猫

马刀为之使，畏巴豆、丹参、空青，恶肤青[1]。(《本草经集注》页90，《证类本草》卷22页448，《本草纲目》卷40页1527)

【校注】

[1] 本条，《本草纲目》所载并在《吴普本草》文之中。

358 石蚕

雷公：咸，无毒。(《太平御览》卷825页6引《吴普本草》)

359 贝子

平，主下血。(《证类本草》卷2页55肠澼下痢引《雷公药对》)

360 雀瓮

平，主癫痫，使。(《证类本草》卷2页59癫痫引《雷公药对》)

361 蜣螂

寒，主狂语，头发热，使[1]。畏羊角、羊肉[2]、石膏[3]。(《本草经集注》页90，《证类本草》卷22页451，《本草纲目》卷41页1546)

【校注】

[1] **寒，主狂语，头发热，使** 见《证类本草》卷2页53大热引《雷公药对》。

[2] **羊肉** 《本草经集注》《证类本草》无，据《本草纲目》增。按，此文原出于唐·刘禹锡所纂《柳州救三死方》，谓蜣螂畏羊肉。

[3] **畏羊角……石膏** 《本草纲目》注出处为徐之才文。

362 地胆

恶甘草[1]。(《本草经集注》页90，《证类本草》卷22页454)

【校注】

[1] 本条，《本草纲目》未见录。

果菜米部

363　藕实

平，寒，补中养气，君。(《证类本草》卷2页65虚劳引《雷公药对》)

364　藕汁

寒，主消血[1]。解射罔毒、蟹毒[2]。(《本草纲目》卷33页1340)

【校注】

[1] **寒，主消血**　见《证类本草》卷2页62瘀血引《雷公药对》。

[2] **解射罔毒、蟹毒**　《本草纲目》注出处为徐之才文。

365　橘皮

温，主下气，臣。(《证类本草》卷2页69下气引《雷公药对》)

366　大枣

虚而多气兼微咳加大枣[1]。杀乌头、附子、天雄[2]毒。(《证类本草》卷23页462，《本草纲目》卷29页1264)

【校注】

[1] **虚而多气兼微咳加大枣**　见《千金方》卷1页4处方第五引《雷公药对》；《证类本草》卷1页38引《雷公药对》。

[2] **附子、天雄**　《证类本草》无，据《本草纲目》增。

367　三岁陈枣核

平，烧灰，治产后腹痛，使。(《证类本草》卷2页68产后病引《雷公药对》)

368 枣叶

平，主出汗，君。(《证类本草》卷2页68出汗引《雷公药对》)

369 覆盆子

平，能长阴[1]，主无子，臣[2]。虚而吸吸加覆盆子[3]。

【校注】

[1] **平，能长阴** 见《证类本草》卷2页65阴痿引《雷公药对》。

[2] **主无子，臣** 见《证类本草》卷2页67无子引《雷公药对》。

[3] **虚而吸吸加覆盆子** 见《千金方》卷1页4处方第五引《雷公药对》，《证类本草》卷1页38引《雷公药对》。

370 梅核人

平，主烦热，臣。(《证类本草》卷2页58心烦引《雷公药对》)

371 桃人

平，主女人血闭腹痛。(《证类本草》卷2页69女人血闭引《雷公药对》)

372 桃花

平，主治中恶，使。(《证类本草》卷2页54中恶引《雷公药对》)

373 杏人

《本经》温，《别录》冷利，主下气[1]，心下急满[2]，出汗，臣[3]。得火良，恶黄耆、黄芩、葛根、胡粉[4]，畏[5]蘘草，解锡毒[6]。(《本草经集注》页90，《证类本草》卷23页473，《本草纲目》卷29页1250)

【校注】

[1] **《本经》温，《别录》冷利，主下气** 见《证类本草》卷2页69下气引《雷公药对》。

[2] **心下急满** 见《证类本草》卷2页58心下急满引《雷公药对》。

[3] **出汗，臣** 见《证类本草》卷2页68出汗引《雷公药对》。
[4] **胡粉** 《证类本草》《本草纲目》脱此二字。《本草经集注》有此二字。
[5] **畏** 《本草经集注》脱此字，《证类本草》《本草纲目》有此字。
[6] **解锡毒** 《本草纲目》无此三字。本条，《本草纲目》注出处为徐之才文。

374 石榴皮

温，主目赤痛泪下，使。(《证类本草》卷2页61目赤热痛引《雷公药对》)

375 石榴根

平，主蛔虫，使。(《证类本草》卷2页64蛔虫引《雷公药对》)

376 李树根白皮

大寒，主下气，使。(《证类本草》卷2页69下气引《雷公药对》)

377 冬葵子

寒，下乳汁[1]。黄芩为之使。(《证类本草》卷27页499，《本草纲目》卷16页902)

【校注】

[1] **寒，下乳汁** 见《证类本草》卷2页68下乳汁引《雷公药对》。

378 葵根

寒，主恶疮，君。(《证类本草》卷2页63恶疮引《雷公药对》)

379 芜菁

温，益五脏，轻身，君。(《证类本草》卷2页65虚劳引《雷公药对》)

380 芦菔

一名莱菔。温，益五脏，轻身，君。(《证类本草》卷2页65虚劳引《雷公药对》)

381 冬瓜

微寒，主淋，小便不通，君。(《证类本草》卷2页56小便淋引《雷公药对》)

382 瓜蒂

寒，主鼻息肉，臣。(《证类本草》卷2页61鼻息肉引《雷公药对》)

383 葱实

杀百草毒，能消桂化为水[1]。(《证类本草》卷2页77，《本草纲目》卷26页1175)

【校注】

[1] 本条，《本草纲目》注出处为《名医别录》。本条见《证类本草》卷2页77葱实条掌禹锡引《雷公药对》。

384 葱汁

解藜芦及桂毒[1]。(《证类本草》卷28页510，《本草纲目》卷26页1177，《千金方》卷26页468)

【校注】

[1] **及桂毒** 《证类本草》无，据《本草纲目》增。

385 葱根

寒，主头痛，发表，臣。(《证类本草》卷2页53伤寒引《雷公药对》)

386 葱白

平，主出汗，臣。(《证类本草》卷2页68出汗引《雷公药对》)

387 薤白

温，主下赤白痢[1]，金疮，止痛，疮中风水肿，臣[2]。

【校注】

[1] **温，主下赤白痢** 见《证类本草》卷2页55肠澼下痢引《雷公药对》。

[2] **金疮，止痛，疮中风水肿，臣** 见《证类本草》卷2页62金疮引《雷公药对》。

388 白蘘荷

微温，主赤白痢，臣。(《证类本草》卷2页55肠澼下痢引《雷公药对》)

389 苏子

温，主下气，臣。(《证类本草》卷2页69下气引《雷公药对》)

390 香薷

一名香菜。微温，主水肿[1]，腹满水肿，臣[2]。

【校注】

[1] **微温，主水肿** 见《证类本草》卷2页55大腹水肿引《雷公药对》。

[2] **腹满水肿，臣** 见《证类本草》卷2页57腹胀满引《雷公药对》。

391 胡麻

雷公：甘，平[1]。虚而吸吸加胡麻[2]。

【校注】

[1] **雷公：甘，平** 见《太平御览》卷989页6引《吴普本草》。

[2] **虚而吸吸加胡麻** 见《千金方》卷1页4处方第五引《雷公药对》，《证类本草》卷1页38引《雷公药对》。

392 麻勃

一名麻花。雷公：辛，无毒。畏牡蛎。(《太平御览》卷995页2引《吴普本草》)

393 麻蓝

一名麻蕡。雷公：甘。畏牡蛎、白薇，恶茯苓。(《太平御览》卷995页2引《吴普本草》，《证类本草》卷24页482，《本草纲目》卷22页1106)

394 麻子

雷公：无毒。不欲牡蛎、白薇。(《太平御览》卷995页2引《吴普本草》)

395 麻油

微寒，主耳聋[1]，治产难胞不出，君[2]。

【校注】

[1] **微寒，主耳聋** 见《证类本草》卷2页61耳聋引《雷公药对》。

[2] **产难胞不出，君** 见《证类本草》卷2页67难产引《雷公药对》。

396 青蘘

雷公：甘。(《太平御览》卷989页6引《吴普本草》)

397 生大豆

恶五参、龙胆。得前胡、乌喙、杏人、牡蛎、诸胆汁良[1]。(《证类本草》卷25页486，《本草纲目》卷24页1134)

【校注】

[1] **诸胆汁良** 《证类本草》无"诸胆汁"三字，据《本草纲目》增。本条，《本草纲目》注出处为徐之才文。

398 大豆紫汤

温，治产后中风，恶血不尽，痛。(《证类本草》卷2页68产后病引《雷公药对》)

399 大豆黄卷

雷公：无毒。得前胡、乌喙、杏子、牡蛎、天雄、鼠屎共蜜和佳，不欲海藻、龙胆，杀乌头毒[1]。(《太平御览》卷841页6引《吴普本草》，《本草经集注》页90，《证类本草》卷25页487，《本草纲目》卷24页1134)

【校注】

[1] **杀乌头毒** 《大观本草》《政和本草》《证类本草》《本草纲目》无此四字，《本草经集注》《医心方》《千金方》有此四字。

400　豆豉

寒，治喉闭不通，使[1]。杀六畜胎子毒[2]。杂粢粉熬末半夏，主出汗[3]。（《本草经集注》页91，《证类本草》卷25页493，《本草纲目》卷25页1147）

【校注】

［1］**寒，治喉闭不通，使**　见《证类本草》卷2页60喉痹痛引《雷公药对》。

［2］**杀六畜胎子毒**　《本草纲目》注出处为《名医别录》。《证类本草》卷2页77豉条掌禹锡引《雷公药对》云："杀六畜胎子毒。"

［3］**杂粢粉熬末半夏，主出汗**　见《证类本草》卷2页68出汗引《雷公药对》。

401　赤小豆

平，雷公：甘[1]。主贴肿易消，臣[2]。

【校注】

［1］**雷公：甘**　见《太平御览》卷841页6引《吴普本草》。

［2］**主贴肿易消，臣**　见《证类本草》卷2页63痈疽引《雷公药对》。

402　小豆散

平，主产后血不尽烦闷，臣。（《证类本草》卷2页68产后引《雷公药对》）

403　縻米

温，止烦热，臣。（《证类本草》卷2页58心烦引《雷公药对》）

404　穀米

微寒，主逐水肿，利小便，臣。（《证类本草》卷2页55大腹水肿引《雷公药对》）

405　粢粉

杂豆豉熬末半夏，平，生微寒，熟温，主止汗，使。（《证类本草》卷2页68止汗引《雷公药对》）

406　大麦

食[1]蜜为之使。(《本草经集注》页 90，《证类本草》卷 25 页 492，《本草纲目》卷 22 页 1112)

【校注】

[1] **食**　《本草纲目》作"石"，《证类本草》无"食"字。

407　小麦

微寒，主胃中热，使[1]。治温疟[2]。

【校注】

[1] **微寒，主胃中热，使**　见《证类本草》卷 2 页 53 大热引《雷公药对》。

[2] **治温疟**　见《证类本草》卷 2 页 53 温疟引《雷公药对》。

408　曲

温，主腹胀冷积下痢，臣。(《证类本草》卷 2 页 55 肠澼下痢引《雷公药对》)

409　小豆花

一名腐婢。平，主阴痿不起[1]，下痢，使[2]。

【校注】

[1] **平，主阴痿不起**　见《证类本草》卷 2 页 65 阴痿引《雷公药对》。

[2] **下痢，使**　见《证类本草》卷 2 页 55 肠澼下痢引《雷公药对》。

410　饴糖

微温，去血病[1]，主妇人崩中，臣[2]。

【校注】

[1] **微温，去血病**　见《证类本草》卷 2 页 62 瘀血引《雷公药对》。

[2] **主妇人崩中，臣** 见《证类本草》卷2页66妇人崩中引《雷公药对》。

411 酒

主行药势，杀百邪恶毒气[1]。(《证类本草》卷25页487，《本草纲目》卷25页1161)

【校注】

[1] **杀百邪恶毒气** 《唐本草》《千金方》作“杀邪恶气”，《大观本草》《政和本草》《证类本草》《本草纲目》作“杀百邪恶毒气”。

412 醋

杀邪毒。(《证类本草》卷26页494)

413 酱

杀百药、热汤及火毒。(《唐本草》卷19页495，《证类本草》卷26页497，《本草纲目》卷25页1159)

参考文献

[1] 梁·陶弘景撰. 本草经集注［M］. 上海：群联出版社据吉石盦丛书影印敦煌石室藏六朝写本存序录复印，1955.

[2] 梁·陶弘景集，尚志钧辑. 名医别录［M］. 北京：人民卫生出版社，1986.

[3] 魏·吴普撰，尚志钧等辑. 吴普本草［M］. 北京：人民卫生出版社，1986.

[4] 魏·吴普撰，清·焦循辑. 吴氏本草［M］. 抄本.

[5] 唐·苏敬撰. 唐本草［M］. 上海：群联出版社据傅云龙影刻唐卷子本（籑喜庐丛书之二）影印，1955.

[6] 唐·苏敬等撰，尚志钧补辑. 唐·新修本草［M］. 合肥：安徽科学技术出版社，1981.

[7] 唐·苏敬等撰. 唐本草［M］. 上海：上海古籍出版社据罗振玉藏日本森氏旧藏影写卷子本缩印，1985.

[8] 唐·甄权撰，尚志钧辑. 药性论［M］. 合肥：皖南医学院油印，1983.

[9] 唐·陈藏器撰，尚志钧辑. 本草拾遗［M］. 合肥：皖南医学院油印，1983.

[10] 五代·日华子集，尚志钧辑. 日华子本草［M］. 合肥：皖南医学院油印，1983.

[11] 宋·唐慎微撰. 经史证类大观本草［M］. 清光绪三十年（1904）武昌柯逢时影宋并重刊.（注文简称《大观本草》）

[12] 宋·唐慎微撰. 经史证类大观本草［M］. 日本安永四年（1775）江都医官望草玄翻刻元大德本.（注文中称为玄刻《大观本草》）

[13] 宋·唐慎微撰. 重修政和经史证类备用木草［M］. 北京：人民卫生出版社据扬州季范氏藏金泰和张存惠晦明轩本影印，1957.

[14] 宋·唐慎微撰. 重修政和经史证类备用本草［M］. 北京：商务印书馆缩印四部丛刊本，1921.

[15] 宋·寇宗奭撰. 本草衍义［M］. 北京：商务印书馆，1957.

[16] 元·王好古撰. 汤液本草［M］. 北京：人民卫生出版社，1957.

[17] 明·刘文泰等撰，清·王道纯续撰. 本草品汇精要［M］. 北京：商务印书馆据故宫抄本铅印，1936.

[18] 明·陈嘉谟撰. 本草蒙筌［M］. 明·歙县刊本.

［19］明·李时珍撰. 本草纲目［M］. 北京：人民卫生出版社据清光绪十一年（1885）合肥张氏味古斋重校刻本影印，1957.
［20］明·李明珍撰. 本草纲目［M］. 北京：人民卫生出版社据1603年夏良心刻本校点后出版，1977.（注文中称为校点本《本草纲目》）
［21］清·邹澍撰. 本经疏证［M］. 上海：上海科学技术出版社，1959.
［22］清·邹澍撰. 本经续疏［M］. 上海：上海科学技术出版社，1959.
［23］清·沈金鳌撰. 要药分剂［M］. 上海：上海科学技术出版社，1959.
［24］清·孙星衍等辑. 神农本草经［M］. 北京：商务印书馆据问经堂丛书本铅印丛书集成初编本，1937.
［25］清·黄奭辑本. 神农本草经［M］. 北京：中医古籍出版社据《子史钩沉》本影印，1937.
［26］唐·孙思邈著. 备急千金要方［M］. 北京：人民卫生出版社据日本江户医学影北宋本影印，1955.
［27］唐·王焘撰. 外台秘要［M］. 北京：人民卫生出版社据歙西槐塘经余居藏板影印，1955.
［28］日·丹波康赖撰. 医心方［M］. 北京：人民卫生出版社据日本浅仓屋藏版影印，1955.
［29］宋·李昉等撰. 太平御览［M］. 北京：商务印书馆，1955.
［30］宋·成无已注. 注解伤寒论［M］. 北京：商务印书馆，1955.
［31］宋·成无已撰. 伤寒明理论［M］. 上海：上海科学技术出版社，1959.
［32］金·刘完素撰. 素问病机气宜保命集［M］. 北京：人民卫生出版社，1959.
［33］金·张子和撰. 儒门事亲［M］. 上海：上海科学技术出版社，1959.
［34］朝鲜·许浚等撰. 东医宝鉴［M］. 北京：人民卫生出版社，1982.
［35］唐·长孙无忌等撰. 隋书［M］. 北京：商务印书馆，1955.
［36］后晋·刘珣，宋·欧阳修等撰. 唐书经籍艺文合志［M］. 北京：商务印书馆，1956.
［37］宋·郑樵撰. 通志［M］. 北京：中华书局聚珍仿宋版，［1921］.
［38］唐·李西药撰. 北齐书［M］. 北京：商务印书馆缩印百衲本，1958.
［39］唐·李延寿撰. 南史［M］. 北京：商务印书馆缩印百衲本，1958.
［40］唐·姚思廉撰. 梁书［M］. 北京：商务印书馆缩印百衲本，1958.

《海药本草》辑校

【五代】李珣 著
尚志钧 辑校

《海药本草》序

本书总结了唐末五代时南方药物及外来药物，是一本著名的地方性本草。

本书作者名李珣，字德润，其祖先是波斯人，家世售香药为业，他自己出生于四川梓州（今四川三台），曾被推荐做过宾贡，后来游历过岭南，对南方物产及外来药很熟悉。

李珣生卒年不详，李时珍《本草纲目》历代诸家本草说："珣盖肃、代时人。"清初王宏翰《古今医史》从时珍之说。但《海药本草》象牙条引有段成式《酉阳杂俎》，段氏自序谓"武宗癸亥三年（843）……大中七年（853）追次所记"。按，肃宗、代宗位于756—779年，李珣如果是肃、代时人，怎么会引后人的著作？黄休复《茅亭客话》记载，李玹先世为波斯人，随僖宗（874—888）入蜀，兄珣有诗名，其妹李舜玹做过前蜀后主王衍（在位时间为919—925）的昭仪。据此推知李珣当为五代时前蜀（907—925）时人。

李珣虽祖籍波斯，但对中国文化极为熟悉，对中国文献亦很了解。在本书现存131种药物条文中，援引古书就有58种，而且多数是六朝时的书，其中以《山经》《地志》为最多，偶亦涉及小说家之言。有些引文并不见录于现存文献，如张仲景的无食子、员安宇的荔枝诗。由此可见李珣虽然身为波斯人，但所著的《海药本草》在形制上，是纯中国化的本草书。其援引前代文献，多冠以"按""谨按"，例如"银屑"条文，开头即用"谨按《南越志》云……"。对于药物功效，多冠以

“主”“疗”，不用“治”字，例如“石硫黄”条云：“主风冷。”这都是仿《唐本草》体制做的。

本书成书年代不详，可能是在前蜀时作的。李珣原是10世纪左右生长在我国的波斯人，以填词著名，为五代时“花间派”词人，在文学史上占有一定的地位。他游历过岭南，对岭南地方药物和由海道输入的外来药都很熟悉，加之李珣本人擅长文学，家世业香药，所以能写出《海药本草》。

本书成于五代，流行于宋代，到南宋末已亡佚，《通志·艺文略》和《秘书省续编到四库阙书目》均有著录。宋代傅肱《蟹谱》、洪刍《香谱》、唐慎微《证类本草》、刘昉《幼幼新书》等书都引用过本书。

本书名为《海药本草》，所论药物多数是从海外来的，或原从海外移植南方的。所谓“海药”，系指外来输入的药物，正如《酉阳杂俎》载李德裕的话：“花木以海名者，悉从海外来”。此与古代将外来药品冠以“胡”字，和近代将外来药品冠以“洋”字之义相同。本书收录药物所注的产地大都是外国地名，例如金屑出大食国，安息香、诃梨勒出波斯，榈木出安南，龙脑香出律国。131种药品中注明外国产地者有96种。所以李珣命本书名为《海药本草》，是名副其实的。

本书新增药较多，在131种药品中，有40种见录于《唐本草》，54种见录于《本草拾遗》，有15种见录于其他本草，如《药性论》《食疗本草》等。本书新增药有16种，后被《嘉祐本草》收录为正品药。这里值得注意的是，本书与陈藏器《本草拾遗》关系很密切，在本书现存131种药品中，竟有54种见录于《本草拾遗》，这就提示本书似以《本草拾遗》为主要参考资料。从内容上看，本书药物条文中直书陈藏器之名者不少，如瓶香、奴会子、缩沙蜜、甘松香等条，都直提“陈藏器云”或“陈氏云”。千金藤、藒车香等条均引陈氏之语。所以本书似有补充陈藏器《本草拾遗》的遗漏，或改正陈氏书的谬误之意。

本书6卷，原书已佚，笔者在1966年前辑有手稿本，今整理成册。本书原载药多少不详，据《证类本草》所引，仅存130条，北宋傅肱《蟹谱》引1条，合131条。此131条，当非本书原有药数。从本书6卷来看，载药当在131种以上。这131种药品，按《唐本草》药物目次来排，计玉石13种（其中紫铆、胡桐泪，《证类本草》列在木部），草部38种，木部48种（其中楸木皮、没离梨二药条文全同），兽禽部3种，虫鱼部17种，果米部12种。

李珣家世原以售卖香药为职业，对香药极熟悉，所以本书收罗香药最多，包括甘松香、茅香、蜜香、乳香、安息香、必栗香、迷迭香、降真香等。其中多数香药是阿拉伯商人贩卖的商品。这些香药并不单纯作药用，也有作熏燎、美容、调味用，或作“果子药”食品用。

此外书中记载炼丹资料较多。例如藤黄条云：“画家及丹灶家并时用之。”波斯白矾条云：“多入丹灶家。”石硫黄条云：“并宜烧炼服。”银屑条云：“今时烧炼家，每一斤生铅，只煎得一二珠。”李珣对炼丹重视，可能受其弟李玹的影响。黄休复《茅亭客话》卷4李四郎条云：“李玹好摄养，以金丹延驻为务，暮年以炉鼎之费，家无余财，唯道书药囊而已。”

由于李珣擅长文学，所以本书对药物条文的叙述，非常简练而雅致，对每味药叙述亦很全面，如对药物来源、性味、形态、产地、主治等皆有介绍。有些药物还有附方。例如荜拨条云：“得诃子、人参、桂心、干姜，治脏腑虚冷，肠鸣泄痢神效。”又如琥珀条云：“琥珀一两，鳖甲一两，京三棱一两，延胡索半两，没药半两，大黄六铢。熬捣为散，空心酒服三钱匕。”

本稿原是1966年以前辑的，由于本人水平所限，错误一定很多，敬希读者指正为盼。

尚志钧

于皖南医学院弋矶山医院

1995年8月

《海药本草》辑校说明

（一）《海药本草》是唐末五代李珣所著，是中国最早的一部外来药的专著。原书久佚。它的内容散存在古代各种本草书和科技书中。笔者在20世纪50年代辑有手稿本。今以旧稿本校勘注释之。

（二）旧稿本原以1957年人民卫生出版社影印《政和本草》为底本，以1904年柯逢时影刻《大观本草》及1932年商务印书馆影印《政和本草》为校本，以1957年人民卫生出版社影印《本草纲目》为旁校本，并参考宋代傅肱《蟹谱》和洪刍《香谱》及其他诸书辑校而成。

（三）在校勘时凡与底本有不同之处，如：舛错、脱漏、衍生、重叠、错简、颠倒、误抄、误刻、讹字、疑义等，均做出校注，按序码编排，附于所列当药条文之后。底本中明确的异体字、错别字均改为现在通用字。

（四）本书的注释是按中医古籍校勘整理与编辑工作要求进行的。由于《海药本草》原书久佚，辑文大部分是从《证类本草》采集的，而《证类本草》所存《海药本草》资料，都是唐慎微节录用以补充前代本草内容的，故所节录的文字大都很简略。例如补骨脂条，唐氏仅节录“恶甘草”三字。黄龙眼条，仅节录“功力胜解毒子也”。如果单纯依靠这些节录文来阅读，不看前代本草内容，很难全面了解这些药物的情况。为此，在注释这些药物时，在药名下适当地补充注一些前代本草的主要内容，以帮助读者更好地、全面地了解这些药物。

（五）本书药物条文，有关难字、僻字、避讳字、古药名、古书名、古地名、古病名等在首见处即做出注释。

（六）本书校勘脚码、训诂脚码与注释脚码混合编在一起，按在条文中出现的先后顺序排列。

（七）本书原是繁体竖排，今为广大读者需要，改用简体横排。

（八）关于本书一般情况的介绍，详见本书末《海药本草》后记。

目　录

木部 卷第三 …… 235

玉石部 卷第一

1 玉屑

按《异物志》[1]云：出昆仑[2]。又《淮南子》[3]云：出钟山[4]。又云蓝田[5]出美玉，燕□出璧玉。味咸，寒，无毒。主消渴[6]，滋养五脏，止烦躁，宜共金银、麦门冬等同煎服之，甚有所益。《仙经》[7]云：服玉如玉化水法，在《淮南三十六水法》[8]中载。又《别宝经》[9]云：凡石韫玉[10]，但夜将石映灯看之，内有红光，明如初出日，便知有玉。《楚记》：卞和三献玉不鉴[11]，所以遭刖足[12]。后有辨者，映灯验之，方知玉在石内，乃为[13]玉玺[14]，价可重连城也。（《大观本草》卷3页9，《政和本草》页82，《本草纲目》页614）

【校注】

[1] **《异物志》** 东汉扬孚撰（约1世纪后期），原书佚。

[2] **昆仑** 按《史记·大宛传》："汉使穷河源，河源出于阗，其山多玉石采来，天子按古图书名河所出山曰昆仑。"《宋史·于阗传》："每岁，国人取玉于河，谓之捞玉。"《天工开物》："凡玉……贵重者尽出于阗。"古代于阗在今和田县南，位于昆仑山麓。昆仑山的玉，质地晶莹润洁，1957年在和田南昆仑山中建立阿拉玛斯玉石矿区。所采的玉，行销全国十多个省。

[3] **《淮南子》** 西汉刘安撰（前2世纪）。

[4] **钟山** 《淮南子·俶真训》："譬若钟山之玉。"注云："钟山，昆仑也。"

[5] **蓝田** 今陕西蓝田，是产玉的地方。祁鹤皋《西陲竹枝词·和阗》："河水滥觞经过处，天生美玉胜蓝田。"

[6] **消渴** 病名，泛指以多饮、多食、多尿、消瘦为特点的病证。《素问·奇病论》："数食甘美而多肥也，肥者（厚味食物）令人内热，甘者令人中满，故其气上溢，转为消渴。"

[7] **《仙经》** 书名，作者不详，已佚。

[8] **《淮南三十六水法》** 书名，已佚。

[9] **《别宝经》** 书名，作者不详，已佚。

［10］**凡石韫玉**　韫通蕴，藏也。

［11］**卞和三献玉不鉴**　春秋时（前770—前476）相传楚国人卞和发现了一块璞，先后献给楚厉王、武王（前740—前690），都被认为欺诈罪，刑以截去双脚。等到楚文王即位（前689），卞和又抱璞玉哭于荆山下，楚文王使人剖璞加工，果得宝玉，称为和氏璧。

［12］**刖（yuè 月）足**　古代的一种酷刑，把脚砍掉。

［13］**为**　人民卫生出版社影印本《政和本草》卷3作"有"，《大观本草》作"为"。

［14］**玉玺（xǐ 喜）**　《说文》："玺，王者之印也。"段注："盖周人已刻玉为之，王者所执则曰玺。"按玺即印，自秦朝以后专指皇帝的印。

2　车渠[1]

《韵集》[2]云：生西国[3]，是玉石之类，形似蚌蛤[4]，有纹理。大寒，无毒。主安神镇宅[5]，解诸毒药及虫螫[6]。以玳瑁[7]一片、车渠等，同以人乳磨服，极验也。又《西域记》[8]云：重堂[9]殿[10]梁[11]檐[12]，皆以七宝[13]饰之，此其一也。（《大观本草》卷3页37，《政和本草》页96，《本草纲目》页1647）

【校注】

［1］**车渠**　水沟。《古今韵会举要》（以下简称《韵会》）云："车渠，海中大贝也，背上垄文如车轮之渠，故名。"沈括《梦溪笔谈》云："车渠大者如箕，背有渠（水沟）垄如蚶壳。"

［2］**《韵集》**　《大观本草》、人民卫生出版社影印本《政和本草》原作"集韵"，据书名改。按，《集韵》是宋仁宗命丁度等人重修之《广韵》，于宝元二年（1039）完成。《海药本草》成于五代前蜀（907—925），约早于丁度130年。则《海药本草》不可能见到《集韵》。据宋·王应麟《困学纪闻》卷8："晋·吕静作《韵集》五卷，宫、商、角、徵、羽各为一卷。"此书到唐代仍在流行。唐代欧阳询《艺文类聚》卷84琉璃条引有《韵集》，两唐志亦载有《韵集》书名。则《海药本草》所引，当是《韵集》。又，《证类本草》卷5青琅玕条引陈藏器文亦作"《韵集》"。

［3］**西国**　自汉代开始，从甘肃玉门关以西，巴尔喀什湖以东以南，被称为西域广大地区。生活在这些地区的民族所组成的国家，称为西国。

［4］**蚌（bàng 棒）蛤（gé 隔）**　蚌，生活在淡水里的一种软体动物，瓣鳃类，壳长椭圆形，大者长尺余，色黑褐，微带绿，有轮线纹，壳内现珍珠色，带微红，有的可以产出珍珠。肉色黄白，肉柱有二，脚大，为舌状。蛤，生活在近海泥沙中软体动物，瓣鳃类，种类繁多，有海蛤、文蛤、魁蛤、蛤蜊等。

［5］**镇宅**　是一种迷信的做法。古人对生病的原因弄不清，往往误认为住宅有妖鬼闹事，用某些物品如桃树桩埋于屋内之类，或挂一张钟馗画（杀鬼的画）即能辟除妖魔鬼怪。这种迷信的做法，谓之镇宅。

［6］**螫（shì 释）**　《说文解字》云："虫行毒也。"如蜂、蝎叮人释毒。

［7］**玳瑁**　龟类动物，背甲黄褐，呈心脏形，由中央甲五枚，中央侧甲八枚，绿甲二十五枚而成。腹甲黄黑，头部上面被甲，色黑褐，下面黄色，四肢叶状，前肢较大，有二爪，后肢一爪。性强

暴，肉有剧臭，甲光滑。

［8］**《西域记》** 书名，唐玄奘撰。

［9］**重堂** 堂，正屋。刘禹锡《乌衣巷》诗：“旧时王谢堂前燕，飞入寻常百姓家。”重堂即“重屋”。《考工记·匠人》：“殷人重屋，堂修七寻。”孙诒让《正义》云：“重屋谓屋有二重。”

［10］**殿** 高大的房屋。《后汉书·蔡茂传》：“梦坐大殿。”

［11］**梁** 屋梁。《后汉书·陈寔传》：“有盗夜入其室，止于梁上。”

［12］**檐** 屋檐，房顶伸出的边沿。

［13］**七宝** 佛经有云：“七宝者，谓金、银、琉璃、车渠、马瑙（即玛瑙）、玻璃、真珠（即珍珠）是也。”（见《证类本草》卷5青琅玕条掌禹锡引陈藏器文）

3 金线矾[1]

《广州志》[2]云：生波斯国[3]，味咸、酸、涩，有毒。主野鸡[4]、瘘痔[5]、恶疮[6]、疥癣[7]等疾。打破内有金线纹者为上，多入烧家[8]用。（《大观本草》卷3页37，《政和本草》页96）

【校注】

［1］**金线矾** 《本草纲目》卷11作“黄矾”，并在集解专目下注云：“黄矾……波斯出者，打破中有金丝文，谓之金线矾。”

［2］**《广州志》** 书名。《隋书·经籍志》《汉书·艺文志》未见记载。《艺文类聚》卷84贝条引有《广州志》书名。

［3］**波斯国** 即伊朗，位于亚洲西南部伊朗高原，前6世纪，居鲁士大帝建立的波斯帝国，盛极一时。

［4］**野鸡** 痔疮的别名。

［5］**瘘痔** 亦作“痔瘘”，即痔疮和肛瘘的合称。初生肛门不破者为痔；破溃而出脓血，黄水浸淫淋漓久不止者为瘘。

［6］**恶疮** 出《刘涓子鬼遗方》。《诸病源候论》卷35恶疮候：“若风热挟湿毒之气者，则疮痒痛焮肿，而疮多汁，身体壮热，谓之恶疮。”凡疮疡表现为焮肿痛痒，溃烂后浸淫不休，经久不愈者，统称为恶疮。

［7］**疥癣** 《诸病源候论》卷35：“干疥但痒，搔之皮起作干痂。湿疥起小疮，皮薄常有水汁出。”又云：“癣病之状，皮肉隐疹如钱文，渐渐增长，或圆或斜，痒痛，有匡郭（即界限清楚）。”按，疥疮患处呈针头大小的丘疹和水泡，痒甚，故体表常见抓痕和结痂。癣的患处境界清楚，瘙痒。有干湿不同。

［8］**烧家** 古代炼丹家的别名。

4 波斯白矾

《广州记》[1]云：出大秦国[2]，其色白而莹净[3]，内有棘[4]针纹。味酸、涩，温，无毒。主赤白漏下[5]，阴蚀[6]，泄痢[7]，疮疥，解一切虫蛇等毒。去目赤暴肿，齿痛。火炼之良，恶牡蛎。多入丹灶家[8]，功力逾[9]于河西石门[10]者。近日文州诸番[11]往往亦有，可用也。(《大观本草》卷3页37，《政和本草》页96，《本草纲目》页707)

【校注】

[1] **《广州记》** 书名。本书有裴渊和顾微两家本子。《艺文类聚》《太平御览》《本草纲目》援引本书，或标裴渊，或标顾微。清代文廷式《补晋书艺文志》收录两家《广州记》，唯顾微作顾徽。一般文献引裴渊撰的，标作裴渊《广州记》；引顾微撰的，仅作《广州记》。本书所引俱作《广州记》，疑是晋代顾微撰本。

[2] **大秦国** 即东罗马。《后汉书·西域传》云："大秦，一名犂鞬，以在海西，亦云海西国。"

[3] **莹净** 《说文解字》云："玉色也。"即莹明如玉色洁净。

[4] **棘** 《本草纲目》卷11矾石条引珣曰作"束"。

[5] **赤白漏下** 即赤白带下，症见阴道中流出赤白夹杂的黏液，连绵不绝。

[6] **阴蚀** 病名。症见外阴部溃烂，形成溃疡，脓血淋漓，或痛或痒，肿胀坚痛，多伴有赤白带下，小便淋漓等。

[7] **泄痢** "洩"或作"泄"，意同"泻"，是多种腹泻的总称。痢即痢疾，主症以大便次数增多而量少，腹痛，里急后重，下黏液及脓血样大便为特征。泄泻与痢疾通称为泄痢，或称下痢。

[8] **丹灶家** 即古代炼丹家。

[9] **逾** 《说文解字》云："逾，越进也。"段玉裁曰："越进，有所超越而进也。"意同胜过。

[10] **河西石门** 河西，即今陕西，因位居黄河以西故名。石门，即今陕西泾阳县北。

[11] **文州诸番** 文州，今甘肃文县。诸番，指边疆地区。

5 金屑

按《广州记》云：出大食国[1]，彼方出金最多，凡是货易，并使金钱[2]。性多寒，生者有毒，熟者无毒。主癫痫[3]，风热上气咳嗽[4]，伤寒[5]，肺损吐血[6]，骨蒸[7]，劳极渴[8]，主利五脏邪气，补心，并入薄于丸散服[9]。《异志》[10]云：金生丽水[11]。《山海经》[12]说：诸山出金极多，不能备录。蔡州出瓜子金[13]，云南山出颗块金，在山石间采之。黔南遂府吉州水中并产麸金[14]。又《岭表录异》[15]云：广州含洭[16]县有金池，彼中居人，忽有养鹅鸭，常于屎中见麸金片，遂多养收屎淘之，日得一两或半两，因而至富矣。(《大观本草》卷4页18，《政和本草》页109，《本草纲目》页593)

【校注】

[1] **大食国** 即古阿拉伯帝国，为穆罕默德所建，其强盛时，东破波斯，南侵印度，奄有亚洲西部，非洲北部及欧洲之西班牙。

[2] **金钱** 《大观本草》作“钱”。人民卫生出版社影印本《政和本草》作“金”。

[3] **癫痫** 古代癫、痫二字通。《素问·奇病论》：“人生而有病癫疾者，病名为胎病。”这是我国对本病最早的遗传学记载。按“癫”指精神错乱一类疾病。“痫”指发作性神志异常的疾病。癫证与痫证合称为癫痫。

[4] **风热上气咳嗽** 由风热外感之邪引起咳嗽，兼见气息急促，呼多吸少，表现肺气上逆，称为风热上气咳嗽。

[5] **伤寒** 《伤寒论》辨太阳病脉证并治：“太阳病，或已发热，或未发热，必恶寒，体痛，呕逆，脉阴阳俱紧者，名曰伤寒。”一般讲伤寒，指多种外感热病的总称。

[6] **肺损吐血** 因肺脏损伤而吐血，血从口吐出，无呕声，也无咳声。多指呼吸道出血。

[7] **骨蒸** 形容发热自骨髓透发而出，故名。症见潮热，盗汗，喘息无力，心烦少寐，手心常热，小便黄赤。

[8] **劳极渴** 劳极，又有劳瘵、传尸劳、传尸、尸注、鬼注、转注、殗殜等名。本病病程缓慢而互相传染。症见恶寒，潮热，咳嗽，咯血，饮食减少，肌肉消瘦，疲乏无力，自汗盗汗，舌红，脉细数等。“劳极渴”，是因劳极病程出现阴虚火旺而作渴。

[9] **并入薄于丸散服** 《本草纲目》卷8金条作“并以箔入丸散服”。按，“薄”通“箔”，金类锤击成薄纸样的金箔片，用以作丸剂的外衣，古代用以饰佛像。

[10] **《异志》** 书名。作者不详。《海药本草》金屑、郎君子、青蚨、昆布等条文中，均引有《异志》。陈藏器《本草拾遗》海马条亦引有《异志》。另外《海药本草》玉屑、犀角、橄榄、摩厨子、蜜香等条文中又引有《异物志》。疑《异志》与《异物志》似非同一种书。

[11] **金生丽水** 云南省之金沙江名丽水，《千字文》“金生丽水”指此。

[12] **《山海经》** 书名，凡十八篇，最早见于《史记》大宛传。未言何时何人所著。一般人认为是战国时楚人所作。

[13] **蔡州出瓜子金** 蔡州，今河南汝阳。瓜子金，即金粒如瓜子状。

[14] **黔南遂府吉州水中并产麸金** “黔”，贵州省，古为黔中地。“遂府”，今江西遂江地区。“吉州”，今江西吉安。“麸金”，李时珍云：“麸金如麸片，出湖南等地。”

[15] **《岭表录异》** 书名，唐代刘恂撰。《大观本草》卷4作“《岭南录异》”。“异”，商务印书馆出版之《政和本草》作“此”。

[16] **含洭** 人民卫生出版社影印本《政和本草》作“治洭”，《大观本草》作“含洭”，从《大观本草》为正。按，含洭，汉置，以地界洭水为名，在广东英德市西约38千米。

6 银屑[1]

谨按《南越志》[2]云：出波斯国，有天生药银，波斯国用为试药、指环[3]。大寒，无毒。主坚筋骨[4]，镇心，明目，风热癫疾[5]等。并入薄于丸散服之[6]。

又烧朱粉[7]瓮下多年沉积有银，号盎铅银，光软甚好，与波斯银功力相似，只是难得。今时烧炼家[8]，每一斤生铅，只煎得一二铢[9]。《山海经》云：东北乐平郡党少山出银甚多[10]。黔中生银，体骨硬，不堪入药。又按《唐贞观政要》[11]云：十年有理[12]书御史权万纪奏曰：宣饶二州[13]诸山极有银坑，采之甚是利益。太宗曰：朕贵为天子，无所乏少，何假取乎？是知彼处出银也。（《大观本草》卷4页20，《政和本草》页110，《本草纲目》页594）

【校注】

[1] **银屑** 《名医别录》云："生永昌"。陶弘景注云："为屑，当以水银研令消也。"

[2] **《南越志》** 书名，南北朝刘宋沈怀远撰。

[3] **试药、指环** 试药，即检验用的试剂。指环是用金银制成环状物，戴在手指上，作为装饰品，俗称戒指。

[4] **主坚筋骨** 《本草纲目》卷8银屑条作"银箔坚骨"。

[5] **癫疾** 《本草纲目》卷8银屑条作"癫痫"。按，癫疾是一种发作性神志异常的疾病，《千金方》称为癫痫。症见短暂的失神，面色泛白，双目凝视，但迅即恢复常态；或突然昏倒，口吐涎沫，两目上视，牙关紧急，四肢抽搐；或口中发出类似猪羊的叫声等，醒后除感觉疲劳外，一如常人，时有复作。

[6] **并入薄于丸散服之** "薄"通"箔"，将银锤击成极其微薄片，以作药丸外衣用。

[7] **朱粉** 即朱砂，主要成分为硫化汞。

[8] **烧炼家** 即炼丹家。

[9] **铢** 陶隐居《本草经集注·序》云："十黍为一铢，六铢为一分，四分成一两，十六两为一斤。"则一斤应为三百八十四铢。

[10] **东北乐平郡党少山出银甚多** 《山海经》卷2西山经云："鹿台之山，其下多银。"郭璞注："鹿台之山，今在山郡。"郝懿行疏云："鹿台之山，当为上党郡。"《山海经》卷3北山经云："东北二十里曰少山，其上有金玉，其下有铜。"郭璞注云："少山，今在乐平郡沾县，沾县故属上党。"据此可知，李珣所引《山海经》文，杂有郭璞注文。

[11] **《唐贞观政要》** 书名。是唐太宗贞观年间（627—649）时政记录。"贞"，《大观本草》卷4作"正"，人民卫生出版社影印本《政和本草》作"贞"。

[12] **理** 人民卫生出版社影印本《政和本草》卷4作"埋"，《大观本草》卷4作"理"。

[13] **宣饶二州** 宣州，即今安徽宣城；饶州，即今江西鄱阳。

7 石硫黄

谨案《广州记》云：生昆仑日脚下[1]，颗块莹净，无夹石者良。主风冷，虚惫[2]，肾冷，上气[3]，腿膝虚羸，长肌肤，益气力，遗精，痔漏，老人风秘[4]等。并宜烧炼服。仙方谓之黄硇砂[5]，能坏五金[6]，亦能造作金色[7]，人能制伏归本色[8]，服而能除万病。如有发动[9]，宜以猪肉、鸭羹、余甘子[10]汤并解之。蜀中雅州[11]亦出，光腻甚好，功力不及舶上来者[12]。（《大观本草》卷4页10，《政和本草》页103，《本草纲目》页702）

【校注】

［1］**生昆仑日脚下**　《本草纲目》卷11石硫黄条作“生昆仑及波斯国西方明之境”。按，此十二字，系出《太清服炼灵砂法》的文字，非《海药本草》文。“昆仑日脚下”，指太阳落山的地方。古人认为昆仑地处中国最西边，也是日落之处。

［2］**风冷，虚惫**　是虚寒证的泛称。指形寒怕风怕冷，得热则舒，正气虚，并有疲惫感。

［3］**肾冷，上气**　“上”，人民卫生出版社影印本《政和本草》卷4、商务印书馆影印本《政和本草》卷4原作“止”，据文义改。肾冷，多见形寒肢冷，甚则不能助肺呼吸气，形成呼多吸少，气息急促，表现肺气上逆，称为上气。用硫黄制成黑锡丹以镇坠之。

［4］**老人风秘**　年老体弱，津液干燥，大便秘结，排便艰难。如兼虚冷，以硫黄、半夏各等分为末，生姜汁同熬，蒸饼为丸，梧桐子大，每服十至二十丸。

［5］**黄硇砂**　《本草纲目》卷11石硫黄条，误注此文出典为“《药性》”。

［6］**能坏五金**　五金指金、银、铜、铁、锡五种金属。石硫黄能同多种金属化合成硫化物，使金属元素变质，所以说石硫黄能坏五金。

［7］**亦能造作金色**　按自然界黄铜矿是硫化铁铜，俗名自然铜。其色如金黄赤色。古代炼丹家或能制出同类物，故云：“亦能造作金色”。

［8］**人能制伏归本色**　有些变色物品，经过硫黄来熏，有漂白作用。古人对此作用称为“制伏归本色”。

［9］**服而能除万病。如有发动**　古人以硫黄性热，治多种虚寒证。方勺《泊宅编》云：“金液丹，乃硫黄炼成，纯阳之物，有痼冷者所宜。但久服有毒，多发背疽。”“如有发动”，是指久服硫黄制剂发生中毒症状而言。

［10］**余甘子**　即菴摩勒别名，其味初食苦涩，良久便甘，故曰余甘。

［11］**雅州**　今四川雅安。

［12］**舶上来者**　日本谓外国货为舶来品，相当于今日的进口货。

8　绿盐[1]

谨按《古今录》[2]云：波斯国在石上生。味咸、涩，主明目，消翳，点眼，及小儿无辜疳气[3]。方家少见用也。按舶上将来，为[4]之石绿，装色久而不变。中国以铜错造者[5]，不堪入药，色亦不久。（《大观本草》卷4页25，《政和本草》页112，《本草纲目》页692）

【校注】

［1］**绿盐** 《唐本草》注云："绿盐以光明盐、硇砂、赤铜屑酿之，为瑰绿色，真者出焉耆国。"

［2］**《古今录》** 书名，已佚，《书志》未见记载。

［3］**小儿无辜痟气** 病名，出《外台秘要》。旧指小儿误穿污染衣服，虫入皮毛引起，头颈部有核如弹丸，按之转动……以致肢体痈疮，便利脓血，壮热羸瘦等严重病症，因起于无辜，故名。

［4］**为** 《本草纲目》卷11绿盐条作"谓"。

［5］**以铜错造者** "错"，《本草纲目》卷11绿盐条作"醋"。按，"错"同"醋"，《管子·弟子职》："置酱错食"。注："错与醋同"。

9 紫鉚[1]

谨按《广州记》云：生南海[2]山谷。其树紫赤色，是木中津液成也[3]。治湿痒疮疥[4]，宜入膏用。又可造胡燕脂[5]，余滓则玉作家使也[6]。（《大观本草》卷13页15，《政和本草》页320，《本草纲目》页1510）

【校注】

［1］**紫鉚（kuàng矿）** 鉚，《集韵》书作"鉱"。"鉱"同"矿"。紫鉚，紫色，状如矿石，破开呈紫红色，故名。

［2］**南海** 广东番禺。秦代置番禺，隋代改为南海县。

［3］**木中津液成也** 《本草纲目》卷39紫鉚条作"木中津液结成"。段成式《酉阳杂俎》前集卷18云："紫鉚树出真腊国，真腊国呼为勒佉。亦出波斯国。树长一丈，枝条郁茂，叶似橘，经冬而凋。三月开花，白色，不结子。天大雾露及雨沾濡，其树枝条即出紫鉚。又真腊国使人言，蚁运土于树端作窠，蚁壤得雨露凝结而成紫鉚。昆仑国者善，波斯国次之。"又李时珍曰："紫鉚出南番，乃细虫如蚁、虱，绿树枝造成，正如今之冬青树上小虫造白蜡一般，故人多插枝造之。"

［4］**湿痒疮疥** 湿痒，患处瘙痒不止，搔破滋水淋漓，甚或皮损，潮红，糜烂。疮疥，亦称疥疮，患处呈针头大小的丘疹和水疱，痒甚，故体表常见抓痕和结痂。

［5］**可造胡燕脂** 燕脂，指化妆品。当时从外国进口的，称为胡燕脂。"胡"字指外来的意思，犹如昔日对煤油、火柴等称为洋油、洋火，其义相同。《本草纲目》卷15燕脂条对"又可造燕脂"五字出处注为《南海药谱》。

［6］**使也** 《本草纲目》卷39紫鉚条作"用之。骐驎竭乃紫鉚树之脂也"。

10 骐驎竭[1]

谨按《南越志》云：是紫鉚树[2]之脂也。其味甘，温，无毒。主打伤折损[3]，一切疼痛，补虚[4]及血气搅刺[5]，内伤血聚[6]，并宜酒服。欲验真伪，但嚼之不烂如蜡者上也。（《大观本草》卷13页15，《政和本草》页320，《本草纲目》页1373）

【校注】

[1] **骐驎竭**　宋代称为"血竭"。苏颂《本草图经》云："骐驎出南蕃诸国及广州，木高数丈，叶似樱桃而有三角，其脂液从木中流出，滴下如胶饴状，久而坚凝，乃成竭赤作血色，故亦谓之血竭。"

[2] **紫𨥁树**　能分泌紫𨥁树脂的树。

[3] **打伤折损**　张绍棠刊本《本草纲目》卷34作"伤折打损"。后人通称为"跌仆损伤"。

[4] **补虚**　《本草纲目》在"内伤血聚"之后。按血竭并不能补虚。如果内有瘀血，妨碍新血的生长，产生血虚，可用活血化瘀药以祛瘀生新，间接地起到补虚作用。《海药本草》说血竭补虚，或源于此。

[5] **血气搅刺**　瘀血可引起搅痛刺痛，用骐驎竭能活血化瘀，故能治之。

[6] **内伤血聚**　瘀血可引起内伤血聚，用骐驎竭能活血化瘀，故能治之。

11　珊瑚[1]

按《晋列传》[2]云：石崇[3]金谷园珊瑚树皮如花生蕊[4]。味甘，平，无毒。主消宿血[5]风痫[6]等疾。按其主治与金相似也。（《大观本草》卷4页35，《政和本草》页116，《本草纲目》页617）

【校注】

[1] **珊瑚**　按，珊瑚为矾花科动物桃色珊瑚虫分泌的钙质骨骼。桃色珊瑚是水生群栖腔肠动物，群体呈树枝状，枝的表面有多数水螅体，称为珊瑚虫；虫体呈半球状，上有羽状的触手八条，触手中央有口，虫体能分泌钙质形成骨骼名珊瑚。骨骼表面红色，莹润，中轴白色，质坚硬，很美观。

[2] **《晋列传》**　即《晋书列传》。《晋书》是唐代令狐德棻等撰。本条所引是《晋书·石崇列传》，文字略异。

[3] **石崇**　人名。《本草图经》云："晋石崇家有珊瑚，高六七尺。"

[4] **珊瑚树皮如花生蕊**　"皮如花"，人民卫生出版社影印本《政和本草》卷4珊瑚条作"交加苑"，商务印书馆影印本《政和本草》作"皮加苑"，《大观本草》作"交加花"。本文所言"珊瑚树皮如花生蕊"，是指生在水中珊瑚树枝表面的珊瑚虫，所生羽状的触手八条，如同花生蕊一般。

[5] **宿血**　因伤后未能及时治疗，或治疗不彻底，致瘀血结而不化，或散而未尽所致。宿血常因劳累而诱发，痛胀加剧。

[6] **风痫**　《诸病源候论》卷45风痫候云："风痫者，由乳养失理，血气不和，风邪所中；或衣厚汗出，腠理开，风因而入。初得之时，先屈指如数，乃发掣缩（四肢抽搐）是也。"

12　石蟹[1]

生南海[2]，又云是寻常蟹尔，年月深久，水沫相著，因化成石，每遇海潮即飘出。咸，寒，无毒。主青盲[3]目淫肤翳[4]及丁翳、漆疮。皆细研水飞过，入诸药相佐，用之点目良[5]。（傅氏《蟹谱》，左氏百川学海本，辛集第二十四册上卷页9）

【校注】

[1] **石蟹** 本条以宋代傅肱《蟹谱·药证》所引《海药本草》石蟹条为底本。姚亮《西溪丛话》："南恩州海边有石山嘴，每蟹过之，则化为石。"顾玠《海槎录》："崖州榆林港内半里许，土极细腻，最寒，但蟹入则不能运动，片时成石矣，人获之名石蟹，置之几案，云能明目也。"

[2] **南海** 今广东番禺。

[3] **青盲** 《诸病源候论》卷28目青盲候："青盲者，谓眼本无异，瞳子黑白分明，直不见物耳。是谓之青盲。"多因肝肾亏损，精血虚衰所致。

[4] **肤翳** 《诸病源候论》卷28目肤翳候："肤翳者，明眼睛浮云。色白淡嫩，未遮掩瞳神者为轻；翳久深厚色黄，掩蔽瞳神者为重。"

[5] **用之点目良** 原作"用以点耳"，据《大观本草》《政和本草》改。按石蟹最早见录于《海药本草》，宋代《开宝本草》收石蟹为正品药。《海药本草》原书佚。宋代傅肱《蟹谱·药证》所引《海药本草》石蟹条文，和《开宝本草》收录石蟹条文，几乎全同。《开宝本草》作"点目"义长于"点耳"。

13 胡桐泪[1]

谨按《岭表记》[2]云：出波斯国，是胡桐树脂也，名胡桐泪。又有[3]石泪，在石上采也。主风疳[4]䘌齿[5]，牙疼痛[6]，骨槽风劳[7]。能软一切物。多服令人吐也。作律字非也[8]。（《大观本草》卷13页31，《政和本草》页327，《本草纲目》页1380）

【校注】

[1] **胡桐泪** 《唐本草》："胡桐泪出肃州（今甘肃酒泉），形似黄矾而坚实，有夹烂木者，云是胡桐树滋沦入土石咸卤地作之。其树高大，皮叶似白杨、青桐、桑葚，故名胡桐木。堪器用，又名胡桐律，律、泪声讹也。"

[2] **《岭表记》** 书名，唐代刘恂撰。按，《四库全书总目》所载《岭表录异》提要云："诸书所引，或称《岭表录》，或称《岭表记》，或称《岭表录异》，或称《岭表录异记》，或称《岭南录》，核其文句，实皆此书。"

[3] **又有** 《大观本草》卷13胡桐泪条作"又名"。

[4] **风疳** 一名肝疳，或名筋疳。其症眼睛涩痒，摇头揉目，面色青黄，多汗，下痢频多。

[5] **䘌齿** 一名齿䘌。《诸病源候论》卷29齿䘌候云："齿䘌者，是虫食齿至龂（龈），脓烂汁臭，如蚀之状，故谓䘌齿。"

[6] **牙疼痛** 《本草纲目》卷34胡桐泪条无此文。

［7］**骨槽风劳**　骨槽风又名穿腮毒。初起于耳前，并连接颐项，痛引筋骨；或腐溃，溃后难愈合，脓液臭秽或清稀；久之内有腐骨排出，牙根龈肉浮肿，色紫黑，或有出血，久则腐烂而臭，牙关开合不利，甚或骨槽腐烂，牙齿脱落。

［8］**也**　此下，《本草纲目》卷34胡桐泪条有“律、泪声讹尔”。

草部　卷第二

14 人参[1]

出新罗国[2]，所贡[3]又有手脚[4]，状如人形，长尺余，以杉木夹定，红线[5]缠饰之。味甘，微温。主腹腰，消食，补养脏腑，益气，安神，止呕逆，平脉[6]，下痰，止烦躁，变酸水[7]。又有沙州[8]参，短小，不堪采根。用时去其芦头[9]，不去者吐人，慎之。（《大观本草》卷6页15，《政和本草》页146，《本草纲目》页722）

【校注】

［1］**人参** 《神农本草经》云："一名人衔，一名鬼盖。"《名医别录》云："一名神草，一名人微，一名土精，一名血参。"生上党（山西长子，地极高，与天为党，故名）山谷及辽东（指辽宁东南境，因在辽河之东，故名）。陶弘景注云："人参一茎直上，四五叶相对生，花紫色。服乃重百济者，形细而坚白，气味薄于上党，次用高丽，高丽即是辽东，形大而虚软，不及百济。"苏颂《本草图经》云："初生小者，三四寸许，一桠五叶；四五年后生两桠五叶，末有花茎；至十年后生三桠；年深者生四桠，各五叶。中心生一茎，俗名百尺杆。三月四月有花，细小如粟，蕊如丝，紫白色。秋后结子，或七八枚，如大豆，生青熟红。"

［2］**新罗国** 1世纪前后，朝鲜半岛上出现了高句丽、百济、新罗三国。到7世纪中叶，新罗王朝第一次统一朝鲜半岛。10世纪时，高丽王朝代替了新罗王朝。

［3］**所贡** 《本草纲目》卷12人参条作"所产者"。

［4］**手脚** 《本草纲目》卷12人参条作"手足"。

［5］**红线** 《本草纲目》卷12人参条作"红丝"。

［6］**平脉** 脉象正常，即脉来有胃气、有神、有根。

［7］**变酸水** 此处指改变胃中酸水过多。

［8］**沙州** 今四川昭化西北。

［9］**芦头** 即根的顶部生长苗叶的部位。

15 木香[1]

谨按《山海经》云：生东海、昆仑山[2]。（《大观本草》卷 6 页 59，《政和本草》页 160）

【校注】

[1] **木香** 《名医别录》云："一名蜜香，生永昌（今云南保山）山谷。"陶弘景注云："此即青木香也，永昌不复贡，今皆从外国舶上来，乃云大秦国以疗毒肿，消恶气有验。"《唐本草》注云："此有二种，当以昆仑来者为佳，出西胡来者不善，叶似羊蹄而长大，花如菊花，其实黄黑。"《药性论》云："木香治女人血气刺心，心痛不可忍，末酒服之。治九种心痛，积年冷气，痃癖癥块胀痛，逐诸壅气，上冲烦闷，治霍乱吐泻，心腹绞刺。"

[2] **《山海经》云：生东海、昆仑山** 按，今本《山海经》未见此文。"东海"，指今山东、江苏、浙江、福建等的沿海地区。

16 草犀根[1]

谨按《广州记》云：生岭南[2]及海中，独茎，对叶而生，如灯台草，根若细辛。平，无毒。主解一切毒气，虎狼[3]所伤，溪毒[4]野蛊[5]等毒，并宜烧研服，临死者服之[6]得活。（《大观本草》卷 6 页 89，《政和本草》页 169，《本草纲目》页 791）

【校注】

[1] **草犀根** 陈藏器《本草拾遗》云："其功用如犀，故名草犀，解毒为最。生衢（今浙江衢州）婺（今江西婺源）洪（今江西南昌）饶（今江西鄱阳）间，苗高二三尺，独茎，根如细辛，研服更良。生水中者名木犀也。"

[2] **岭南** 五岭之南，今中国广东、广西地区及越南一带。

[3] **虎狼** 此下，《本草纲目》卷 13 草犀条有"虫虺"二字。"虺（huǐ 毁）"古书上说的一种毒蛇。

[4] **溪毒** 《肘后方》卷 7 题有"中溪毒方"，但其文俱作"中水毒方"。并引葛氏云："水毒中人，一名中溪，一名中洒，一名水病。"《诸病源候论》卷 25 水毒候同此，并多"一名溪温"。其症初恶寒，背微痛，目眶痛……或下部生疮，或下血物如烂肝。

[5] **野蛊** 野蛊是对人造蛊而言。《诸病源候论》卷 25 蛊毒候云："人有故造作之，多取虫蛇之类，以器皿盛贮，任其自相啖食，唯有一物独在者，即谓之为蛊。"不是人为的蛊，称为野蛊，后来统称为蛊毒。多见于一些危急病证、恙虫病、急慢性血吸虫病、重症肝炎、肝硬化、重症细菌性痢疾、阿米巴痢疾等。

[6] **服之** 《本草纲目》卷 13 草犀条作"亦"。

17 薇[1]

谨按《广州记》云：生海、池、泽中。《尔雅》注云：薇，水菜[2]。主利水道[3]，下浮肿[4]，润大肠[5]。(《大观本草》卷6页89，《政和本草》页169，《本草纲目》页1219)

【校注】

[1] **薇** 《说文解字注》云："薇，似藿，乃菜之微者也。"陈藏器《本草拾遗》云："薇，味甘，寒，无毒。久食不饥，调中，利大小肠。生水旁，叶似萍。"《尔雅》曰："薇，垂也。"《三秦记》曰："夷齐食之，三年颜色不异；武王诫之，不食而死。"《广志》曰："薇叶似萍，可食，利人也。"

[2] **《尔雅》注云：薇，水菜** 《尔雅》是我国第一部训诂书。今本《尔雅》作"薇，垂水"。郭璞注云："生于水边。"邢昺疏云："孙炎注《尔雅》云：'薇草生水旁，而枝叶垂于水，故名垂水也。'"又，陆玑《毛诗草木鸟兽虫鱼疏》云："薇，山菜也，茎叶皆似小豆，蔓生，其味亦如小豆藿（叶），可作羹，亦可生食。"

[3] **利水道** 即通利膀胱，增强利尿作用。

[4] **浮肿** 出《素问·气交变大论》等篇。浮肿即水肿。指体内水湿停留，面目、四肢、胸腹甚至全身浮肿的一种疾患。后世亦有以肿者为实，浮者为虚，故又称虚浮。多由肺脾肾脏气虚衰所致，肺虚则气不化水，脾虚则不能制水，肾虚则水无所主而妄行，故传于脾而肌肉浮肿。

[5] **润大肠** 指滋润大肠，润滑大便。

18 白兔藿[1]

主风邪热极[2]，宜煮白兔藿饮之[3]。干则捣末，傅诸毒，妙[4]。(《大观本草》卷7页49，《政和本草》页190，《本草纲目》页1045)

【校注】

[1] **白兔藿** 《名医别录》云："生交州（今越南北部）山谷。主风疰，诸大毒不可入口者，皆消除之。又去血，可末着痛上立消。毒入腹者，煮饮之即解。"《唐本草》注云："此草荆、襄间（今湖北江陵、襄阳之间）山谷大有。苗似萝摩，叶圆，茎俱有白毛，蔓生。山南俗谓之白葛。"《蜀本草》云："蔓生，叶圆若莼。今襄州（今湖北襄阳）北、汝州（今河南临汝）南岗上有。五月、六月采苗日干。"

[2] **风邪热极** 由风邪热所致高热，表现为热炽极盛。

[3] **宜煮白兔藿饮之** 《本草纲目》卷18白兔藿条作"煮汁饮"。

[4] **傅诸毒，妙** 陶隐居云："此药（白兔藿）治毒，莫之与敌，而人不复用，殊不可解。"

19 无风独摇草[1]

谨按《广志》[2]云：生岭南，又云生大秦国[3]。性温，平，无毒。主头面[4]游风，遍身痒，煮汁淋蘸[5]。《陶朱术》[6]云：五月五日采，诸山野往往亦有之[7]。(《大观本草》卷6页89，《政和本草》页169，《本草纲目》页1096)

【校注】

[1] **无风独摇草** 本条同名异物很多，天麻、鬼臼、羌活、薇衔等别名，皆称无风独摇草。陈藏器《本草拾遗》："无风独摇草，带之令夫妇相爱。生岭南，头如弹子，尾若鸟尾，两片开合，见人自动，故曰独摇草。"

[2] **《广志》** 书名，西晋郭义恭撰。

[3] **大秦国** 即古罗马帝国。《后汉书·西域传》："大秦，一名犁鞬，以在海西，亦云海西国。"

[4] **头面** 《本草纲目》卷21无风独摇草条作"头骨"。

[5] **蘸** 《本草纲目》作"洗"。

[6] **《陶朱术》** 书名。疑即《隋书·经籍志》卷3所载"《陶朱变化术》"之简称。

[7] **之** 此下，《本草纲目》有"头若弹子，尾若鸟尾，两片开合，见人自动，故曰独摇"。按，此文出自陈藏器，非《海药本草》文。

20 人肝藤[1]

《广志》云：生岭南山石间，引蔓而生。主虫毒，及手脚不遂[2]等风，生研服。(《大观本草》卷7页56，《政和本草》页192)

【校注】

[1] **人肝藤** 《本草纲目》卷18伏鸡子根条附录专目下载有人肝藤条。按人肝藤与伏鸡子根极相似。陈藏器《本草拾遗》云："人肝藤生岭南。叶三桠，花紫色。一名承露仙。又有伏鸡子亦名承露仙，叶圆，与此名同物异。"

[2] **手脚不遂** 表现为手足不能随意运动。陈藏器《本草拾遗》云："人肝藤，主解诸毒药肿游风，脚手软痹。并研服之，亦煮服之，亦傅病上。"

21 石莼[1]

主风秘不通[2]，五膈气[3]，并小便不利[4]，脐下结气[5]，宜煮汁饮之。胡人多用治耳疾[6]。(《大观本草》卷7页56，《政和本草》页192，《本草纲目》页1239)

【校注】

[1] **石莼** 陈藏器《本草拾遗》云："石莼，味甘，平，无毒。下水，利小便。生南海中水石上。《南越志》云：似紫菜，色青。《临海异物志》曰：附石生也。"

[2] **风秘不通** 由于津液干燥，大便燥结，排便艰难。多见于年老体弱及素患风病者。

[3] **五膈气** 《诸病源候论》卷13五膈气候云："五膈气者，谓忧膈、恚膈、气膈、寒膈、热膈也。"

[4] **小便不利** 出《金匮要略·痉湿暍病脉证治》等篇。是小便量减少，排尿困难的统称。多因气不化津，水湿失运或湿热阻滞所致。

[5] **脐下结气** 指脐下结涩，小便不通。按脐下为膀胱所在之处，膀胱为津液之腑，若膀胱有热，则气结令小便难，结涩甚则令小便不通。(见《诸病源候论》卷14)

[6] **耳疾** 《本草纲目》卷28石莼条作"痡疾"。

22 海根[1]

味苦，小温，无毒。主霍乱，中恶心腹痛[2]，鬼气注忤[3]，飞尸[4]，喉痹[5]，蛊毒，痈疽恶肿，赤白游疹[6]，蛇咬犬毒。酒及水磨服，傅之亦佳。生会稽[7]海畔[8]山谷，茎赤，叶似马蓼[9]，根似菝葜而小也。胡人采得蒸而用之。

(《大观本草》卷7页56,《政和本草》页192)

【校注】

[1] **海根** 宋代唐慎微《证类本草》卷7海根条引《海药本草》云："胡人采得蒸而用之。余并同。"按"余并同"三字似是唐慎微的话，不是《海药本草》的文字。按唐慎微的话来推敲，"余并同"，即指《海药本草》的条文，其余的部分应与《证类本草》海根条文字相同。据此即将《证类本草》海根条文字移作《海药本草》文。

[2] **中恶心腹痛** 《肘后方·救卒客忤死方》云："中恶之类，多于道途门外得之，令人心腹绞痛胀闷，气冲心胸。"

[3] **注忤** 注通"疰"，有灌注和久住之意，多指具有传染性且病程长的慢性病。忤，犯也。注忤即犯了注病。《释名·释疾病》："注病，一人死，一人复得，气相灌注也。"

[4] **飞尸** 《肘后方·治卒中五尸方》云："五尸者，飞尸、遁尸、风尸、沉尸、尸注也。"又云："飞尸者，游走皮肤，洞穿脏腑，每发刺痛，变作无常也。"

[5] **喉痹** 一作喉闭。广义为咽喉肿痛病证的统称。一般多指发病及病程演变不危急，咽喉红肿疼痛较轻，并有轻度吞咽不顺，或轻度声音低哑之证。

[6] **赤白游疹** 赤色或白色的疹子，发无定处，称为游疹。

[7] **会稽** 今浙江绍兴。

[8] **海畔** 畔，边也。海畔即海边。

[9] **马蓼** 《本草纲目》卷16马蓼条，时珍曰："凡物大者，皆以马名之，俗呼大蓼是也。高四五尺，有大小二种。但茎中间有黑迹如墨点记，故方士呼为墨记草。"

23 越王馀筭[1]

谨按《异苑记》[2]云：昔晋安越王[3]，因渡南海，将黑角白骨筭筹[4]，所馀弃水中，故生此，遂名筭。味咸，温。主水肿浮气[5]结聚，宿滞不消[6]，腹中虚鸣[7]，并宜煮服之[8]。（《大观本草》卷7页56，《政和本草》页192，《本草纲目》页1074）

【校注】

[1] **越王馀筭** “筭”，《说文解字》云：“长六寸，所以计历数者，从竹弄，言常弄乃不误也。”《集韵》云：“筭或作算。”盖古者筭为计算的工具，算指计算的方法。二字音同意别。越王馀筭是珊瑚类，属动物。外形似植物，古人当作植物，列在草部，俗名海柳。生海底，体长四至六尺，中轴部颇长，骨骼为角质，色白，外面所被之肉呈黑褐色，或呈红色。各水螅体群生于其下缘，每个小体各出八个触手，骨骼可作箸、杖等物。

[2] **《异苑记》** 书名，南北朝刘敬叔撰。凡十卷，所记皆神怪之事，遣词简古，而意态具足，不类唐人之小说冗沓。

[3] **晋安越王** 晋安在今福建闽侯东北。古代闽越王无州所督，故称晋安越王。

[4] **筭筹** 《说文解字注》筭字条，段玉裁注云：“《汉志》云：筭法用竹，径一分，长六寸，二百七十一枚，而成六觚（gū孤）为一握，此谓筭筹。”

[5] **水肿浮气** 指体内水湿停留，面目、四肢、胸腹甚至全身浮肿的疾患。

[6] **宿滞不消** 指饮食停滞积留在胃肠的疾病。症见脘腹胀满，嗳气酸臭，恶心厌食，大便秘结，或泄下不爽，舌苔腻。

[7] **腹中虚鸣** 指腹中肠蠕动作声，因腹中气虚而肠鸣，称为腹中虚鸣。

[8] **谨按……服之** 《本草纲目》卷19越王馀筭条所引《海药本草》之文，是糅合陈藏器《本草拾遗》和李珣《海药本草》两家文字而成。

24 通草[1]

谨按徐表《南州记》[2]云：生广州[3]山谷。味温，平[4]。主诸瘘疮[5]，喉咙痛[6]，及喉痹[7]，并宜煎服之，磨亦得，急即含之。（《大观本草》卷8页21，《政和本草》页201，《本草纲目》页1043）

【校注】

[1] **通草** 通草这个名词，古今本草含义不相同。《神农本草经》所言通草，是木通科植物木通。后世本草所讲的通草，即是五加科植物通脱木。例如陶弘景有注：“通草，今出近道，绕树藤生，汁白，茎有细孔，两头皆通，含一头吹之，则气出彼头者良。”此通草即属木通科植物木通。另外五加科植物通脱木亦名通草。唐代陈藏器《本草拾遗》云：“通脱木生山侧。叶似草麻，心中有瓤，轻

白可爱，女工取以为饰物。"段成式《酉阳杂俎》前集卷之十九云："通脱木，如蜱麻，生山侧。花上粉主治恶疮。心空，中有瓤，轻白可爱，女工取以饰物。"苏颂《本草图经》云："通草生作藤蔓，三叶相对；夏秋开紫花，亦有白花者；结实如小木瓜，核黑，瓤白，食之甘美。南人谓之燕覆，亦云乌覆，今人谓之木通。而俗间所谓通草，乃通脱木也。此木生山侧，叶如草麻，心空，中有瓤，轻白可爱，女工取以饰物。"

[2] **徐表《南州记》** 史志失载。

[3] **广州** 三国时吴置广州郡，包括今广东、广西地区。

[4] **味温，平** 疑有讹误，味温不好解。按，《神农本草经》通草味辛平，《名医别录》味甘。

[5] **瘘疮** 指疮破久不收口，或成瘘管，流脓水，以瘰疬破溃、肛门周围脓肿成瘘最多。

[6] **痛** 《大观本草》卷8通草条作"疾"。

[7] **喉痹** 咽喉红肿疼痛。

25 兜纳香[1]

谨按《广志》云：生西海诸山[2]。味辛，平，无毒。主恶疮肿瘘[3]，止痛，生肌[4]，并入膏用；烧之能辟远近恶气[5]；带之夜行，壮胆，安神；与茆香[6]、柳枝合为汤，浴小儿则易长。(《大观本草》卷8页70，《政和本草》页214，《本草纲目》页828)

【校注】

[1] **兜纳香** 陈藏器《本草拾遗》云："《广志》云：生剽国。《魏略》曰：大秦国出兜纳香。味甘，温，无毒。去恶气，温中，除暴冷。"

[2] **生西海诸山** 《本草纲目》卷14兜纳香条作"出西海剽国诸山。《魏略》云：出大秦国。草类也"。按，《本草纲目》所引实属陈藏器《本草拾遗》文，非李珣《海药本草》文。西海即今青海。

[3] **恶疮肿瘘** 指疮疡表现为焮肿痛痒，溃烂后浸淫不休，经久不愈。或肿而成瘘管，流脓水，难以收口。

[4] **生肌** 指外敷有生肌收口功能。治痈疽溃后，脓将尽者。

[5] **恶气** 指能致病的气体。

[6] **茆香** 即茅香。茅、茆古通用。如茅屋、茅亭等，或书作茆屋、茆亭。茆香多生于下湿地。叶颇短，概生于近地面根际；四五月间，叶间生细长花轴，长七八寸，开复穗状花；全体呈三角形，淡绿色。

26 风延母[1]

谨按徐表《南州记》，生南海山野中[2]。主三消[3]，五淋[4]，下痰，小儿赤白毒痢[5]，蛇毒，瘴、溪等毒[6]。一切疮肿，并宜煎服。只出南中，诸无所出

也[7]。(《大观本草》卷8页71,《政和本草》页215,《本草纲目》页1056)

【校注】

[1] **风延母** 陈藏器《本草拾遗》云:"风延母,细叶蔓生,缨绕草木。《南都赋》云:'风衍蔓延于衡皋'是也。其味苦,寒,无毒。小儿发热发强,惊痫寒热,热淋解烦,利小便,明目,主蛇犬毒,恶疮,痈肿,黄疸,并煮服之。"

[2] **生南海山野中** 《本草纲目》卷18注此文出典为陈藏器文。"南海",陶弘景注云:"南海郡即广州。"广州,三国时吴置,即今广东、广西地区。

[3] **三消** 《外台秘要》卷11有消中、消渴、肾消方,合称三消。后世有上消、中消、下消,亦合称为三消。

[4] **五淋** 《外台秘要》卷27引《集验》云:五淋者,石淋、气淋、膏淋、劳淋、热淋也。石淋之为病,小便茎中痛,尿不得卒出,时自出,痛引少腹,膀胱里急;气淋之为病,小便难,常有余沥;膏淋之为病,尿似膏自出,少腹膀胱里急;劳淋之为病,倦即发,痛引气冲,小便不利;热淋之为病,热即发,其尿血如豆汁状,发作有时。

[5] **毒痢** 表现痢下五色脓血,或如烂鱼肠,并无大便,下血如豚肝,心烦腹痛如绞。多见于重症细菌性痢疾。

[6] **瘅、溪等毒** 瘅(dān丹),指热气盛。《素问·举痛论》:"瘅热焦渴。"溪毒,《肘后方》有载。其症下部脓溃,虫食五脏,热极烦毒,注下不禁。

[7] **只出南中,诸无所出也** 《本草纲目》卷18引陈藏器作"生南海山野中,他处无有也"。

27 大瓠藤水[1]

谨按《太康记》[2]云:生安南[3]、朱崖[4]上,彼无水,惟大瓠中有天生水。味甘,冷,香美。主解大热[5],止烦渴[6],润五脏[7],利水道[8]。彼人造饮馔皆瓠也[9]。(《大观本草》卷8页71,《政和本草》页215,《本草纲目》页1054)

【校注】

[1] **大瓠藤水** 陈藏器《本草拾遗》云:"大瓠藤水,味甘,寒,无毒。主烦热,止渴,润五脏,利小便。藤如瓠,断之水出,生安南。"《太康地记》曰:"朱崖(今海南琼山)、儋耳(今海南儋县)无水处,种用此藤,取汁用之。"

[2] **太康记** 原作"太原记",据陈藏器《本草拾遗》大瓠藤水条改。

[3] **安南** 唐置,本曰交州,唐高宗调露初(679)改曰安南,今越南北部。

[4] **朱崖** 今海南琼山。

[5] **大热** 指热性病之高热。

[6] **烦渴** 渴而能饮,饮亦不解渴。

[7] **润五脏** 指滋润五脏。

[8] **利水道** 即通利小便。

[9] **彼人造饮馔皆瓠也** 馔（zhuàn 撰），饮食也。瓠（hù 户），《说文解字》："瓠，匏也。"《毛诗·邶风》："瓠有苦叶"。陆佃注："短颈大腹曰瓠"。《说文解字注》卷7下瓠部，段玉裁注云："以一瓠劙二曰瓢，一曰蠡。"瓠短颈大腹，剖开为二即成瓢，可作饮食器具使用。

28 海藻[1]

主宿食不消，五膈，痰壅[2]，水气浮肿[3]，脚气[4]，贲豘气[5]，并良。(《大观本草》卷9页11，《政和本草》页222，《本草纲目》页1072)

【校注】

[1] **海藻** 《神农本草经》云："一名落首。"《名医别录》云："一名藫，生东海池泽，七月七日采。"陶隐居云："生海岛上，黑色如乱发而大少许，叶大都似藻叶。"陈藏器《本草拾遗》云："此物有马尾者，及大而有叶者。马尾藻生浅水如短马尾，细黑色，用之当浸去咸；大叶藻生深海中及新罗，叶如水藻而大，《神农本草经》云：主结气瘿瘤是也。"

[2] **痰壅** 指痰涎停留于体内，壅塞气机的病证。由于痰涎停留的部位不同，或因病而生痰的不同，临床又有风痰、寒痰、湿痰、老痰、热痰、燥痰、气痰、膈痰之区分。

[3] **水气浮肿** 体内水湿停滞，出现浮肿。

[4] **脚气** 见《诸病源候论》卷13。其症先起于腿脚，可见麻木，酸痛，软弱无力，或挛急，或肿胀，或萎枯，或胫红肿，发热，进而入腹攻心，致小腹不仁，呕吐不能食，心悸，胸闷，气喘，严重时，神志恍惚，言语错乱。

[5] **贲豘气** 贲豘，一作贲豚、奔豚，古病名，出《灵枢·邪气脏腑病形》。贲豘气，又名奔豚气。其症有气从少腹上冲胸脘、咽喉，发时痛苦剧烈，或有腹痛，或往来寒热，病延日久，可见咳逆、骨痿、少气等症。

29 昆布[1]

谨按《异志》，生东海[2]水中，其草顺流[3]而生。新罗[4]者黄黑色，叶细。胡人采得搓之为索，阴干，舶上来中国。性温，主大腹水肿，诸浮气[5]，并瘿瘤气结[6]等，良。(《大观本草》卷9页13，《政和本草》页222，《本草纲目》页1073)

【校注】

[1] **昆布** 《名医别录》云："昆布味咸，寒，无毒。主十二种水肿、瘿瘤聚结气、瘘疮，生东海。"陶弘景注云："昆布出高丽，绳把索之如卷麻，作黄黑色，柔韧可食……凡海中菜，皆治瘿瘤结气。"陈藏器《本草拾遗》云："昆布主阴癀，含之咽汁，生南海，叶如手大，如薄苇，紫色。"

[2] **东海** 今山东、江苏、浙江、福建等的沿海地区。

[3] **顺流** 《大观本草》卷9昆布条作“顺水”。

[4] **新罗** 7世纪中叶朝鲜半岛上的王国。

[5] **大腹水肿，诸浮气** 体内水湿停留，出现腹水浮肿。

[6] **瘿瘤气结** 瘿，病名，出《尔雅》，又名大脖子病。《说文解字》：“瘿，颈瘤也。”瘿瘤气结，多指甲状腺肿大一类疾患。

30 阿魏[1]

谨按《广志》云：生石昆仑国[2]，是木津液，如桃胶状。其色黑者不堪，其状黄散者为上。其味辛、温。善主于风邪鬼注[3]，并心腹中冷服饵[4]。又云南长河中亦有阿魏，与[5]舶上来者滋味[6]相似一般，只无黄色。(《大观本草》卷9页17，《政和本草》页224，《本草纲目》页1379)

【校注】

[1] **阿魏** 《唐本草》注：“阿魏生西蕃及昆仑，苗叶根茎，酷似白芷。捣根汁，日煎作饼者为上；截根穿暴干者为次。体性极臭而能止臭。”段成式《酉阳杂俎》：“阿魏出伽阇那国，即北天竺也(即印度北)，伽阇那呼为形虞；亦出波斯国，波斯呼为阿虞截。树长八九尺，皮色青黄；三月生叶，叶形似鼠耳，无花实；断其枝，汁出如饴，久乃坚凝名阿魏。”

[2] **石昆仑国** 《本草纲目》卷34阿魏条无“石”字。按，蒋廷锡《地理今释》：“昆仑国近昆仑山。当在青海省西宁县，西近黄河发源处。”

[3] **风邪鬼注** 《诸病源候论》卷24注病诸候：“注之言住也，言其连滞停住也。人有先无他病，忽被鬼排击（古人对病因迷信的说法），当时或心腹刺痛，或闷绝倒地，如中恶之类……死后注易旁人，故谓之鬼注。”

[4] **并心腹中冷服饵** 饵即食物。一时性冷饮服得过多，引起胃肠病，就说是心腹中冷服饵。《日华子本草》云：“阿魏，热，治传尸，破癥癖冷气。”

[5] **与** 《本草纲目》卷34阿魏条作“如”。

[6] **滋味** 《大观本草》卷9阿魏条作“滋力”。

31 荜拨[1]

谨按徐表《南州记》，本出南海[2]，长一指，赤褐色为上。复有荜拨，短小黑，味不堪。舶上者味辛，温。又主老冷心痛[3]，水泻[4]，虚痢[5]，呕逆[6]，醋心[7]，产后泄痢[8]，与阿魏和合良。亦滋食味。得诃子、人参、桂心、干姜，治脏腑虚冷[9]，肠鸣[10]泄痢[11]神效。(《大观本草》卷9页31，《政和本草》页229，《本草纲目》页814)

【校注】

[1] **荜拨**　《开宝本草》："荜拨，生波斯国，此药丛生，茎叶似蒟（jǔ 举）酱，子紧细，味辛烈于蒟酱。"《本草图经》："荜拨，出波斯国，今岭南有之。多生竹林内，正月发苗，作丛，高三四尺。其茎如筋（吃饭用的筷子）；叶青圆，阔二三寸，如桑，面光而厚；三月开花，白色在表；七月结子，如小指大，长二寸已来，青黑色，类桑椹子。"

[2] **南海**　今广东番禺。

[3] **老冷心痛**　指久冷心痛。《诸病源候论》卷16 心痛候："心痛者，风冷邪气乘于心也。其痛发，有死者，有不死者，有久成疹（指慢性病）者。心为诸脏主而藏神，其正经不可伤，伤之而痛为真心痛，朝发夕死，夕发朝死。"

[4] **水泻**　指便泄如水之状。多见于湿泻、寒泻、热泻等症。

[5] **虚痢**　指痢疾之属虚者。多由痢疾经久不愈，亦有因虚人患痢所致。症见下利脓血外，兼见困倦，谷食难化，腹微痛，或痛甚。

[6] **呕逆**　指饮食、痰涎从胃中上涌，自口而出。多为胃气失于和降所致。而脾胃虚弱，寒邪犯胃，湿热蕴蒸，痰饮内伏，饮食积滞，均可导致胃气上逆、呕吐。

[7] **醋心**　指吞酸嘈杂，引起胃脘不舒适。

[8] **产后泄痢**　产后恶露不行，兼见泄泻下痢，或下黏冻脓血，赤白相杂，或下物青白黑色。

[9] **脏腑虚冷**　指脏腑正气虚兼内寒的证候。主要表现为面黄少华，食欲不振，口泛青涎，形寒怕冷，脘腹胀痛，得热则舒，妇女带下清稀，腰背酸重，小便清长，大便稀薄，舌淡苔白，脉沉迟缓弱。

[10] **肠鸣**　出《素问·脏气法时论》，又名腹鸣，指腹内肠蠕动有鸣声。因中气虚，或因邪在大肠所致。

[11] **泄痢**　泄泻与痢疾通称为泄痢，一名下利、滞下、肠澼。主症以大便次数增多而量少，腹痛，里急后重，下黏液及脓血样大便为特征。

32　蒟酱[1]

谨按《广州记》云：出波斯国，其实状若桑椹，紫褐色者为上，黑者是老[2]不堪。黔中[3]亦有，形状相似，滋味一般。主咳逆上气[4]，心腹虫痛[5]，胃弱虚泻[6]，霍乱吐逆，解酒食味。近多黑色，少见褐色者也。（《大观本草》卷9页32，《政和本草》页229，《本草纲目》页815）

【校注】

[1] **蒟酱**　《蜀都赋》："流味于番禺"。刘渊林注："蒟酱缘木而生，其子如桑椹，熟时正青，长二三寸，以蜜藏而食之。辛香温。"稽含《南方草木状》："蒟酱生于番国者大而紫，谓之荜拨；生于番禺者，小而青，谓之蒟子。"按苏颂《本草图经》："蒟酱生巴蜀（今四川），今夔州（今重庆奉节）、岭南（今广东、广西）皆有之。蔓生，叶似王瓜而厚，大实，皮黑肉白；其苗为浮留藤。取叶合槟榔食之，辛而香也。"

[2] **黑者是老** 《本草纲目》卷14 蒟酱条作“黑者是老根”。

[3] **黔中** 今贵州。

[4] **咳逆上气** 指咳嗽太过，形成气息急促，呼多吸少。其症很像肺气肿。

[5] **心腹虫痛** 心腹痛如绞，时发时止，甚或呕吐蛔虫。平素心中嘈杂，嗜食异物，面黄肌瘦，面有虫斑，眼白上有蓝色斑点，口唇内有小点如粟米状，睡中龂齿（睡中齿相磨切）。

[6] **胃弱虚泻** 脾胃虚弱泄泻，兼见胃脘隐痛，得热痛减，呕吐清涎，口淡喜热饮，便溏，或泄泻而不臭，舌淡胖，苔白润。

33 延胡索[1]

生奚国[2]，从安东[3]道来。味苦、甘[4]，无毒。主肾气，破产后恶露[5]及儿枕[6]，与三棱、鳖甲、大黄为散，能散气，通经络。蛀蚛成末者[7]，使之惟良，偏主产后病也。(《大观本草》卷9页35，《政和本草》页230，《本草纲目》页779)

【校注】

[1] **延胡索** 陈藏器《本草拾遗》序云：“延胡索止心痛，酒服。”《开宝本草》云：“延胡索，味辛，温，无毒。主破血，产后诸病，因血所为者，妇人月经不调，腹中结块，崩中淋露，产后血运，暴血冲上，因损下血，或酒摩及煮服。生奚国，根如半夏色黄。”

[2] **奚国** 在隋唐时，居在今河北承德、滦平、平泉、丰宁一带地区的人民，称为奚。疑奚国即指上面的地区。按，“奚”为古代东胡族，居鲜卑故地，与突厥同俗，至隋，始号曰奚。

[3] **安东** 今朝鲜平壤地区。

[4] **味苦、甘** 《开宝本草》同《本草纲目》俱作“味辛温”。

[5] **产后恶露** 指产妇分娩后，胞宫内遗留的余血和浊液，一般产后二至三周内恶露应完全排尽，如超过三周，仍持续淋漓不断，称为恶露不绝。

[6] **及儿枕** 又名儿枕痛，或名血母块。为产后因瘀血引起的下腹疼痛。此证多因产后恶露未尽所致。症见小腹硬痛拒按，或可摸到硬块，兼见恶露不下或不畅。“及”，《本草纲目》卷13 延胡索条作“或”。

[7] **蛀蚛成末者** 《本草纲目》卷13 延胡索条作“虫蛀成末者尤良”。按“蛀”即蛀虫，亦名木蠹虫。凡物被蠹皆曰蛀。“蚛”（zhòng 仲），《篇海》：“虫食物也”。又，“蛀蚛成末”，即木蠹虫食延胡索成末。

34 红豆蔻[1]

云是高良姜子，其苗如芦，叶似姜，花作穗，嫩叶卷而生，微带红色。择嫩者，加入盐，累累[2]作朵不散落，须以朱槿[3]染，令色深善，醒于醉，解酒毒[4]。此外无诸要使也。生南海诸谷[5]。(《大观本草》卷9页51，《政和本草》页236，

《本草纲目》页810)

【校注】

[1] **红豆蔻** 《开宝本草》云:"红豆蔻是高良姜子,其苗如芦,叶似姜,花作穗;嫩叶卷而生,微带红色。生南海诸谷。其味辛,温,无毒。主肠虚水泻,心腹搅痛,霍乱,呕吐酸水,解酒毒。不宜多服,令人舌粗,不思饮食。"范成大《桂海志》云:"红豆蔻花丛生,叶瘦如碧芦,春末始发;初开花抽一干,有大箨包之,箨解花见,一穗数十蕊,淡红鲜妍,如桃杏花色,蕊重则下垂如葡萄,每蕊有心两瓣,人比之连理也。其子亦似草豆蔻。"

[2] **累累(lěi 磊)** 集聚成团貌。

[3] **朱槿** 晋代嵇含《南方草木状》卷中:"朱槿花,茎叶皆如桑,叶光而厚;树高止四五尺,而枝叶婆娑(舞也);自二月开花,至中冬即歇,其花深红色,五出,大如蜀葵,有蕊一条,长于花叶,上缀金屑,日光所烁,疑若焰生,一丛之上,日开数百朵,朝开暮落。插枝即活。出高凉郡(广东阳江市西)。一名赤槿,一名日及。"

[4] **醒于醉,解酒毒** 酒醉用之能催醒,并能解除酒毒。

[5] 此条,《本草纲目》卷14附在高良姜条下。

35 肉豆蔻[1]

谨按《广志》云:生秦国[2]及昆仑[3]。味辛,温,无毒。主心腹虫痛[4],脾胃虚冷气[5],并冷热虚泄[6],赤白痢[7]等。凡痢以白粥饮服,佳[8]。霍乱气并以生姜[9]汤服,良。(《大观本草》卷9页36,《政和本草》页231,《本草纲目》页816)

【校注】

[1] **肉豆蔻** 陈藏器《本草拾遗》云:"大舶来(指进口货)即有,中地无。"《开宝本草》云:"生胡地,胡名迦拘勒。其形圆小,皮紫紧薄,中肉辛辣。其味辛,温,无毒。主鬼气温中,治积冷,心腹胀痛,霍乱,中恶,冷疰,呕沫,冷气,消食,止泄,小儿乳霍。"

[2] **秦国** 当是大秦国,即古罗马帝国之简称。

[3] **昆仑** 今新疆昆仑山地带。

[4] **心腹虫痛** 即虫积腹痛,时痛时止。

[5] **脾胃虚冷气** 症见脘腹冷痛,得热痛减,呕吐清涎,口淡喜热饮,大便溏泄,舌淡胖,苔白润。

[6] **冷热虚泄** 冷热之气乘虚侵入肠间,肠虚则泄;兼见气虚困倦,谷食难化,脘腹微痛,形寒肢冷,面黄少华。

[7] **赤白痢** 《诸病源候论》卷17赤白痢候:"痢而赤白者,是热乘于血,血渗肠内则赤也;冷气入肠,搏于肠间,津液凝滞则白也;冷热相交,故赤白相杂。重者,状如脓涕而血染之;轻者,白脓上有赤脉薄血,状如鱼肠脑,世谓之鱼脑痢也。"

[8] **凡痢以白粥饮服，佳** 《本草纲目》卷14肉豆蔻条作“研末，粥饮服之”。

[9] **生姜** 《大观本草》卷9肉豆蔻条脱“生”字。

36 零陵香[1]

谨按《山海经》，生广南山谷[2]。陈氏[3]云：地名零陵，故以地为名。味辛，温，无毒。主风邪冲心[4]，牙车肿痛[5]，虚劳[6]疳䘌[7]，凡是齿痛，煎含良。得升麻、细辛善。不宜多服，令人气喘。（《大观本草》卷9页38，《政和本草》页232，《本草纲目》页829）

【校注】

[1] **零陵香** 《开宝本草》云：“生零陵山谷，叶如罗勒。《南越志》名燕草，又名薰草，即香草也。《山海经》云：薰草麻叶方茎，气如蘼芜，可以止疠，即零香也。”按，零陵香别名薰草，《开宝本草》把具有薰草别名的药，如燕草及《山海经》的薰草，皆作零陵香。但从形态学上比较来看，它们并不是同一种植物。兹分别介绍如下。

（甲）零陵香 沈括《梦溪笔谈》：“零陵香，唐人谓之铃铃香，谓花倒悬枝间如小铃也。”

（乙）燕草 刘宋·沈怀远《南越志》云：“燕草，又名薰草。”《证类本草》卷30薰草条陶弘景注云：“俗人呼燕草，状如茅香而香者为薰草。”

（丙）薰草 《山海经》云：“薰草，麻叶而方茎，赤华而黑实，臭如蘼芜，佩之可以已疠。”

以上（甲）、（乙）、（丙）三种植物形态各不相同，但它们都有零陵香、薰草的别名。《开宝本草》不从植物形态区分，竟以名称相同而归为一物，这就给零陵香品种带来了混乱。例如1977年上海科学技术出版社版《中药大辞典》页2470零陵香条讲的植物是报春花科植物灵香草，即沈括所说的铃子香。并把《南越志》的燕草和《山海经》的薰草，亦作为灵香草的别名来看待。这显然是承袭《开宝本草》之误。

[2] **生广南山谷** 今本《山海经》无零陵香“生广南山谷”之文。

[3] **陈氏** 即陈藏器。

[4] **风邪冲心** 风冷邪气，乘虚入内冲心，出现心痛胁下转鸣，胸满，短气，吐涎等。

[5] **牙车肿痛** 牙车，出《灵枢·本脏》，又名牙床，为口腔内载齿之骨，有上下两部分。牙车肿痛，即牙床肿痛。

[6] **虚劳** 《诸病源候论》卷3虚劳候：“夫虚劳者，五劳、六极、七伤是也。五劳者，一曰志劳，二曰思劳，三曰心劳，四曰忧劳，五曰瘦劳。六极者，一曰气极，二曰血极，三曰筋极，四曰骨极，五曰肌极。七伤者，一曰阴寒，二曰阴痿，三曰里急，四曰精连连（精漏遗），五曰精少，阴下湿，六曰精清，七曰小便苦数，临事不举。”

[7] **疳䘌** 《诸病源候论》卷18疳䘌候：“其初患之状，手足烦疼，腰脊无力，夜卧烦躁，昏昏喜忘，嘿嘿眼涩，夜梦颠倒……上食（蚀）口齿生疮，下至肛门，伤烂乃死。”后世小儿患鼻䘌疮，亦称疳䘌，症见鼻下两旁色紫微烂，痒而不痛，脓汁浸淫。

37 补骨脂[1]

恶甘草[2]。(《大观本草》卷9页37,《政和本草》页231,《本草纲目》页817)

【校注】

[1] **补骨脂** 《开宝本草》云:"补骨脂,一名破故纸,生广南诸州及波斯国。树高三四尺,叶小似薄荷。"苏颂《本草图经》云:"花微紫色,实如麻子圆扁而黑,九月采。"《日华子本草》云:"兴阳事,治冷劳,明耳目。南蕃者色赤,广南者色绿。入药微炒用,又名胡韭子。"按,补骨脂在唐元和七年(812)诃陵国(今爪哇东部)舶主李摩诃进献给岭南节度使郑絪,絪年七十五,服此药,百病皆除,并作诗云:"收得风光来在手,青娥休笑白髭鬚。"

[2] **恶甘草** 《本草纲目》卷14补骨脂条发明专目下,李时珍曰:"破故纸恶甘草。而《瑞竹堂方》青娥丸内加之,何也?岂甘草能调和百药,恶而不恶耶?"

38 缩沙蜜[1]

今按陈氏[2],生西海[3]及西戎诸地[4]。味辛,平,咸。得诃子、鳖甲、豆蔻、白芜荑等良。多从安东[5]道来。(《大观本草》卷9页39,《政和本草》页232,《本草纲目》页812)

【校注】

[1] **缩沙蜜** 《开宝本草》云:"缩沙蜜味辛,温,无毒。主虚劳冷泻,宿食不消,赤白泄痢,腹中虚痛,下气。生南地。苗似廉姜,形如白豆蔻,其皮紧厚而缩,黄赤色。"苏颂《本草图经》曰:"岭南山泽间有之。苗茎似高良姜,高三四尺,叶青,长八九寸,阔半寸已来。三月四月开花在根下,五六月成实,五七十枚作一穗,状如益智,皮紧而皱如栗文,外有刺,黄赤色。皮间细子一团,八漏(隔),可四十余粒,如黍米大,微黑色,七月八月采。"日华子云:"治一切气,霍乱转筋,心腹痛,能起酒香味。"

[2] **陈氏** 指陈藏器。

[3] **西海** 今青海。

[4] **西戎诸地** 指古代新疆以西等地。《本草纲目》卷14缩沙蜜条作"西戎等地,波斯诸国"。

[5] **安东** 今朝鲜平壤地区。

39 艾蒳香[1]

谨按《广志》云:生剽地[2]。温,平。主伤寒五泄[3],主心腹注气[4],下寸白[5],止肠鸣,烧之辟温疫[6],合鳖窠[7]浴脚气,甚良[8]。(《大观本草》卷9页

52，《政和本草》页236，《本草纲目》页828）

【校注】

［1］**艾蒳香**　《开宝本草》云："广志曰：出西国，似细艾。又有松树皮绿衣，亦名艾纳，可以和合诸香烧之，能聚其烟，青白不散，而与此不同。"陈藏器《本草拾遗》云："主癣辟蛀。"

［2］**《广志》云：生剽地**　《广志》是书名，西晋郭义恭撰。剽地，在今青海省内。

［3］**五泄**　《难经》五十七难谓五泄为胃泄、脾泄、大肠泄、小肠泄、大瘕泄。

［4］**心腹注气**　《诸病源候论》卷24注病诸候："注者住也，言其病连滞停注，死又注易旁人也……随气游走冲击，痛无定所，故名为注气。"

［5］**寸白**　即寸白虫。实为绦虫一个节片。《诸病源候论》卷18寸白虫候云："寸白者，九虫内之一虫也。长一寸，而色白，形小扁（狭小）。"

［6］**温疫**　能引起多种外感急性热病的病邪。温疫引起的病，一般是起病较急，热象较盛，传变较快，容易化燥伤阴。

［7］**蝥窠**　《本草纲目》卷14艾蒳香条作"蜂窠"。

［8］**甚良**　《大观本草》卷9艾蒳香条无"甚"字。

40　莳萝[1]

谨按《广州记》云：生波斯国。马芹子即黑色而重，莳萝子即褐色而轻[2]。主膈气[3]，消食，温胃，善[4]滋食味。多食无损，即不可与阿魏同合[5]，夺其味[6]尔。（《大观本草》卷9页51，《政和本草》页236，《本草纲目》页1204）

【校注】

［1］**莳萝**　《开宝本草》云："生佛誓国，如马芹子，辛香。一名慈谋勒。其味辛，温，无毒。主小儿气胀，霍乱呕逆，腹冷，食不下，两肋痞满。"苏颂《本草图经》云："今岭南及近道皆有之，三月四月生苗，花实大类蛇床而香辛，六月七月采实。今人多以和五味，不闻入药用。"《日华子本草》云："健脾开胃气，温肠，杀鱼肉毒。补水脏，及壮筋骨，治肾气。"

［2］**轻**　此下，《本草纲目》卷26莳萝条有"以此为别"四字。

［3］**膈气**　亦名气膈。《诸病源候论》卷13五膈气候："气膈之为病，胸膈胁逆满，咽塞胸膈不通，恶闻食臭。"

［4］**温胃，善**　《本草纲目》脱此三字。

［5］**合**　《本草纲目》作"食"。

［6］**味**　《大观本草》卷9莳萝条作"气味"。

41　荜澄茄[1]

谨按《广志》[2]云：生诸海[3]，嫩胡椒也。青时就树采摘造之，有柄粗而蒂圆是也。其味辛、苦，微温，无毒。主心腹卒痛[4]，霍乱[5]吐泻，痰癖[6]冷气。古方偏用染发，不用治病也。（《大观本草》卷9页49，《政和本草》页235，《本草纲目》页1321）

【校注】

［1］**荜澄茄**　《开宝本草》云："生佛誓国，似梧桐子及蔓荆子，微大，亦名毗陵茄子。"苏颂《本草图经》云："今广州亦有之，春夏生，叶青滑可爱，结实似梧桐子及蔓荆子，微大，八月九月采之。"按，荜澄茄有两种：一为胡椒科植物荜澄茄；一为樟科植物山鸡椒。荜澄茄产于今印度尼西亚、马来西亚等地。山鸡椒又名山胡椒、山苍子、水姜子、味辣子，产于今广东、广西、云南、贵州、四川等地，现今商品荜澄茄均用此种。《日华子本草》云："荜澄茄，治一切气并霍乱吐泻，肚腹痛，肾气膀胱冷。"

［2］**《广志》**　《本草纲目》卷32荜澄茄条作"顾微《广州志》"。人民卫生出版社《政和本草》卷9荜澄茄条作"《广志》"。按，《广志》是西晋郭义恭所撰之书。

［3］**生诸海**　"生"，《大观本草》卷9荜澄茄条作"皆"。"海"字下，《本草纲目》有"国"字。

［4］**心腹卒痛**　《诸病源候论》卷16心腹痛候："心腹痛者，邪气发作，与正气相击，上冲于心则心痛，下攻于腹则腹痛，上下相攻，故心腹绞痛，气不得息。"

［5］**霍乱**　病名，出《灵枢·五乱》等篇。以起病突然，大吐大泻，烦闷不舒为主要表现。以其挥霍之间，便致缭乱，故名。

［6］**痰癖**　《诸病源候论》卷20癖病诸候："痰癖者，由饮水未散，在于胸腑之间，因遇寒热之气相搏，沉滞而成痰也。痰又停聚留移于胁肋之间，有时而痛，即谓之痰癖。"

42　茅香[1]

谨按《广志》云：生广南[2]山谷。味甘，平，无毒。主小儿遍身疮疱[3]，以桃叶同煮浴之[4]。合诸名香甚奇妙，尤胜舶上来者。（《大观本草》卷9页57，《政和本草》页239，《本草纲目》页827）

【校注】

［1］**茅香**　陈藏器《本草拾遗》云："茅香味甘，平。生安南，如茅根。"《开宝本草》云："生剑南道（四川剑阁以南，大江以北）诸州，其茎叶黑褐色，花白即非白茅香也。"苏颂《本草图经》云："今陕西、河东（今山西）、京东（今河南开封以东）州郡亦有之。三月生苗似大麦。五月开白花，亦有黄花者。或有结实者，亦有无实者。并正二月采根，五月采花，八月采苗。"寇宗奭《本草衍义》云："茅香，花白，根如茅，但明洁而长。皆可作浴汤，同藁本尤佳。"

［2］**生广南**　陈藏器《本草拾遗》作"生安南"。

［3］**小儿遍身疮疱**　多发于夏秋之间，小儿易患，起病急骤，相互传染。起初为潦浆水疱，界限

清楚，皮薄光泽，顶白根赤，破流滋水，漫延迅速。

［4］**以桃叶同煮浴之**　《本草纲目》卷14茅香条引《海药本草》作“合桃叶煎汤浴之”。

43　甘松香[1]

谨按《广志》云：生源州[2]。苗细，引蔓而生。又陈氏[3]云：主黑皮䵟䵴[4]，风疳[5]，齿䘌[6]，野鸡痔[7]。得白芷、附子良，合诸香及裛[8]衣妙也。（《大观本草》卷9页52，《政和本草》页236）

【校注】

［1］**甘松香**　《开宝本草》云：“甘松香，味甘，温，无毒。主恶气，卒心腹痛满，兼用合诸香。丛生，叶细。”《广志》云：“甘松香出姑藏（今甘肃武威）。”苏颂《本草图经》云：“今黔（今贵州）、蜀（今四川）州郡及辽州（今辽宁）亦有之。丛生山野，叶细如茅草，根极繁密，八月采，作汤浴，令人体香。”

［2］**源州**　今陕西洋县。《开宝本草》引《广志》作“生姑藏（今甘肃武威）”。陈藏器《本草拾遗》谓生凉州（今甘肃武威）。

［3］**陈氏**　指陈藏器。

［4］**黑皮䵟䵴**　俗称雀斑。《诸病源候论》卷26面体病诸候：“人面皮上，或有如乌麻（黑芝麻），或如雀卵上之色是也。此由风邪客于皮肤，痰饮渍于脏腑，故生皯䵳（䵟䵴）”。《肘后方》卷6有“面多䵟䵴，或似雀卵色者方”之记载，即属此病。

［5］**风疳**　目涩痒，面青黄、下痢等营养不良症。

［6］**齿䘌**　齿龈溃烂如虫蚀。

［7］**野鸡痔**　痔疮别名。

［8］**裛（yì义）**　《集韵》云：“香袭衣也。”

44　迷迭香[1]

味平[2]，不治疾。烧之祛鬼气[3]，合羌活为丸散，夜烧之[4]辟蚊蚋[5]。此外别无用矣。（《大观本草》卷9页28，《政和本草》页240，《本草纲目》页828）

【校注】

［1］**迷迭香**　陈藏器《本草拾遗》云：“味辛，温，无毒。主恶气，令人衣香，烧之去鬼。《魏略》云：出大秦国（古罗马）。《广志》云：出西海（今青海）”。

［2］**味平**　《本草纲目》卷14迷迭香条引《海药本草》作“性平，不温”。

［3］**鬼气**　古人将肉眼看不见的致病气体，包括一些微生物之类，统称为鬼气。

［4］**合羌活为丸散，夜烧之**　《本草纲目》卷14迷迭香条脱“散夜”二字。

[5] **蚋** 通蜹（ruì 芮）。《说文解字》云："秦晋谓之蜹，楚谓之蚊。"《华严经音义》引《字林》："蜹，小蚊也。"《通俗文》云："小蚊曰蜹。"按，蚋是蚊一类的昆虫，头小，色黑，胸背隆起，吸人畜的血液。

45 仙茅[1]

生西域[2]。粗细有筋，或如笔管，有节文理。其黄色多涎，梵[3]云呼为阿输乾陀[4]。味甘，微温，有小毒。主风[5]，补暖腰脚[6]，清安五脏[7]，强筋骨[8]，消食。久服轻身，益颜色。自武城[9]来，蜀中诸州皆有。叶似茅，故名曰仙茅。味辛，平，宣而复补，无大毒，有小热，有小毒。主丈夫七伤[10]，明耳目，益筋力，填骨髓，益阳不倦[11]。用时竹刀切，糯米泔浸。（《大观本草》卷 11 页 28，《政和本草》页 273，《本草纲目》页 751）

【校注】

[1] **仙茅** 后唐（907—936）筠州（今江西高安）刺史王颜《续传信方》叙仙茅云："主五劳七伤，明目，益筋，力宣而后补。本西域道人所传，开元元年（713）婆罗门僧进此药，明皇（唐玄宗）服之有效，当时禁方不传。天宝之乱，方书流散，三藏始得此方。"苏颂《本草图经》云："仙茅，叶青如茅而软，复稍阔，面有纵理，又似棕榈，至冬尽枯，春初乃生。三月有花如栀子黄，不结实。其根独茎而直，旁有短细根相附，肉黄白，外皮稍粗褐色。二月八月采根暴（曝）干。"

[2] **西域** 指中亚、西亚、南亚地区。在汉代是指从玉门关以西，巴尔喀什湖以东以南的广大地区。

[3] **梵（fàn 范）** 梵书的简称。梵书是印度佛典之古文，以自梵王手造，故名。

[4] **阿输乾陀** 《本草纲目》卷 12 仙茅条引珣曰作"阿输勒陀"。

[5] **主风** 《本草纲目》卷 12 仙茅条作"治一切风气"。按，《素问·风论》："故风者百病之长也，至其变化，乃为他病也，无常方，然致有风气也。"其症状每有恶风寒，发热及游走性多变性的特点。

[6] **补暖腰脚** 是治肾阳不足的方法。症见腰酸脚软不能行，身半以下常有冷感，少腹拘急，小便不利，或小便反多，脉虚弱。

[7] **清安五脏** 指仙茅有强壮作用，能使人神志、精神好，五脏安宁。

[8] **强筋骨** 使筋骨强壮，步履轻健有力。

[9] **武城** 唐置武城县，即今山东武城县。

[10] **七伤** 即阴寒、阴痿、里急、精漏、精少及阴下湿、精清、小便苦数等七伤的总称。

[11] **益阳不倦** 指兴奋性欲。即《日华子本草》所云："益房事不倦。"

46 白附子[1]

按《南州记》[2]云：生东海[3]，又新罗国[4]。苗与附子相似[5]，大温，有小毒[6]。主治疥癣风疮[7]，头面痕[8]，阴囊下湿，腿无力[9]，诸风冷气，入面脂皆好也。(《大观本草》卷11页44，《政和本草》页279，《本草纲目》页976)

【校注】

[1] **白附子** 《名医别录》云："主心痛，血痹，面上百病，行药势。生蜀郡，三月采。"陶弘景注："此物乃言出芮芮（古国名，统领内外蒙古），久绝，世无复真者。"《唐本草》注云："此物本出高丽（今朝鲜），今出凉州（今甘肃武威）以西，形似天雄。《本经》（指《本草经集注》）出蜀郡，今不复有。凉州出者，生沙碛下湿地中。独茎，似鼠尾草；叶细周匝，生穗间。"

[2] **《南州记》** 即徐表《南州记》。《本草纲目》卷17白附子条引珣曰作"徐表《南州异物记》"。

[3] **东海** 指今山东、江苏、浙江、福建沿海一带。

[4] **新罗国** 古朝鲜。

[5] **苗与附子相似** 正因本品与附子相似，故有白附子之名。实非附子一类。

[6] **毒** 此下，《本草纲目》卷17白附子条引珣曰有"入药炮用"。

[7] **疥癣风疮** "疥"，《诸病源候论》卷35疥候："疥者，有数种，有大疥、有马疥、有水疥、有湿疥。多生手足，乃至遍体……并皆有虫，人往往以针头挑得，状如水内㾊虫。""癣"，《诸病源候论》卷35癣候："癣病之状，皮肉隐疹如钱文，渐渐增长，或圆或斜，痒痛，有匡郭（界限分明）。""风疮"，《诸病源候论》卷35："土风疮，状如风疹而头破，乍发乍瘥；逸风疮，生则遍体，状如癣疥而痒。"

[8] **头面痕** 《名医别录》云："白附子，主面上百病"。李时珍引楚国先贤传云："孔休伤类有瘢，王莽赐玉屑白附子香，与之消瘢。"

[9] **阴囊下湿，腿无力** 《本草纲目》卷17白附子条引李珣作"阴下湿痒，足弱无力"。

47 瓶香[1]

谨按陈藏器[2]云：生南海[3]山谷，草之状也。味寒[4]，无毒，主天行时气[5]，鬼魅邪精[6]等，宜烧之。又于水煮，善洗水肿浮气[7]。与土姜[8]、芥子等煎浴汤，治风疰[9]甚验也。(《大观本草》卷10页45，《政和本草》页258，《本草纲目》页828)

【校注】

[1] **瓶香** 本条，《本草纲目》卷14附在排香草条下。

[2] **陈藏器** 《嘉祐本草·补注所引书传》云："本草拾遗，唐开元中（713—741年）京兆府（今陕西西安西北）三原（今陕西三原）县尉陈藏器撰。以《神农本经》虽有陶、苏补集之说，然遗逸尚多，故别为序例一卷，拾遗六卷，解纷三卷，总曰本草拾遗，共十卷。"

[3] **南海** 今广东番禺。

[4] **味寒** 《本草纲目》卷14排草香条附录引珣曰作“其味寒”。按，味寒二字不好理解，疑有脱漏。诸香味辛，疑瓶香应味辛，寒。

[5] **天行时气** 按，天行出《肘后方》，亦称时行，又名时气，指流行病。《诸病源候论》卷9时气候：“时行病者，是春时应暖而反寒，夏时应热而反冷，秋时应凉而反热，冬时应寒而反温，非其时而有其气，是以一岁之中，病无长少，率相似者，此则时行之气也。”

[6] **鬼魅邪精** 指致病的怪物。即肉眼看不见的一些病原体，包括一些致病的微生物。

[7] **水肿浮气** 《本草纲目》脱“肿”字。水肿浮气，指虚浮水肿。一般以肿者为实，浮者为虚。

[8] **土姜** 《本草纲目》作“生姜”。

[9] **风疟** 疟疾的一种，出《素问》。症见先寒后热，热多寒少，头痛烦躁。兼见无汗恶风，或汗出恶风。

48 钗子股[1]

谨按陈氏[2]云：生岭南[3]及南海诸山。每茎三十根，状似细辛。味苦，平，无毒。主解毒痈疽[4]，神验。忠万州者佳[5]，草茎功力相似，以水煎服。缘岭南多毒，家家贮之。(《大观本草》卷10页45，《政和本草》页258，《本草纲目》页791)

【校注】

[1] **钗子股** 陈藏器《本草拾遗》作“金钗股”。并云：“金钗股味辛，平，小毒。解诸药毒。人中毒者，煮汁服之。亦生研，更烈，必大吐下。如无毒，亦吐。去热痰、疟瘴、天行虫毒、喉闭。生岭南山谷，根如细辛，三四十茎。一名三十根钗子股，岭南人用之。”

[2] **陈氏** 指陈藏器。

[3] **岭南** 今广东、广西等地区。

[4] **痈疽** “痈”，属急性化脓性疾患，疮面浅而大。因发病部位不同，分为内痈、外痈。临证均有肿胀、焮热、疼痛及成脓等症。“疽”，指疮面深而恶者，即发于肌肉筋骨间的疮肿。

[5] **忠万州者佳** 《本草纲目》卷13钗子股条作“忠州、万州者，亦佳”。按，忠州即今重庆忠县，万州即今重庆万州。

49 宜南草[1]

谨按《广州记》云：生广南[2]山谷，有荚，长二尺许，内有薄片似纸，大小如蝉翼。主邪，小男女以绯绢袋盛一片[3]，佩之臂上，辟恶，止惊[4]。此草生南方，故作南北字。今人多以男女字非也，宜男草者，即萱草是。(《大观本草》卷10页45，《政和本草》页258，《本草纲目》页1096)

【校注】

[1] **宜南草** 按，萱草别名亦称宜男草，南、男音同字异。其实是二物，不可误为同物。

[2] **广南** 本条有“《广州记》云生广南山谷”；蛤蚧条有“《广州记》云生广南水中”；柯树皮、栅木皮有“《广志》云生广南山野”。按，《广州记》有二：一是晋代裴渊撰，二是晋代顾微撰。《广志》是晋代郭义恭撰。晋代人著作中既引用了“广南”地名，则广南地名在晋代已有了。《证类本草》卷9蓬莪茂条亦记有“生广南诸州”，并记蓬莪茂产温州（今浙江永嘉）、端州（今广东高要）。浙江、广东地处中国南方，则广南似指中国南方地区。

[3] **绯绢袋盛一片** “绯”（fēi 非），《广韵》：“绯，绛色。”“绢”，《释名·释采帛》：“绢，絙也，其丝坚厚而疏也。”按，绯绢袋即绛色（朱红色）丝织品袋子。“一片”，《本草纲目》卷21宜南草条脱此二字。商务印书馆本《政和本草》误作“一牛”。

[4] **辟恶，止惊** 辟除恶气，防止惊恐。

50 藒车香[1]

按《广志》云：生海南[2]山谷。陈氏[3]云：生徐州[4]。微寒，无毒。主霍乱，辟恶气[5]，裛衣甚好[6]。《齐民要术》[7]云：凡诸树木蛀者，煎此香冷淋之，善辟蛀蚛也[8]。（《大观本草》卷10页45，《政和本草》页259，《本草纲目》页827）

【校注】

[1] **藒（qì 弃）车香** 藒，《尔雅》作“藒”；《离骚》作“揭”；《本草纲目》作“藒”。陈藏器《本草拾遗》云：“藒车香，味辛，温。主鬼气，去臭及虫鱼蛀蚛。生彭城（今江苏铜山），高数尺，白花。《尔雅》曰：藒车，芞舆。郭注云：香草也。《广志》云：黄叶白花也。《离骚》：畦留夷与藒车兮，以藒为之。”按，藒车香是辟蛀的香草。

[2] **海南** 指今广东沿海地区。

[3] **陈氏** 即陈藏器。

[4] **徐州** 今江苏徐州。

[5] **辟恶气** 辟除不正之气。

[6] **裛衣甚好** 《本草纲目》卷14藒车香条作“熏衣佳”。“裛”，商务印书馆本《政和本草》作“熏”。

[7] **《齐民要术》** 是中国现存最早的农业专书。南北朝北魏时贾思勰撰。全书十卷。

[8] **善辟蛀蚛也** 《本草纲目》作“即辟也”。“蛀蚛”，见延胡索条注［7］。

51 冲洞根[1]

谨按《广州记》云：生岭南及海隅。苗蔓如土瓜，根相似[2]。味辛，温，无毒。主一切毒气及蛇伤。并取其根磨服之[3]，应是着诸般毒[4]悉皆吐出。（《大观本

草》卷10页46，《政和本草》页259，《本草纲目》页1038）

【校注】

［1］**冲洞根**　陈藏器《本草拾遗》云："冲洞根，味苦，平，无毒。主热毒、蛇、犬、虫、痈疮等毒。功用同陈家白药，苗蔓不相似。岭南恩州（今广东恩平）取根，阴干。"

［2］**根相似**　《本草纲目》卷18白药子条附录下冲洞根条作"根亦相似"。

［3］**磨服之**　《本草纲目》作"磨水服之"。

［4］**应是着诸般毒**　《本草纲目》作"诸毒"。

木部 卷第三

52 琥珀[1]

是海松木中津液，初若桃胶，后乃凝结。温，主止血，生肌，镇心，明目，破癥瘕气块[2]。产后血晕闷绝[3]，儿枕痛[4]等，并宜饵[5]此方。琥珀一两，鳖甲一两，京三棱一两，延胡索半两，没药半两，大黄六铢[6]。熬捣为散，空心酒服三钱匕[7]，日再服校量[8]，神验莫及。产后即减大黄。凡验真假，于手心热磨，吸得芥为真。复有南珀[9]，不及舶上来者。（《大观本草》卷12页19，《政和本草》页297，《本草纲目》页1471）

【校注】

［1］**琥珀**　亦作虎魄，传说虎死后，其精魄入地化而为之，故名。陶弘景云："虎魄，旧说是松脂沦入地，千年所化。今烧之亦作松气。俗有虎魄中有一蜂形色如生。"《汉书》云："琥珀出罽宾国（今新疆以西），初如桃胶，凝乃成也。"《名医别录》云："虎魄，生永昌（今云南保山）。"

［2］**癥瘕气块**　《诸病源候论》卷19癥瘕候："癥瘕者，皆由寒温不调，饮食不化，与脏气相搏结所生也。其病不动者，直名为癥。若病虽有结瘕而可推移者，名为瘕。""气块"，指气血郁结为块，块体软而不坚，皮色如常，无寒无热，怒时多增大，喜时可缩小。

［3］**产后血晕闷绝**　产后恶露不下，内有停瘀，上攻心胸，以致突发头晕，昏厥，不省人事。

［4］**儿枕痛**　产后血瘀痛。

［5］**饵（ěr 耳）**　食也。《一切经音义》引仓颉："案几所食之物皆曰饵。"

［6］**铢**　重量单位，古以十粒黍米为一铢。

［7］**钱匕**　陶隐居云："五铢钱（汉代用的钱）边五字者，以抄之，令不落为度。"

［8］**日再服校量**　即一天再服数次剂量。校，数也。《史记·平准书》："贯朽而不校"。

［9］**南珀**　指南方所产的琥珀。寇宗奭《本草衍义》云："琥珀，今西戎亦有之，其色差淡而明澈；南方者色深而重浊，彼土人多碾为物形。"

53 沉香[1]

按《正经》[2]生南海山谷。味苦，温，无毒。主心腹痛，霍乱，中恶邪鬼疰[3]，清人神[4]，并宜酒煮服之。诸疮肿，宜入膏用。当以水试乃知仔细，没者为沉香，浮者为檀香，似鸡骨者[5]为鸡骨香，似马蹄者为马蹄香，似牛头者为牛头香，枝条细实者为青桂，粗重者为笺香[6]。已上七件，并同一树。梵[7]云波律亦此香也。（《大观本草》卷12页43，《政和本草》页308，《本草纲目》页1361）

【校注】

[1] **沉香** 《唐本草》注云："沉香、青桂、鸡骨、马蹄、煎香等，同是一树。叶似橘叶，花白；子似槟榔，大如桑椹，紫色而味辛；树皮青色，木似榉柳。"陈藏器《本草拾遗》云："其枝节不朽最紧实者为沉香，浮者为煎香，以次形如鸡骨者为鸡骨香，如马蹄者为马蹄香，细枝未烂紧实者为青桂香。"苏颂《本草图经》云："交（今越南北部）、广、崖州（今海南三亚）有之。交州人谓之蜜香。欲取之，先断其积年老木根，经年，其外皮干俱朽烂，其木心与枝节不坏者，即香也。细枝紧实未烂者为青桂，坚黑而沉水者为沉香，半浮半沉与水面平者为鸡骨，最粗者为栈香。又云栈香中形如鸡骨者为鸡骨香，形如马蹄者为马蹄香。"

[2] **《正经》** 指《蜀本草》。按，蚺蛇胆条《海药本草》云："正经云出晋安及高贺州。"晋安源出陶隐居注。高贺州源出《唐本草》注。此等注文，《蜀本草》载之。据此可知《正经》即《蜀本草》。

[3] **中恶邪鬼疰** 义同感染了传染病。

[4] **清人神** 清醒人的神志。

[5] **似鸡骨者** 人民卫生出版社影印本《政和本草》无"者"字。《大观本草》有"者"字。

[6] **笺香** 《大观本草》作"煎香"。

[7] **梵** 指印度佛教经典的古文。

54 薰陆香[1]

谨案《广志》云：薰陆香，是树皮鳞甲，采之复生[2]。（《大观本草》卷12页45，《政和本草》页309，《本草纲目》页1371）

【校注】

[1] **薰陆香** 《南方草木状》云："出大秦国，在海边，有大树，枝叶正如古松，生于沙中。盛夏，树胶流出沙上，方采之。"《名医别录》云："薰陆香，微温。治风水毒肿，去恶气，伏尸。"《唐本草》注云："薰陆香，形似白胶，出天竺、单于国。"寇宗奭《本草衍义》云："薰陆香，木叶类棠梨，南印度界阿吒釐国出，今谓之西香，南番者更佳。"

［2］**谨案……采之复生** 此条据《本草纲目》卷34薰陆香条集解专目下“珣曰”援引。《证类本草》未见有此文。濒湖摘自何书，不详。

55 乳头香[1]

谨按《广志》云：生南海，是波斯松树脂也，紫赤如樱桃者为上。仙方多用辟谷[2]，兼疗耳聋，中风口噤不语[3]，善治妇人血气。能发粉酒。红透明者为上。(《大观本草》卷12页47，《政和本草》页309)

【校注】

［1］**乳头香** 简称乳香。陈藏器《本草拾遗》：“乳香，盖薰陆之类也。其性温。疗耳聋，中风口噤，妇人血气。能发酒，理风冷，止大肠泄澼，疗诸疮令内消。”苏颂《本草图经》云：“广志云：南波斯国松木脂，有紫赤如樱桃者，名乳香，盖薰陆之类也。今人无复别薰陆者，通谓乳香为薰陆耳。”沈括《梦溪笔谈》云：“乳香即薰陆香也。如乳头者为乳香，塌地者为塌香。”寇宗奭《本草衍义》云：“薰陆香，此即今人谓之乳香，为其垂滴如乳，镕塌在地者，谓之塌香，皆一也。”

［2］**仙方多用辟谷** 《本草纲目》卷34薰陆香条作“仙方用以辟谷”。“辟谷”，洪刍《香谱》作“辟邪”。按，辟谷，一名断谷、却谷、去谷、绝谷。《史记·留候列传》：“性多病，即导引不食谷。”又云：“乃学辟谷导引轻身。”秦汉时方士认为长生不老神仙，首先要辟除五谷。即不饮食，用药物代替饮食以充饥。这种方法，称为辟谷。有些方士从药物中寻找各种代用品配成方子服食，名仙方。乳头香曾被方士用以配制仙方，作为辟谷使用，故说仙方多用辟谷。

［3］**中风口噤不语** 《金匮要略·中风历节病脉证并治》：“邪在于络，肌肤不仁；邪在于经，即重不胜；邪入于腑，即不识人；邪入于脏，舌即难言，口吐涎。”按，邪入腑又分闭证和脱证。中风口噤不语属于闭证，可用乳香制剂。如属脱证，即忌用。

56 丁香[1]

按《山海经》云：生东海及昆仑国[2]。二月三月花开，紫白色。至七月方始成实，大者如巴豆，为之母丁香；小者实为之丁香。主风疳䘌[3]，骨槽劳臭[4]，治气，乌髭发[5]，杀虫，疗五痔[6]，辟恶去邪[7]，治奶头花[8]，止五色毒痢[9]，正气，止心腹痛。树皮亦能治齿痛。(《大观本草》卷12页42，《政和本草》页307，《本草纲目》页1363)

【校注】

［1］**丁香** 《开宝本草》注云：“按广州送丁香图，树高丈余，叶似栎叶，花圆细黄色，凌冬不凋。医家所用，惟用根。子如钉，长三四分，紫色，中有粗大如山茱萸者，俗呼为母丁香，可入心腹之药尔。”苏颂《本草图经》云：“京下老医，或有谓鸡舌香与丁香同种，花实丛生，其中心最大者

为鸡舌香，击破有解理如鸡舌，此乃是母丁香，疗口臭最良，治气亦效。盖出陈氏拾遗。”

[2] **生东海及昆仑国** 今本《山海经》无此文。“东海”，指今山东、江苏、浙江、福建沿海一带。

[3] **风痱䘌** 是一种慢性溃疡，痒而不痛，脓汁浸淫。

[4] **骨槽劳臭** 指骨槽风（颌骨骨髓炎）久溃不愈，肌肉腐烂，脓多臭秽。

[5] **髭（zī 兹）发** “髭”，《说文解字》云：“口上须也。”“发”，《说文解字》云：“头上毛也。”按，髭即嘴上边的胡子，须是嘴下边的胡子，发即头发。

[6] **五痔** 《诸病源候论》卷 34 痔病诸候：“诸痔者，谓牡痔、牝痔、脉痔、肠痔、血痔也。”

[7] **辟恶去邪** 义同消毒。

[8] **奶头花** 即乳头皲裂，症见乳头、乳颈、乳晕部裂口，疼痛，揩之出血，或流黏水，或结黄痂。

[9] **五色毒痢** 《诸病源候论》卷 17 虫注候：“毒气挟热与血相搏，侵蚀于脏腑，如病蛊注之状，痢血杂脓，瘀黑有片如鸡肝，与血杂下是也。”

57 降真香[1]

徐表《南州记》云：生南海山谷[2]，又云生大秦国[3]。味温，平，无毒。主天行时气[4]，宅舍怪异[5]，并烧悉验。又按仙传[6]云：烧之，或引鹤降[7]。醮星辰[8]，烧此香甚为第一。度箓烧之，功力极验[9]；小儿带之能辟邪恶之气也。（《大观本草》卷 12 页 48，《政和本草》页 310，《本草纲目》页 1366）

【校注】

[1] **降真香** 《证类本草》云：“出黔南（今贵州南部）拌和诸杂香烧，烟直上天，召鹤得盘旋于上。”《真腊风土记》云：“降香生丛林中，番人颇费砍斫之功，乃树心也。其外白皮，厚八九寸，或五六寸。焚之气劲而远。”又此条，宋·洪刍（驹父）《香谱》引《海药本草》作“降真香，主天行时气，宅舍怪异，并烧之有验……烧之感引鹤降，醮星辰，烧此香，甚为第一。度箓烧之，功力极验”。

[2] **生南海山谷** 《本草纲目》卷 34 降真香条作“生南海山中”。

[3] **又云生大秦国** 《本草纲目》作“及大秦国。其香似苏木，烧之初不甚香，得诸香和之则特美。入药以番绛紫而润者为良”。“大秦国”，即古罗马。

[4] **主天行时气** 《本草纲目》作“烧之辟天行时气”。“天行时气”，见瓶香条注［5］。

[5] **宅舍怪异** 指住宅宿舍内一些不清洁能致病的怪异物。

[6] **仙传** 即《列仙传》，旧题西汉刘向撰。《四库提要》认为可能是魏晋间方士所托。

[7] **烧之，或引鹤降** 《本草纲目》作“拌和诸香，烧烟直上，感引鹤降”。

[8] **醮星辰** 古代僧道设坛祈祷星辰。

[9] **度箓烧之，功力极验** 《本草纲目》作“度箓功力极验，降真之名以此”。“度”，凡人到僧寺出家，师为之剃除须发曰剃度，亦曰度。“箓”，道家秘文曰箓。《隋书·经籍志》：“道经受道之

法，初受五千文箓，次受三洞箓。”在剃度或受箓时，均要焚香。

58　藤黄[1]

谨按《广志》云：出鄂、岳等州[2]诸山崖。其树名海藤。花有蕊，散落石上，彼人收之，谓沙黄。就树采者轻妙，谓之腊草[3]。酸、涩，有毒。主蚛牙蛀齿[4]，点之便落。据今所呼铜黄谬矣。盖以铜、藤语讹也[5]。按此与石泪采无异也。画家及丹灶家[6]并时用之。（《大观本草》卷12页50，《政和本草》页310，《本草纲目》页1057）

【校注】

［1］**藤黄**　是藤黄科植物藤黄的胶质树脂。生于印度、泰国等热带地区。常绿乔木，高达六丈，小枝四棱形，叶对生。在开花之前，于离地一丈处，将茎干的皮部作螺旋状切口，切口内插一竹筒，承受流出的树脂，蒸干，即成藤黄。李时珍云：“今画家所用藤黄，皆经煎炼成者，舐之麻人。”按，周达《真腊记》云：“国有画黄，乃树脂。番人以刀斫树枝滴下，次年收之。”

［2］**鄂、岳等州**　鄂州，今湖北武昌。岳州，今湖南岳阳。

［3］**腊草**　《本草纲目》卷18藤黄条作“腊黄”。

［4］**蚛牙蛀齿**　“蚛”（zhòng 仲），《篇海》：“虫食物也。”按，“蚛牙蛀齿”，指牙齿蛀空朽痛，又名齿蠹、齿䘌、龋齿。症见龈肿腐臭，齿牙蛀蚀宣露，疼痛时作时止。

［5］**据今所呼铜黄谬矣。盖以铜、藤语讹也**　《本草纲目》卷18藤黄条作“今人讹为铜黄，铜、藤音谬也。”

［6］**丹灶家**　指炼丹家。

59　返魂香[1]

谨按《汉书》[2]云：汉武帝时[3]，西国进返魂香。《武王内传》云：聚窟洞中，上有返魂树，采其根于釜中，以水煮，候成汁，方去滓，重火炼之如漆，候凝，则香成也[4]。西国使云[5]：其香名有六。帝曰：六名何？一名返魂，一名惊精，一名回生，一名震坛[6]，一名人马精[7]，一名节死香[8]。烧之一豆许，凡有疫死者，闻香再活，故曰返魂香也。（《大观本草》卷12页50，《政和本草》页310，《本草纲目》页1381）

【校注】

［1］**返魂香**　晋代张华《博物志》云：“武帝（汉武帝）时（前140—前87）弱水西国（《纲目》作西域月氏国，即在新疆以西）度弱水贡此香三枚，大如燕卵，与枣相似（《本草纲目》作黑如

桑椹)。值长安大疫，西使请烧一枚辟之，宫中病者闻之即起，香闻百里，数日不歇。疫死未三日者，熏之皆活，乃返生神药也。”

[2] **《汉书》** 书名，班固撰。班固从27岁到57岁，共花30年写成中国现存的第一部纪传体的断代史，叙述了西汉（包括王莽十五年）229年的史事，是一部80万字的巨著。

[3] **汉武帝时** 即西汉第四个皇帝刘彻，始于前140年，终于前87年。

[4] **《武王内传》云……则香成也** 《本草纲目》卷34返魂香条作“内传云：西海聚窟州有返魂树，状如枫、柏，花、叶香闻百里。采其根于釜中水煮取汁，炼之如漆，乃香成也。”

[5] **西国使云** 《本草纲目》无此文。

[6] **震坛** 《本草纲目》作“振灵”。

[7] **人马精** 《本草纲目》作“马精”。

[8] **节死香** 《本草纲目》作“却死香”。

60 海红豆[1]

谨按徐表《南州记》云：生南海人家园圃中。大树而生，叶圆，有荚。微寒，有小毒。主人黑皮鼾黵[2]花癣[3]，头面游风[4]。宜入面药[5]及藻豆[6]。近右[7]蜀中种亦成也[8]。（《大观本草》卷12页51，《政和本草》页310，《本草纲目》页1426）

【校注】

[1] **海红豆** 为豆科植物海红豆的种子。海红豆为落叶乔木，高约二丈五尺。宋祁《益部方物图》云：“红豆，叶如冬青而圆泽，春开花白色，结荚枝间。其子累累如缀珠，若大红豆而扁，皮红肉白，以此得名，蜀人用为果饤（五色小饼）。”李时珍曰：“海红豆树高二三丈，叶似梨叶而圆。”

[2] **黑皮鼾黵** 脸上生暗褐色雀斑。

[3] **花癣** 病名，即颜面单纯糠疹。生于面部或眉间，初起为痞瘤（瘾疹），渐成细疮，时痛时痒，搔起白屑，春季易发。

[4] **头面游风** 即头面游风，指头面有游走性痛痒感。

[5] **面药** 类似今日的霜脂（雪花膏）。

[6] **藻豆** 藻通澡，《玉篇》云：“治也。”藻豆意即治豆供洗浴用。

[7] **右** 《本草纲目》卷35海红豆条作“时”。

[8] **谨按……亦成也** 按海红豆外形很像相思子，但不含皂苷、生物碱、相思子毒蛋白。据云，非洲人有用其作调味品者。

61 落雁木[1]

谨按徐表《南州记》云：生南海山野中。藤蔓而生，四面如刀削，代州雁门[2]亦有。藤萝高丈余，雁过皆缀[3]其中，故曰落雁木。又云雁衔至代州雁门皆放落而生，以此为名。蜀中[4]雅州[5]亦出。味平，温，无毒。主风痛[6]，伤折[7]，脚气肿[8]，腹满虚胀。以粉木同煮汁蘸洗[9]，并立效。又主妇人阴疮[10]浮疱[11]，以椿木同煮之妙也。（《大观本草》卷12页51，《政和本草》页311，《本草纲目》页1056）

【校注】

［1］**落雁木** 苏颂《本草图经》云："生雅州（四川雅安），味甘，性平，无毒。治产后血气痛，并折伤内损等疾。其苗作蔓，缠绕大木，苗、叶形色，大都似茶，无花实。彼土人四月采苗入药用。"

［2］**代州雁门** 今山西代县雁门关。

［3］**缀** 通辍，停止也。

［4］**蜀中** 今四川。

［5］**雅州** 今四川雅安。

［6］**风痛** 指肢节疼痛，游走不定。

［7］**伤折** 指跌打、扑损、骨折等伤。

［8］**脚气肿** 《诸病源候论·脚气肿满候》："此由风湿毒气，搏于肾经，肾主于水，今为邪所搏，则肾气不能宣通水液，水液不传于小肠，致水气壅溢腑脏，浸渍皮肤，故肿满也。"

［9］**蘸洗** 《本草纲目》卷18落雁木条作"洗之"。按，蘸洗，即将物沾水洗之。

［10］**阴疮** 又名阴䘌、䘌、䘌疮。症见外阴部溃烂，形成溃疡，脓水淋漓，或痛或痒，肿胀坠痛，多兼有赤白带下，小便淋漓。

［11］**浮疱** 《本草纲目》作"浮泡"。

62 莎木[1]

谨按《蜀记》[2]云；生南中八郡[3]。树高数十余丈[4]，阔四五围。叶似飞鸟翼[5]，皮中亦有面，彼人作饼食之[6]。《广志》云：作饭饵之[7]，轻滑美好，白胜桄榔面[8]。味平，温，无毒。主补虚冷[9]，消食。彼人呼为莎面也。（《大观本草》卷12页51，《政和本草》页311，《本草纲目》页1310）

【校注】

［1］**莎木** 李时珍曰："莎字韵书不载，惟孙愐《唐韵》莎字注云：'树似桄榔'。则莎字当作莎衣之莎。其叶离披如莎衣之状，故谓之莎也。"陈藏器《本草拾遗》云："莎木面，温补，久服不饥。生岭南山谷，大者四五围，出面数斛，土人取次为饼。"《蜀志》曰："莎木高大，生南中八郡。又曰：莎木皮出面，大者百斛，色黄，鸠人部落食之。"

［2］**《蜀记》** 陈藏器《本草拾遗》所引作"《蜀志》"。《隋书·经籍志》卷2载有《蜀志》一卷，东京武平太守常宽撰。

［3］**南中八郡** 今四川剑阁。

［4］**树高数十余丈** 《本草纲目》卷31莎木面条作"树高十许丈"，无"数"字。疑原文衍

"数"字。《本草纲目》所言合乎事实。

[5] **叶似飞鸟翼** 《本草纲目》作"峰头生叶，两边行列如飞鸟翼"。

[6] **皮中亦有面，彼人作饼食之** 《本草纲目》作"皮中有白面石许，捣筛作饼"。

[7] **《广志》云：作饭饵之** 《本草纲目》作"或磨屑作饭食之"。

[8] **白胜桄榔面** 《本草纲目》作"胜于桄榔面也"。

[9] **主补虚冷** 《本草纲目》作"补益虚冷"。

63 栅木皮[1]

谨按《广志》云：生广南[2]山野郊汉[3]。《尔雅》注云：栅木如桑树[4]。味苦，温，无毒。主霍乱吐泻，小儿吐乳，暖胃[5]，正气，并宜煎服[6]。(《大观本草》卷12页52,《政和本草》页311,《本草纲目》页1482)

【校注】

[1] **栅木皮** 《本草纲目》卷34楠条校正专目云："并入《海药》栅木皮"。并以《海药本草》栅木皮主治文，作为楠材皮的主治文。李时珍曰："楠，一名枏，枏与楠字同，南方之木，故字从楠(枏)。《海药本草》栅木皮，即枏字之误，今正之。"另外，《本草纲目》卷37附录诸木中第九个木是栅木皮，全引《海药本草》文，并标出典为"珣曰"。则同一个《海药本草》栅木皮，《本草纲目》分立两处，似属重出。

[2] **广南** 今广东、广西等地区。

[3] **郊汉** 《本草纲目》卷37栅木皮条无此二字。

[4] **《尔雅》注云：栅木如桑树** 今本《尔雅注》未见有此文。《山海经·南次二经》："虖勺之山，其上多梓枏。"郭璞云："枏，大木，叶似桑，今作楠，音南。"此即李时珍所云枏(枏)与楠字同。《海药本草》栅木皮，即枏(枏)字之误。

[5] **暖胃** 凡胃脘虚寒疼痛，呕吐清水，呃逆等，用栅木皮能暖胃祛寒。

[6] **煎服** 《本草纲目》作"水煎服"。

64 无名木皮[1]

谨按徐表《南州记》云：生广南山谷[2]。大温，无毒。主阴肾痿弱[3]，囊下湿痒[4]，并宜煎取其汁[5]小浴，极妙也。(《大观本草》卷12页52,《政和本草》页311,《本草纲目》页1294)

【校注】

[1] **无名木皮** 《本草纲目》卷30阿月浑子条校正专目云："并入《海药》无名木皮。"

[2] **生广南山谷** 《本草纲目》卷30阿月浑子条作"生岭南山谷"。

[3] **阴肾痿弱** 即阴痿，又名阳痿。指男子性功能障碍，出现阴茎不举，或举而不坚的病证。

[4] **囊下湿痒** 即阴囊湿痒，又名肾囊风、绣球风。初起阴囊奇痒，搔破流黄水，或热痛如火燎，浸淫脂汁，经久不愈。

[5] **并宜煎取其汁** 《本草纲目》卷30阿月浑子条作“并煎汁”。

65 无名子[1]

无名木实号无名子，波斯家呼为阿月浑，状若榛子[2]。味辛，无毒。主腰冷[3]，阴肾虚弱[4]，房中术[5]使用者众。得木香、山茱萸良也。(《大观本草》卷12页52，《政和本草》页311，《本草纲目》页1294)

【校注】

[1] **无名子** 《本草纲目》卷30阿月浑子条校正专目云：“并入《海药》无名木皮。”《本草纲目》以《海药本草》无名子的主治文作为阿月浑子的主治文。

[2] **榛子** 即桦木科植物榛树的种子。郑玄注《礼记》云：“榛似栗而小，关中鄜坊甚多。”日华子云：“新罗榛子肥白，人（通仁）止饥调中，开胃甚验。”《开宝本草》云：“榛子生辽东山谷，树高丈许，子如小栗，军行食之当粮。”

[3] **腰冷** 即腰部冷痛。

[4] **阴肾虚弱** 《本草纲目》卷30阿月浑子条作“阴肾虚痿弱”，意即阴痿，见无名木皮条注[3]。

[5] **房中术** 指有关性生活的一些知识。西汉末年，颇为盛行。当时著成书的很多，《汉书·艺文志·方技略》收载房中术的著作有八家。后皆亡佚。日本丹波康赖《医心方》卷28，尚存部分内容。

66 奴会子[1]

谨按《拾遗》[2]云：生西国诸戎[3]，大小如苦药子[4]。味辛，平，无毒。主治小儿无辜疳冷[5]，虚渴，脱肛[6]，骨立瘦损[7]，脾胃不磨[8]。《刘五娘方》[9]用为煎，治孩子瘦损也。(《大观本草》卷12页52，《政和本草》页311，《本草纲目》页1307)

【校注】

[1] **奴会子** 《本草纲目》卷18将奴会子附在解毒子条下。

[2] **《拾遗》** 即陈藏器《本草拾遗》。

[3] **西国诸戎** “戎”，是古代中国西边少数兄弟民族的称呼。《礼记·王制》：“西方曰戎。”“西国诸戎”，指中国西境各兄弟民族居住的地方。

[4] **苦药子** 即解毒子，苏颂《本草图经》云：“地不容，生戎州（今四川宜宾），味苦，大寒，

无毒。蔓生，叶青如杏叶而大厚硬，凌冬不凋，无花实，根黄白色，外皮微粗褐，累累相连如药实而圆大，采无时。能解蛊毒，辟瘴气，治咽喉闭塞，乡人亦呼为解毒子。”

［5］**小儿无辜瘠冷** 病名，出《外台秘要》，旧指小儿误穿污染衣服，虫入皮毛所致疾病，头颈部有核如弹丸，按之转动，称为无辜瘠（多见于颈淋巴结炎，或淋巴结结核）。

［6］**脱肛** 《诸病源候论》卷17脱肛候：“脱肛者，肛门脱出也……痢而用气偃（屈身用力屏气），其气下冲，则肛门脱出。”

［7］**骨立瘦损** 指久病骨瘦如柴。多见于慢性消耗性疾病。

［8］**脾胃不磨** 指脾胃不能消化水谷。

［9］**《刘五娘方》** 书名，唐代刘氏撰。

67 皋芦叶[1]

谨按《广州记》云：出新平县[2]，状若茶树阔大。无毒。主烦渴热闷[3]，下痰[4]，通小肠淋[5]，止头痛，彼人用代茶，故人重之，如蜀地茶也[6]。（《大观本草》卷12页52，《政和本草》页311，《本草纲目》页1329）

【校注】

［1］**皋芦叶** 陈藏器《本草拾遗》：“皋芦叶，出南海诸山，叶似茗而大，南人取作当茗，极重之。《南越志》曰：龙川县（今广东龙川）出皋芦，叶似茗，味苦涩，土人为饮，南海谓之过罗，或曰物罗，皆夷语也。《广州记》曰：皋芦，茗（茶）之别名也，叶大而涩。”

［2］**新平县** 今广西马坪。

［3］**烦渴热闷** 口渴饮水不能解渴，谓之烦渴。热而气短，胸闷不舒，谓之热闷。

［4］**下痰** 是祛痰法之一。如痰饮停聚胁下，咳嗽时引起胁下疼痛，舌苔滑，脉沉弦，可用下法以除之。

［5］**通小肠淋** 《诸病源候论》：“水入小肠，下注于胞，行于阴为溲便（小便）也……热则水下涩，淋涩不宣，故谓之淋。”又心与小肠为表里，心热移于小肠，下注于胞（膀胱），出现尿血，成为血淋。皋芦叶能利水通淋，故说它能通小肠淋。

［6］本条是《本草纲目》卷32皋芦叶条引“李珣曰”的文字，略加化裁。

68 干陀木皮[1]

按《西域记》[2]云：生西国[3]。彼人用染僧褐[4]，故名。干陀，褐色[5]也。树大皮厚。味平[6]，温，主癥瘕气块，温腹，暖胃，止呕逆，并食也[7]。（《大观本草》卷12页52，《政和本草》页311，《本草纲目》页1482）

【校注】

[1] **干陀木皮** 陈藏器《本草拾遗》云："干陀木，生安南，皮厚，堪染者，叶如樱桃。性平，无毒。主破宿血，妇人血闭，腹内血块，酒煎服之。"

[2] **《西域记》** 书名。唐代佛学家玄奘（602—664）所撰。玄奘俗姓陈，名祎，洛州缑氏，即今河南偃师缑氏镇附近人，隋末出家，对佛教经典很有研究。他于唐太宗贞观元年（627）从长安出发西行，到贞观十九年（645）正月回长安，跋涉五万余里，经历西域印度等国。在回长安第二年，写成《西域记》。

[3] **西国** 指西域地区，如印度等国。

[4] **僧褐** 褐，《说文解字》云："编枲（麻）袜。"按，编枲袜，即用麻编织成鞋，类似草鞋。和尚穿这种鞋，故名僧褐。

[5] **褐色** 黄黑色无光泽，谓之褐色。

[6] **味平** 即性味平，不寒凉，不温热。

[7] **主癥瘕……并食也** 《本草纲目》卷37干陀木皮作"破宿血，妇人血闭，腹内血块，酒煎服之"。按，此文属陈藏器《本草拾遗》文，濒湖将之移植于此。

69 含水藤中水[1]

谨按《交州记》[2]云：生岭南及诸海山谷。状若葛，叶似枸杞。多在路旁，行人乏水处便吃此藤，故以为名。主烦渴，心躁[3]，天行疫气[4]瘴疠[5]，丹石发动[6]，亦宜服之。（《大观本草》卷12页52，《政和本草》页311，《本草纲目》页1054）

【校注】

[1] **含水藤中水** 陈藏器《本草拾遗》云："生岭南，叶似狗蹄。煮汁服之，主天行时气；捣叶傅中水烂疮皮皴。刘欣期《交州记》亦载之。其藤中水，味甘，平，无毒。主止渴，润五藏。山行无水处，断之，得水可饮，清美，去湿痹烦热。"

[2] **《交州记》** 书名，东晋刘欣期撰。

[3] **主烦渴，心躁** "主"，《本草纲目》卷18含水藤条作"解"。"烦渴"，渴时饮水不能解渴为烦渴。"心躁"，即心中烦躁不安。

[4] **天行疫气** 因气候不正常而引起的具有流行性、传染性的疾病。

[5] **瘴疠** 一名瘴毒，一名瘴气，一名山岚瘴气。通常多指恶性疟疾。

[6] **丹石发动** 指当时人们服食五石散所发生的反应。五石散是五种药物配成的药方，由魏晋名士开始吃的。据说，吃久了可以使体质转弱为强，并可以长生不老。五石散由热性药组成，服后宜食寒，待药性发作时要走路（名行散），走得全身发热之后又发冷；冷时，用冷水浇身，吃冷东西。取其寒以解药热，所以五石散又称寒食散。

70 鼠藤[1]

谨按《广州记》云：生南海山谷，藤蔓而生。鼠爱食此，故曰鼠藤。咬处人即用入药[2]。彼人食之，如吃甘蔗。味甘美，主腰脚风冷[3]，大补水脏[4]，好颜色，长筋骨，并剉，浓煎服之。亦取汁浸酒更妙。(《大观本草》卷12页53，《政和本草》页312，《本草纲目》页1054)

【校注】

［1］**鼠藤** 陈藏器《本草拾遗》云："生南海海畔山谷。作藤绕树，茎叶滑净似枸杞；花白，有节心虚；苗头有毛，南人皆识。其藤有鼠咬痕者良。但须嚼咽其汁验也。鼠藤味甘，温，无毒。主丈夫五劳七伤，腰脚痛冷，阴痿，小便数（次数多）白（清白），益阳道，除风气，补衰老，好颜色。取根及茎细剉，浓煮服之讫，取微汗。亦浸酒如药酒法，性极温，服讫稍令人闷，无苦。"

［2］**咬处人即用入药** 《本草纲目》卷18含水藤条附录作"其咬处，人取为药"。

［3］**腰脚风冷** 腰脚因受风冷而疼痛，游走不定。

［4］**水脏** 即肾脏。

71 蜜香[1]

谨按《内典》[2]云：状若槐树。《异物志》[3]云：其叶如椿。《交州记》云：树似沉香无异。主辟恶[4]，去邪鬼尸注心气。生南海诸山中。种之五六年便有香也。(《大观本草》卷12页53，《政和本草》页312，《本草纲目》页1363)

【校注】

［1］**蜜香** 陈藏器《本草拾遗》云："蜜香，味辛温，无毒。主臭，除鬼气。生交州，大树，节如沉香。《异物志》云：蜜香，虫名。又云：树生千岁斫仆之，四五岁乃往看，已腐败，惟中节坚贞是也。树如椿。按，《法华经》注云：木蜜香，蜜也。树形似槐而香，伐之，五六年乃取其香。魏王《花木志》云：木蜜号千岁树，根本甚大，伐之四五岁，取不腐者为香。"

［2］**《内典》** 佛教徒称佛经为《内典》。

［3］**《异物志》** 书名，东汉杨孚撰。

［4］**辟恶** 辟除致病的邪恶。

72 阿勒勃[1]

按《异域记》[2]云：主热病[3]，及下痰[4]，杀虫[5]，通经络。子，疗小儿疳气[6]，凡用先炙令黄用[7]。(《大观本草》卷12页53，《政和本草》页312，《本草纲目》页1311)

【校注】

［1］**阿勒勃**　陈藏器《本草拾遗》云："生佛逝国，似皂荚，圆长，味甜，好吃，一名婆罗门皂荚也。其味苦，大寒，无毒。主心膈间热风，心黄，骨蒸寒热，杀三虫。"段成式《酉阳杂俎》卷18云："波斯皂荚，彼人呼为忽野檐，拂林人呼为阿梨去伐。树长三四丈，围四五尺。叶似枸橼而短小，经寒不凋。不花而实，荚长二尺，中有隔，隔内各有一子，大如指头，赤色，至坚硬，中黑如墨，味甘如饴，可食，亦入药也。"

［2］**《异域记》**　书名，作者不详。

［3］**热病**　病名，出《素问·热论》，泛指一切外感引起的热性病。

［4］**下痰**　用下法排除痰饮。

［5］**杀虫**　即杀灭各种虫。亦包括肉眼看不见的病原体。

［6］**小儿疳气**　疳者干也，泛指多种慢性疾患而致的小儿形体干瘦，津液干枯之证。临床上以面黄肌瘦，毛发焦枯，肚大青筋，精神萎靡等为主要表现之证，称为小儿疳气。

［7］**凡用先炙令黄用**　《本草纲目》卷31阿勒勃条作"炙黄入药"。

73　槟榔[1]

谨按《广志》云：生南海[2]诸国。树茎叶根干，与大腹子[3]异耳。又云如棕榈[4]也，叶茜似芭蕉状。陶弘景云：向阳曰槟榔，向阴曰大腹。味涩，温，无毒。主贲豘[5]诸气，五膈气[6]，风冷气，宿食不消[7]。《脚气论》[8]云：以沙牛尿一盏，磨一枚，空心暖服，治脚气壅毒[9]，水肿浮气[10]。秦医[11]云：槟榔二枚，一生一熟，捣末，酒煎服之，善治膀胱诸气也。（《大观本草》卷13页11，《政和本草》页319，《本草纲目》页1305）

【校注】

［1］**槟榔**　《南方草木状》云："槟榔树，高十余丈，皮似青桐，节如桂竹，下本不大，上枝不小，调直亭亭，千万若一，森秀无柯。端顶有叶，叶似甘蕉，条派开破，仰望眇眇，如插丛蕉于竹杪，风至独动，似举羽扇之扫天。叶下系数房，房缀十数实，实大如桃李，天生棘重累其下，所以御卫其实也。味苦涩，剖其皮，鬻其肤，熟如贯之，坚如干枣。以扶留藤、古贲灰（瓦屋子灰）并食，则滑美下气消谷。出林邑，彼人以为贵，婚族客必先进，若邂逅不设用，相嫌恨。一名宾门药饯。"南宋赵汝适《诸蕃志》卷下槟榔条，记载有米槟榔、盐槟榔、槟榔酒。说明当地人是把槟榔当作果子吃的。

［2］**生南海**　原作"生东海"。按，《名医别录》云："槟榔生南海。"后据此改。

［3］**大腹子**　即大腹槟榔。《开宝本草》云："大腹生南海诸国，所出与槟榔相似，茎、叶、根、干小异。微温，无毒。主冷热气攻心腹，大肠壅毒，痰膈醋心，并以姜、盐同煎，入疏气药，良。"

［4］**棕榈**　苏颂《本草图经》云："棕榈出岭南及西川，江南亦有之。木高一二丈，旁无枝条。叶大而圆，歧生枝端。有皮相重，被于四旁，每皮一匝为一节，二旬一采，转复生上。六七月生黄白

花，八九月结实，作房如鱼子，黑色。九十月采其木皮用。”

［5］**贲豘**　病名，即奔豚，症见气从少腹上冲到咽喉。

［6］**五膈气**　忧膈、恚膈、寒膈、热膈、气膈的总称。

［7］**宿食不消**　见越王馀筭条注［6］。

［8］**《脚气论》**　书名。脚气论同名异书很多，有苏敬撰（《本草拾遗》见引），有唐临撰（《外台秘要》见引），有徐思恭撰（《医心方》见引）。《本草纲目》卷31槟榔条附方援引一方云：“脚气壅痛，以沙牛尿一盏，磨槟榔一枚，空心暖服。梅师《脚气论》。”不知《海药本草》所引是谁家。

［9］**脚气壅毒**　即脚气肿胀，或胫红肿。

［10］**水肿浮气**　体内水湿停滞而致浮肿。

［11］**秦医**　指流寓中国的大秦（古罗马）医生。

74　芜荑[1]

谨按《广州记》云：生大秦国[2]，是波斯芜荑也。味辛，温，无毒。治冷痢[3]，心气[4]，杀虫，止痛[5]。又妇人子宫风虚[6]，孩子疳泻[7]。得诃子、豆蔻良。（《大观本草》卷13页19，《政和本草》页322，《本草纲目》页1418）

【校注】

［1］**芜荑**　《尔雅·释木》云：“无姑，其实夷。”郭璞注：“无姑，姑榆也。生山中。叶（《急就篇》注引作荚）圆而厚，剥取皮合渍之，其味辛香，所谓无夷。”《神农本草经》云：“芜荑，味辛，一名无姑。”《名医别录》云：“芜荑，生晋山（今山西太行山脉）。”陶弘景云：“今惟出高丽，状如榆荚，气臭如犼(音信)，彼人皆以作酱食之。性杀虫，置物中亦辟蛀，但患其臭。”《唐本草》注云：“今延州（今陕西延安）同州（今陕西大荔）者最好。”苏颂《本草图经》云：“芜荑，大抵榆类而差小，其实（果实）亦早成。此榆乃大，气臭如犼(音信)。”

［2］**大秦国**　即古罗马。

［3］**冷痢**　《诸病源候论》卷17冷痢候：“冷痢者，由肠胃虚弱，受于寒气，肠虚则泄，故为冷痢也。凡痢色青色白色黑，并皆为冷痢。”

［4］**心气**　即心的阳气，亦称心阳，与心阴相对而言。心阴心阳互相依附为用。心阳是心气的体现。心气虚则气短，脉弱，心悸，自汗，精神萎靡。心气大虚，则伤及心阳，出现寒象，甚则大汗淋漓、四肢厥冷、脉微欲绝等。

［5］**杀虫，止痛**　芜荑本身并不止痛，但通过杀肠虫可止腹痛。

［6］**子宫风虚**　子宫又称胞宫，出《神农本草经》紫石英条，是妇女内生殖器的组成部分，有行经、孕育胚胎的功能。子宫风虚，指子宫虚冷，不能孕育胚胎。

［7］**孩子疳泻**　指小儿疳疾合并腹泻。多由饮食不洁，寒温失调所致。疳泛指多种慢性疾患而致小儿形体干瘦，津液干枯之证。疳疾患儿多有腹泻。

75 安息香[1]

谨按《广州记》云：生南海、波斯国。树中脂也，状若桃胶，以秋月采之。又方云：妇人夜梦鬼交[2]，以臭黄[3]合为丸，烧熏丹穴[4]永断。又主男子遗精[5]，暖肾[6]，辟恶气[7]。（《大观本草》卷13页39，《政和本草》页330，《本草纲目》页1374）

【校注】

[1] **安息香**　《唐本草》云："出西戎，似松脂黄黑色为块，新者亦柔韧。味辛、苦，平，无毒。主心腹恶气鬼疰。"段成式《酉阳杂俎》云："安息香树出波斯国，呼为辟邪树。长三丈，皮色黄黑。叶有四角，经寒不凋。二月开花黄色，花心微碧，不结实。刻其树皮，其胶如饴，名安息香，六七月坚凝乃取之，烧之通神辟众恶。"

[2] **妇人夜梦鬼交**　晋葛洪《肘后方·治卒得惊邪恍惚方》云："女人与邪物交通，独言独笑，悲思恍惚者。末雄黄一两，以松脂二两溶，和虎爪搅，令如弹丸，夜内火笼中烧之，令女人侵坐其上，被急自蒙，唯出头耳，一两未差，不过三剂，自断也。"

[3] **臭黄**　是雄黄最恶劣者。一名熏黄，烧之有恶臭。《雷公炮炙论》云："臭黄真似雄黄，只是臭不堪用。"

[4] **丹穴**　指丹田穴，位于小腹正中线上，脐下3寸处。

[5] **遗精**　即梦遗。指男子梦中交合，遗泄精液。如无梦而遗泄精液，称为遗精。一般讲遗精，多指梦遗而言。

[6] **暖肾**　指温补肾阳。

[7] **辟恶气**　辟除邪恶不正之气。

76 龙脑香[1]

谨按陶弘景云：生西海[2]律国，是波律树中脂也，如白胶香状[3]。味苦、辛，微温，无毒。主内外障眼[4]，三虫[5]，治五痔[6]，明目，镇心，秘精。又有苍龙脑，主风疮䵟黯[7]，入膏煎良。用点眼，则有伤[8]。《名医别录》[9]云：妇人难产，取龙脑研末少许，以新汲水[10]调服立差。又唐太宗时，西海律国贡龙脑香，是知彼处出耳。（《大观本草》卷13页16，《政和本草》页321，《本草纲目》页1376）

【校注】

[1] **龙脑香**　《唐本草》云："出婆律国。形似白松脂，作杉木香气，明净者善；久经风日，或如雀屎者不佳。云合糯米炭、相思子贮之则不耗。其膏主耳聋。"段成式《酉阳杂俎》云："龙脑香树，出婆利国，呼为固不婆律，亦出波斯国。树高八丈，大可六七围，叶圆而背白，无花实。其树有

肥有瘦，瘦者出龙脑香，肥者出婆律膏。香在木心中，波斯断其树剪取之。其膏于树端流出，斫树作坎而承之。”苏颂《本草图经》云：“唐天宝中，交趾贡龙脑，皆如蝉、蚕之形。彼人云老根节方有之，然极难得。时禁中呼为瑞龙脑，带之衣衿，香闻十余步外。”《大唐西域记》卷 10 秣罗矩吒国（今印度南境），南滨海，有秣剌耶山。其中有羯布罗香树，松身异叶，初采既湿，尚未有香，木干之后，循理而析，其中有香，状若云母，色如冰雪，此所谓龙脑香也。

［2］**西海** 今青海。

［3］**如白胶香状** “白胶香”，即枫香脂。《本草图经》云：“枫香树甚高大，似白杨。叶圆而作歧，有三角而香。二月有花，白色，乃连着实，大如鸭卵，八月九月熟，暴干可烧。”“如白胶香状”，《本草纲目》卷 24 龙脑香条作“状如白胶香。其龙脑油本出佛誓国，从树取之”。

［4］**内外障眼** 《诸病源候论》卷 28 目青盲候：“青盲者，谓眼本无异，瞳子黑白分明，直不见物耳……无热但内生障。”

［5］**三虫** 《诸病源候论》卷 18 三虫候：“三虫者，长虫（蛔虫）、赤虫、蛲虫也。长虫，蛔虫也，长一尺，动则吐清水；赤虫，状如生肉（姜片虫），动则肠鸣；蛲虫至细微，形如菜虫也。”

［6］**五痔** 牡痔、牝痔、脉痔、肠痔、血痔的总称。

［7］**风疮䵟䵳** 见甘松香条注［4］。

［8］**用点眼，则有伤** 《本草纲目》卷 34 龙脑香条作“不可点眼，伤人”。

［9］**《名医别录》** 书名，南朝梁陶弘景集。

［10］**新汲水** 即从井中刚提取出的水。

77 菴摩勒[1]

生西国[2]，大小如枳橘子状。梵[3]云：菴摩勒果是也。味苦、酸、甘，微寒[4]，无毒。主丹石伤肺[5]，上气咳嗽[6]。久服轻身，延年长生[7]。凡服乳石之人[8]，常宜服[9]也。（《大观本草》卷 13 页 40，《政和本草》页 331，《本草纲目》页 1302）

【校注】

［1］**菴摩勒** 《唐本草》云：“一名余甘，生岭南、交、广、爱等州。其树叶细似合欢，花黄。子似李、柰，青黄色。核圆作六七棱，其中仁亦入药用。”苏颂《本草图经》云：“木高一二丈，枝条甚软。叶青细密，朝开暮敛如夜合，而叶微小，春生冬凋。三月有花，着条而生如粟粒，微黄，随即结实作荚。每条三两子，至冬而熟，如李子状，青白色，连核作五六瓣，干即并核皆裂。其俗亦作果子，啖之初觉味苦，良久更甘，故名余甘子。”

［2］**西国** 指西域等地，如印度。

［3］**梵** 指印度佛教经典的古文。

［4］**寒** 《本草纲目》卷 31 菴摩勒条其下有“涩”字。

［5］**丹石伤肺** 见含水藤中水条注［6］。

［6］**上气咳嗽** 咳嗽兼气息急促，呼多吸少，病机为肺气上逆。

［7］**久服轻身，延年长生** 古代曾有些养生家幻想通过长期吃某些药，以轻身延年长生。因此有

很多人都在尝试。《神农本草经》上品药都记载有“久服轻身益气，不老延年”一类的话。

[8] **凡服乳石之人** “乳石”，即石钟乳。《本草图经》云：“石钟乳生岩穴阴处，溜山液而成。空中相通，长者六七寸，如鹅翎管状，色白微红。”唐代柳宗元提倡服石钟乳。柳与崔连州书云：“食之使人荣华温柔，其气宣流，生胃通肠，寿考康宁。”由于柳宗元是当时大文学家，故经他提倡后，很多人都来服食，这些人统称为服乳石之人。元代朱丹溪曾评论说：“自唐时太平日久，膏粱之家惑于方士服食致长生之说，习以成俗，迨宋至今，犹未已也。受此气悍之祸而莫能救，哀哉！本草赞其久服延年之功，柳子厚（柳宗元）又从而述美之，予不得不深言也。”

[9] **常宜服** 服，《本草纲目》卷31菴摩勒条作“食”。

78 毗梨勒[1]

谨按《唐志》[2]云：生南海[3]诸地，树不与诃梨子相似，即圆而毗也[4]。味苦、带涩，微温，无毒[5]。主乌髭发[6]，烧灰，干血效[7]。（《大观本草》卷13页40，《政和本草》页331，《本草纲目》页1303）

【校注】

[1] **毗梨勒** 《唐本草》：“与菴摩勒同出西域及岭南、交、爱等州，戎人（指中国西境兄弟民族）谓之三果。”又注云：“其树似胡桃，子形亦似胡桃，核似诃梨勒，而圆短无棱。”《药性论》云：“毗梨勒，使。能温暖肠腹，兼去一切冷气。蕃中人以此作浆甚热。能染须发变黑色。”《日华子本草》云：“毗梨勒下气，止泻痢。”

[2] **《唐志》** 书名。按，《唐志》疑为《广志》之讹。

[3] **南海** 今广东番禺。

[4] **树不与诃梨子相似，即圆而毗（pí 皮）也** 按《本草纲目》卷31毗梨勒条引“珣曰”作“木似诃梨勒，而子亦相似，但圆而毗，故以名之。毗即脐也”。“毗”，厚也。《毛诗》卷12节南山：“天子是毗。”传云：“厚也。”“圆而毗”，意即圆而厚。

[5] **毒** 此下，《本草纲目》有“作浆性热”四字。

[6] **髭发** 髭，嘴上边的胡子。发，头发。

[7] **干血效** 《大观本草》卷13作“干立效”，《本草纲目》卷31毗梨勒条作“干血有效”。按，“干血”，意即使血凝结变干，亦即止血。

79 没药[1]

谨按徐表《南州记》：生波斯国，是彼处松脂也。状如神香[2]，赤黑色。味苦、辛，温，无毒。主折伤马坠，推陈置新，能生好血[3]。凡服皆须研烂，以热酒调服，近效。堕胎，心腹俱痛[4]，及野鸡漏痔[5]，产后血气痛[6]，并宜丸散中服尔[7]。（《大观本草》卷13页37，《政和本草》页330，《本草纲目》页1373）

【校注】

[1] **没药** 据《证类本草》卷 13 没药条所载，没药最早见录于《药性论》。《开宝本草》云："生波斯国（今伊朗），似安息香，其块大小不定，黑色。味苦，平，无毒。主破血止痛，疗金疮，杖疮，诸恶疮，痔漏，卒下血，目中医晕痛肤赤。"《本草图经》云："今海南诸地及广州或有之，木之根、株皆如橄榄，叶青而密，岁久者，则有膏液流滴在地下凝结成块，或大或小，亦类安息香。"

[2] **神香** 即安息香。

[3] **折伤马坠，推陈置新，能生好血** 此言没药能活血化瘀，治跌打损伤、折伤马坠。《药性论》云："没药能主打搕损，心腹血瘀，伤折踒跌，筋骨瘀痛，金刃所损，痛不可忍，皆以酒投饮之。"

[4] **心腹俱痛** 《本草纲目》卷 34 没药条作"心腹血气痛"。

[5] **野鸡漏痔** 痔疮的别名。

[6] **产后血气痛** 又名儿枕痛。见延胡索条注［6］。

[7] **尔** 《大观本草》卷 13 脱此字。

80 海桐皮[1]

谨按《广志》云：生南海山谷中。似桐皮[2]，黄白色，故以名之。味苦，温，无毒。主腰脚不遂[3]，顽痹[4]，腿膝疼痛[5]，霍乱，赤白泻痢，血痢[6]，疥癣[7]。（《大观本草》卷 13 页 42，《政和本草》页 332，《本草纲目》页 1396）

【校注】

[1] **海桐皮** 据《证类本草》卷 13 海桐皮条所引《本草图经》文中，已记载有唐代刘禹锡《传信方》著录海桐皮验方治风蹶。《开宝本草》云："出南海以南山谷，似梓白皮，堪作绳索，入水不烂。其味苦，平，无毒。主霍乱，中恶，赤白久痢，除甘䘌，疥癣，牙齿虫痛，并煮服及含之，水浸洗目，除肤赤。"苏颂《本草图经》云："今雷州（今广东雷州）及近海州郡亦有之。叶如手大，作三花尖。皮若梓白皮而坚韧可作绳，入水不烂。不拘时月采之。"

[2] **桐皮** 即白桐皮。陆玑《毛诗草木鸟兽虫鱼疏》云："白桐宜为琴瑟。云南、牂牁（今在贵州思南以西）人绩以为布，似毛布。"

[3] **腰脚不遂** 即腰脚运动不自如。

[4] **顽痹** 《本草纲目》卷 35 海桐皮条作"血脉顽痹"。

[5] **腿膝疼痛** 南唐筠州（今江西高安）刺史王绍颜撰《续传信方》著其法云："顷年予在姑熟（今安徽当涂）之日，得腰膝痛不可忍，医以肾藏风毒攻刺，诸药莫疗。因览《传信方》备有此验，立修制一剂，便减五分，步履便轻，故录之耳。海桐皮二两，牛膝、芎䓖、羌活、地骨皮、五加皮各一两，甘草半两，薏苡仁二两，生地黄十两，焙干，细剉，无灰酒二斗浸，冬二七日，夏七日，候熟，空心、食后、日午、晚卧时，服一杯。长令醺醺。"

[6] **赤白泻痢，血痢** 赤白泻痢，指下痢黏冻脓血，赤白相杂。血痢，指痢下挟血，或下纯血。如果下血鲜红，腹痛里急后重，脉盛者为热。如果下血色灰暗，面色萎黄，脉弱者为病久中气虚寒。

[7] **疥癣** 疥疮及各种癣的总称。

81 天竹桂[1]

谨按《广州记》云：生南海山谷。补暖腰脚[2]，破产后恶血[3]，治血痢[4]肠风[5]，功力与桂心[6]同，方家少用。（《大观本草》卷13页48，《政和本草》页334，《本草纲目》页1359）

【校注】

［1］**天竹桂** 《开宝本草》云："功用似桂，皮薄，气不过烈，生西胡国。味辛，温，无毒。主腹内诸冷血气胀。"李时珍曰："此即今闽（今福建）、粤（今广东）、浙（今浙江）中山桂也。而台州（今山西五台县）天竺最多，故名。大树繁花，结实如莲子状。天竺（今印度）僧人称为月桂是矣。"

［2］**补暖腰脚** 天竹桂味辛，温，能温补散寒，故可治因寒冷所致腰脚酸痛。

［3］**破产后恶血** 天竹桂能温通经脉，配以活血化瘀药，能破产后恶血，从而治疗产后恶血瘀阻腹痛。

［4］**血痢** 下痢挟血，或下纯血。

［5］**肠风** 出《素问·风论》，指痔出血。后来大便下血，亦称肠风。大便下血，血在粪前，色多鲜红，多因外风，或内风所致。若便血如赤豆汁，或紫黑，则为肠风兼挟湿邪。

［6］**桂心** 《本草图经》云："牡桂叶大于菌桂，而长数倍。其嫩枝皮半卷多紫，与今宜州（今广西宜山）、韶州（今广东韶关）者相类。彼土人谓其皮为木兰皮，肉为桂心。"

82 元慈勒[1]

慈勒树中脂也。味甘，平。消翳[2]，破血[3]，止痢，腹中恶血[4]，今少有[5]。（《大观本草》卷13页50，《政和本草》页335，《本草纲目》页1378）

【校注】

［1］**元慈勒** 陈藏器《本草拾遗》云："元慈勒，生波斯国，似龙脑香。味甘，无毒。主心病，流血，合金疮，去腹内恶血，血痢，下血，妇人带下，明目，去障翳风泪胬肉。"

［2］**消翳** 即消除目翳。翳指眼内外所生遮蔽视线之目障，亦指引起黑睛混浊或溃陷的外障眼病，以及病变愈后遗留于黑睛的瘢痕。

［3］**破血** 使用化瘀血药中比较峻烈的药物，达到破除瘀血的目的，称为破血。

［4］**腹中恶血** 一般指产后腹中恶血，能引起腹痛。此外亦指因跌扑损伤而致腹内产生之瘀血，瘀血未能及时化掉，日久亦变成恶血。

［5］此条，《本草纲目》列在卷34龙脑香条附录专目下。

83 都咸子[1]

谨按徐表《南州记》云生广南山谷。味甘，平，无毒。主烦躁心闷[2]，痰膈[3]，伤寒清涕[4]，咳逆上气[5]，宜煎服。子食之香，大小如半夏。（《大观本草》卷13页50，《政和本草》页335，《本草纲目》页1312）

【校注】

[1] **都咸子** 陈藏器《本草拾遗》云："生南方，树如李。徐表《南州记》云：都咸树，子大如指，取子及皮作饮极香美。其子及叶，味甘，平，无毒。主渴，润肺，去烦，除痰。火干作饮服之。"李时珍曰："按嵇含《南方草木状》云：都咸树出日南。三月生花，仍连着实，大如指，长三寸，七八月熟，其色正黑。"按，今本《南方草木状》无此文。

[2] **烦躁心闷** 指烦躁不安，心中烦闷不舒适。

[3] **痰膈** 痰涎阻塞胸膈，气机不通，出现心胸烦闷，或胃脘痞塞满闷，胁肋疼痛，甚或呕逆，心下有寒冷感，或按之有水声，或见发动，四肢麻木等。

[4] **伤寒清涕** 《本草纲目》卷31都咸子条作"去伤寒清涕"。按伤寒清涕，指因外感风寒而出现恶寒重，发热轻，舌苔白，脉浮紧，头痛鼻塞流清涕等风寒表实证。

[5] **咳逆上气** 咳嗽兼气促上逆。

84 必栗香[1]

主鬼疰心气[2]，断一切恶气[3]，叶落水中，鱼当暴死。（《大观本草》卷13页49，《政和本草》页334，《本草纲目》页1369）

【校注】

[1] **必栗香** 陈藏器《本草拾遗》云："必栗香，一名化木香，詹香也。叶如椿。生高山，堪为书轴，白鱼不损书也。其味辛，温，无毒。主鬼气，煮服之。并烧为香，杀虫鱼。叶捣碎，置上流，鱼悉暴鳃。"

[2] **鬼疰心气** 见阿魏条注［3］。

[3] **断一切恶气** 《本草纲目》卷34必栗香条注此文出处为陈藏器文。断一切恶气，即断绝一切致病的恶邪毒气。

85 研药[1]

叶如椒[2]，主赤白痢，蛊毒，中恶[3]，并剉煎服之。（《大观本草》卷13页49，《政和本草》页334，《本草纲目》页1368）

【校注】

［1］**研药**　陈藏器《本草拾遗》云："出南海诸州，根如乌药圆小，树生也。味苦，温，无毒。主霍乱，下痢，中恶，腹内不调者服之。"《本草纲目》卷34乌药条附录专目下，列有研药，其中所引"珣曰"的文字，系糅合陈藏器《本草拾遗》文和李珣《海药本草》文。

［2］**椒**　《诗·唐风·椒聊》："椒聊之实"。陆玑疏云："椒树似茱萸，有针刺，叶坚而滑泽。"据陆玑所疏，"椒"，即花椒。

［3］**中恶**　突然见恶物，随即昏倒。

86　榈木[1]

谨按《广志》云：生安南[2]，及南海山谷，胡人用为床坐，性坚好。主产后恶露冲心[3]，癥瘕结气[4]，赤白漏下[5]，并剉煎服之。（《大观本草》卷13页49，《政和本草》页334，《本草纲目》页1420）

【校注】

［1］**榈木**　陈藏器《本草拾遗》云："榈木出安南及南海，人作床几，似紫檀而色赤，为枕令人头痛，为热故也。其味辛，温，无毒。主破血，血块，冷嗽，并煮汁及热服。"李时珍曰："木性坚，紫红色，亦有花纹者，谓之花榈木，可作器皿。"

［2］**安南**　今越南北部。

［3］**产后恶露冲心**　即产后晕厥。

［4］**癥瘕结气**　指包块肿瘤等物。

［5］**赤白漏下**　《诸病源候论》卷38："劳伤血气，冲脉任脉皆起于胞内，为经脉之海。……冲任之气虚，故血非时而下，淋漓不止，而成漏下。漏下赤者，是心脏之虚损。漏下白者，是肺脏之虚损。"

87　黄龙眼[1]

功力胜解毒子[2]也。（《大观本草》卷13页49，《政和本草》页334）

【校注】

［1］**黄龙眼**　陈藏器《本草拾遗》云："黄龙眼，出岭南，状如龙眼，黄色。其味苦，温，无毒。主解金药银药毒，以水研取半合，空心少服，经二十许日，差（治愈）。"

［2］**解毒子**　即苦药子。

88　诃梨勒[1]

按徐表《南州记》云：生南海诸地。味酸、涩，温，无毒。主五膈气结，心腹虚痛[2]，赤白诸痢[3]，及呕吐，咳嗽[4]，并宜使。其皮主嗽。肉炙[5]，治眼涩痛[6]。方家使陆路诃梨勒，即六棱是也。按波斯将诃梨勒、大腹[7]等，舶上用防不虞。或遇大鱼放涎滑水中数里，不通船也[8]，遂乃煮此洗其涎滑，寻化为水。可量治气功力者乎。大腹、诃子，性焦者，是近铛[9]下，故中国种不生。故梵[10]云：诃梨恒鸡，谓唐言天堂，未并只此也。（《大观本草》卷14页8，《政和本草》页342，《本草纲目》页1409）

【校注】

[1] **诃梨勒** 《唐本草》云："诃梨勒，生交（越南北境）、爱州（越南北境）。味苦，温，无毒。主冷气，心腹胀满，下食。"注云："其树似木梡，花白。子形似栀子，青黄色，皮肉相著，水磨或散服之。"

[2] **心腹虚痛** 心腹出现慢性疼痛，痛而喜按。

[3] **赤白诸痢** 苏颂《本草图经》云："诃梨勒主痢，本经不载，张仲景治气痢，以诃梨勒十枚，面裹煻灰火中煨之，令面黄熟，去核，细研为末，和粥饮，顿服。唐代刘禹锡《传信方》云：予曾苦赤白下，诸药服遍，久不差。转为白脓，令狐将军传此法，同诃子三枚上好者，两枚炮取皮，一枚生取皮用，末之，以沸浆水一两合服之，效。"

[4] **咳嗽** 《日华子本草》云："诃梨勒，消痰下气，止肺气喘急。"

[5] **肉炙** 指将诃梨勒肉炮炙。

[6] **眼涩痛** 《诸病源候论》卷29目涩候："若脏腑劳热，热气乘于肝，而冲发于目，则目热而涩也，甚则赤痛。"

[7] **大腹** 即大腹槟榔，主治与槟榔同。详槟榔条。

[8] **不通船也** 《本草纲目》卷35诃梨勒条作"船不能通"。

[9] **铛** 《通俗文》云："釜属也"。釜状如螋而小口。

[10] **梵** 指印度佛教经典的古文。

89 苏方木[1]

谨按徐表《南海记》[2]，生海畔[3]，叶似绛，木若女贞。味平，无毒。主虚劳[4]血癖气壅滞[5]，产后恶露不安，怯起冲心[6]，腹中搅痛[7]，及经络不通，男女中风，口噤不语[8]。宜此法，细研乳头香细末方寸匕[9]，酒煎苏方，去滓，调服，立吐恶物，差。（《大观本草》卷14页24，《政和本草》页348，《本草纲目》页1418）

【校注】

[1] **苏方木** 《唐本草》注云："苏方木，此人用染绛色者，出南海，昆仑来，交州、爱州亦有。树似菴罗，叶若榆叶而无涩，抽条长丈许，花黄，子生青熟黑。其木味甘、咸，平，无毒。主破

血，产后血胀闷欲死者，水煮，苦酒煮五两，取浓汁服之效。”

[2] **徐表《南海记》** 《本草纲目》卷35苏方木条作“徐表《南州记》”。

[3] **海畔** 畔，边也。刘禹锡诗：“沉舟侧畔千帆过，病树前头万木春。”海畔，即海边。

[4] **虚劳** 按《诸病源候论》分析，虚劳包括因气血、脏腑虚损所致的多种病，以及相互传染的骨蒸、传尸。后世文献多将前者称为虚损，后者称为劳瘵。

[5] **血癖气壅滞** 血瘀积滞，经络气壅阻滞，形成癥瘕痃癖。症见胸腹胁肋或脐下有块瘀痛，按之觉硬，推之不移，身体日见消瘦，倦怠无力，饮食减少。

[6] **产后恶露不安，怯起冲心** 产后因恶血使人不安，出现冲心症状。

[7] **腹中搅痛** 凡外感六淫，饮食不节，七情所伤，气机郁滞，血脉瘀阻及虫积等因素，都可致腹痛。苏方木治腹痛，多见于血脉瘀阻腹痛。

[8] **男女中风，口噤不语** 按，中风若因瘀血形成血块堵塞血管而成，用苏方木活血化瘀，可以见效。如果中风因脑溢血所致，则苏方木当属禁用。

[9] **方寸匕** 陶弘景《本草经集注》序云：“方寸匕者，作匕正方一寸，抄散取不落为度。”

90 胡椒[1]

谨按徐表《南州记》，生南海诸地。去胃口气虚冷[2]，宿食不消[3]，霍乱气逆，心腹卒痛，冷气上冲[4]，和气。不宜多服，损肺。一云向阴者澄茄[5]，向阳者胡椒也。(《大观本草》卷14页27，《政和本草》页349，《本草纲目》页1320)

【校注】

[1] **胡椒** 《唐本草》云：“胡椒生西戎，形如鼠李子，调食用之，味甚辛辣。主下气，温中，去痰，除脏腑中风冷。”段成式《酉阳杂俎》云：“胡椒出摩伽陀国，呼为昧履支。其苗蔓生，茎极柔弱，叶长半寸。有细条与叶齐，条上结子，两两相对。其叶晨开暮合，合则裹其子于叶中，形似汉椒，至辛辣，六月采。今作胡盘肉食，皆用之。”按，胡椒为胡椒科植物胡椒的果实。分黑白二种。白胡椒色白名白川，黑胡椒色黑名黑川。

[2] **胃口气虚冷** 《本草纲目》卷32胡椒条作“胃口虚冷气”。胃口气虚冷，多指胃寒。症见胃脘痛，得热痛减，呕吐清涎，口淡喜热饮，便溏，或泄泻而不臭，舌淡胖，苔白润，脉沉迟。

[3] **宿食不消** 指饮食停滞不消化。

[4] **冷气上冲** 其症很像奔豚气上冲。

[5] **澄茄** 即荜澄茄。与胡椒同属于胡椒科植物，也同产于印度尼西亚、马来西亚，因而易误为同一物也。

91 无食子[1]

谨按徐表《南州记》[2]云：波斯国，大小如药子[3]。味温平，无毒。主肠虚冷痢[4]，益血生精[5]，乌髭发[6]，和气安神，治阴毒瘘[7]，烧灰用。张仲景使治阴汗[8]，取烧灰，先以微温水浴了，即以帛微裛[9]，后傅灰囊上[10]，甚良。波斯每食以代果，番胡呼为没食子，今人呼墨食子，转谬矣。(《大观本草》卷 14 页 19，《政和本草》页 346，《本草纲目》页 1409)

【校注】

[1] **无食子** 《唐本草》云："无食子，出西戎，生沙碛间，树似柽。其味苦，温，无毒。主赤白痢，肠滑，生肌。"《开宝本草》云："一名没石子，出波斯国（伊朗），主小儿疳䘌，能黑髭发，治阴疮阴汗，温中和气。"段成式《酉阳杂俎》云："无石子，出波斯国，波斯呼为摩贼。树高六七丈，围八九尺，叶似桃而长。三月开花白色，心微红。子圆如弹丸，初青，熟乃黄白，虫蚀成孔者，入药用。其树一年生无食子（虫瘿），其下生跋屡（果实），大如指，长三寸，上有壳，中仁如栗黄，可啖之。"按无食子为没食子蜂科昆虫没食子的幼虫，寄生于壳斗科植物没食子树幼枝上所产生的虫瘿。

[2] **徐表《南州记》** 人民卫生出版社影印本《政和本草》卷 14 无食子条作"徐长《南荆记》"。

[3] **药子** 即黄药子，又名黄药根、木药子。为薯蓣科植物黄独的块茎。

[4] **肠虚冷痢** 指慢性痢疾，下痢多白冻。

[5] **益血生精** 无食子本无益血生精功能，但由于无食子有收敛作用，能固肾涩精，故而可起到益血生精的作用。

[6] **乌髭发** 使胡子、头发变黑。

[7] **阴毒痿** 指外阴部毒蚀溃烂，脓血淋漓，或痒或痛，或肿胀坠痛。

[8] **阴汗** 指外生殖器及其附近局部多汗，前阴冷而喜热，臊臭，小便赤，阳痿。

[9] **以帛微裛** 帛，丝织品总称。裛，原意是包裹。此处指用柔软的帛，轻微裹一下，以吸附患处水湿。

[10] **囊上** 即阴囊上。

92 千金藤[1]

谨按《广州记》云：生岭南山野。陈氏云：呼为石黄香[2]。味苦，平，无毒。主天行时气[3]，能治野蛊诸毒[4]，痈肿发背[5]，并宜煎服，浸酒治风[6]，轻身也。(《大观本草》卷 14 页 27，《政和本草》页 349，《本草纲目》页 1035)

【校注】

[1] **千金藤** 陈藏器《本草拾遗》云："千金藤有数种。生北地者，根大如指，色似漆。生南土者，黄赤如细辛。舒（今安徽怀宁一带）庐（今安徽庐江）间有一种藤。似木蓼。又有乌虎藤，绕树，冬青，亦名千金藤。又江西山林间有草生，叶头有瘿，子似鹤膝，叶如柳，亦名千金藤。"《开宝本草》云："千金藤，生北地者，根大如指，色黑似漆。生南土者，黄赤如细辛。"

[2] **陈氏云：呼为石黄香** 《证类本草》卷 6 陈藏器余云："陈思岌，味辛，平，无毒。主解诸

药毒，热毒，丹毒，痈肿，天行壮热，喉痹，蛊毒，除风血，补益。已上并煮服之，亦摩傅疮上，亦浸酒。出岭南，一名千金藤，一名石黄香。今江东又有千金藤，一名乌虎藤，与陈思岌所主，颇有异同，终非一物也。陈思岌蔓生如小豆，根及叶辛香也。”按，千金藤同名异物很多，《海药本草》所讲的千金藤，是陈思岌。陈思岌，一名石黄香，又名千金藤。

[3] **天行时气** 因气候不正常而引起的具有流行性、传染性的疾病。

[4] **野蛊诸毒** 指野外的蛊毒，可致病人腹大消瘦。

[5] **痈肿发背** 病名，出《刘涓子鬼遗方》，为有头疽发于脊背者。脏腑俞穴都在背部，脏腑气血不调，或火毒内郁，阴虚火盛，凝滞经脉，使气血壅塞不通而发此病。此病因发病部位不同而有上发背（上搭手）、中发背（中搭手）、下发背（下搭手）。

[6] **风** 此下，《本草纲目》卷18千金藤条附录陈思岌有“补益”二字。

93 婆罗得[1]

谨按徐氏[2]云：生西海[3]波斯国。似中华柳树[4]也，方家多用。（《大观本草》卷14页47，《政和本草》页358，《本草纲目》页1411）

【校注】

[1] **婆罗得** 《开宝本草》云：“婆罗得，树如柳，子如草麻，生西国。其味辛，温，无毒。主冷气块，温中，补腰肾，破痃癖，可染髭发令黑。”《外台秘要》卷32近效换白发及髭方云：“婆罗勒（得的转音），其状似齐子，去皮取汁，但以指甲掐之即有汁。”

[2] **徐氏** 指徐表《南州记》。

[3] **西海** 今青海以西地区。

[4] **中华柳树** 即中国柳树。“树”字下，《本草纲目》卷35婆罗得条有“子如蓖麻子”。此五字是《开宝本草》文，非《海药本草》文。

94 椰子[1]

谨按《交州记》[2]云：生南海。状若海棕[3]。实名椰子，大如椀许大。外有粗皮，如大腹子[4]、豆蔻[5]之类，内有浆，似酒，饮之不醉。主消渴[6]，吐血[7]，水肿，去风热[8]。云南者亦好。武侯[9]讨云南时，并令将士剪除椰树，不令小邦有此异物，多食动气也[10]。（《大观本草》卷14页35，《政和本草》页353，《本草纲目》页1308）

【校注】

[1] **椰子** 晋代嵇含《南方草木状》卷下云：“椰树，叶如栟榈，高六七丈，无枝条。其实大如寒瓜，外有粗皮，次有壳，圆而且坚。剖之有白肤，厚半寸，味似胡桃，而极肥美。有浆，饮之得

醉，俗谓之越王头。云昔林邑（越南北境）王与越王有故怨，遣侠客刺得其首，悬之于树，俄而化为椰子。林邑王愤之，命剖以为饮器，南人至今效之。当刺时，越王大醉，故其浆犹如酒云。"

［2］**《交州记》** 书名。《本草纲目》卷31椰子条引"珣曰"作"刘欣期交州记"。

［3］**海棕** 即棕榈，一名栟榈。苏颂《本草图经》云："棕榈木高一二丈，无枝条。叶大而圆，有如车轮，萃于树杪。其下有皮重叠裹之，每皮一匝为一节，二旬一采，皮转复生上。六七月生黄白花，八九月结实，作房如鱼子，黑色。"

［4］**大腹子** 即槟榔。

［5］**豆蔻** 《本草图经》云："豆蔻即草豆蔻。"

［6］**消渴** 泛指以多饮、多食、多尿为特点的病证。

［7］**吐血** 指血从口中吐出，无呕声，也无咳声，包括呼吸道及上消化道出血。

［8］**去风热** 即散去风热。风热是风邪和热邪相结的病邪。临床表现为发热重，恶寒轻，咳嗽，口渴，舌边尖红，苔微黄，脉浮数，甚则口燥，目赤，咽痛，衄血等。

［9］**武侯** 即诸葛亮。

［10］**多食动气也** 《本草纲目》卷31椰子条引"珣曰"作"多食，冷而动气"。

95 桄榔子[1]

谨按《岭表录》[2]云：生广南[3]山谷，树身皮叶与蕃枣槟榔等小异，然叶下有发，如粗马尾，广人用织巾子，木皮内有面，食之[4]，极有补益虚羸乏损[5]，腰脚无力。久服轻身，辟谷[6]。《录异》云：桄榔盖以此也。（《大观本草》卷14页24，《政和本草》页348，《本草纲目》页1309）

【校注】

［1］**桄榔子** 陈藏器《本草拾遗》云："《临海志》曰：桄榔木作镬锄，利如铁，中石更利，惟中焦根破之。"《开宝本草》云："桄榔子味苦，平，无毒。主宿血，其木似栟榈，坚硬，斫其内有面，大者至数斛，食之不饥。其皮堪作绠。生岭南山谷。"刘恂《岭表录异》云："桄榔木，枝叶并茂，与枣槟榔等小异。然叶下有须如粗马尾，广人采之以织巾子。其须尤宜咸水浸渍，即粗胀而韧，故人以此缚舶不用钉线。木性如竹，紫黑色，有文理。"《太平御览》卷960桄榔条引《广志》曰："木大者四五围，高五六丈，拱直无旁枝。岭顶生叶数十，似棕叶。其木肌坚，研入数寸，得粉赤黄色，可食。"

［2］**《岭表录》** 即唐代刘恂《岭表录异》。按，《四库全书总目》所载《岭表录异》提要云："诸书所引，或称《岭表录》，或称《岭表记》，或称《岭表录异》，或称《岭表录异记》，或称《岭南录》核其文句，实皆此书。"

［3］**广南** 指广东、广西等地区。

［4］**食之** 《本草纲目》卷31桄榔子条作"作饼炙食腴美，令人不饥"。

［5］**虚羸乏损** 因七情、劳倦、饮食、酒色所伤，或病后失于调理，以致形体羸瘦，精神疲乏，出现阴阳、气血、脏腑虚损。

[6] **辟谷** 辟除五谷，不吃饮食，达到长生目的，是古代养生法的一种。

96 柯树皮[1]

谨按《广志》云：生广南山谷。《临海志》[2]云：是木奴树。主浮气[3]。采皮，以水煮，去滓复炼，候凝结丸得为度。每朝空心饮下三丸，浮气水肿[4]，并从小便出[5]。故波斯家用为舡舫也[6]。（《大观本草》卷14页53，《政和本草》页361，《本草纲目》页1422）

【校注】

[1] **柯树皮** 陈藏器《本草拾遗》云："柯树皮，一名木奴，南人用作大舡（船也）者也。其味辛，平，有小毒。主大腹水病，取白皮作煎，令可丸如梧桐子大。平旦（早晨）三丸，须臾（顷刻）又一丸。"

[2] **《临海志》** 即《临海异物志》。三国吴·沈荣撰。

[3] **浮气** 人民卫生出版社影印本《政和本草》原作"乳气"。因下文有"浮气水肿"，故据而改之。

[4] **浮气水肿** 体内水湿停滞而致浮肿。

[5] **并从小便出** 《本草纲目》卷35柯树条注此文出处为"藏器"。

[6] **故波斯家用为舡舫也** 《本草纲目》卷35柯树条作"波斯家用木为船舫也"。"波斯家"，即伊朗人。舡，《增韵》云："吴船名舡。"舫，舫之言方也。《说文解字》："方，并船也。"郭璞注《尔雅》云："舫，并两船。"《楚策》云："一舫载五十人与三月之粮。"

97 栟榈木[1]

谨按徐表《南州记》云：生岭南山谷。平，温，主金疮[2]，疥癣[3]，生肌[4]，止血[5]，并宜烧灰使用。其实黄白色，有大毒，不堪服食也。（《大观本草》卷14页51，《政和本草》页360，《本草纲目》页1421）

【校注】

[1] **栟榈木** 一名棕榈。陈藏器《本草拾遗》云："此木类岭南有虎散桄榔、冬叶蒲葵、椰子、槟榔、多罗等，皆相似，各有所用。栟榈即今川中棕榈。其皮味苦、涩，平，无毒。烧作灰，主破血，止血。初生子黄白色，作房如鱼子，有小毒，破血，但戟人猴，未可轻服。皮作绳，入土千岁不烂，昔有人开塚得之索已生根。"苏颂《本草图经》云："棕榈亦曰栟榈，出岭南及西川，江南亦有之。木高一二丈，旁无枝条。叶大而圆，岐生枝端，有皮相重，被于四旁。每皮一匝为一节，二旬一采，转复生上。六七月生黄白花，八九月结实，作房如鱼子，黑色。九月十月采其皮木用。"

[2] **金疮** 一名金创、金伤、金刃伤、金疡。指金属器刃损伤肢体后所致创伤。亦有将伤后兼感

受毒邪溃烂成疮，称为金疮或金疡。本病轻者皮肉破溃，疼痛，流血；重者伤筋，血流不止，疼痛难忍。

［3］**疥癣** 疥疮及各种癣的统称。

［4］**生肌** 指有生肌收口功能，用以治痈疽溃后，脓水将尽者。

［5］**止血** 是治疗出血的方法。出血原因有多种，所以止血方法有清热止血、祛瘀止血、补气止血之不同，亦有外用局部止血者。栟榈木多烧存性外用止血。

98 没离梨[1]

微温。主消食[2]，涩肠[3]，下气[4]，及上气咳嗽[5]，并宜入面药[6]。（《大观本草》卷14页52，《政和本草》页360，《本草纲目》页1393）

【校注】

［1］**没离梨** 陈藏器《本草拾遗》云："没离梨味辛，平，无毒。主上气，下食。生西南诸地，似毗梨勒，上有毛少许也。"

［2］**消食** 消除食滞，恢复脾胃运化功能的方法。适用于食积停滞，胸脘痞满，腹胀时痛，嗳腐吞酸，厌食，或大便溏泄，苔厚腻而黄，脉滑。

［3］**涩肠** 收涩方法之一。治疗大便滑泄的方法。如泻痢日久，大便不能控制，便脓血不净，血色暗红，脱肛不收，腹痛喜温喜按，脉迟弱，可用此法。

［4］**下气** 理气法之一，又称降气。是治疗气上逆的方法。适用于喘咳、呃逆等症。

［5］**上气咳嗽** 咳嗽伴有气上逆喘促。

［6］**面药** 类似脸面用的肤霜。

99 楸木皮[1]

微温。主消食，涩肠，下气，及上气咳嗽，并宜入面药。（《大观本草》卷14页52，《政和本草》页361，《本草纲目》页1393）

【校注】

［1］**楸木皮** 本条楸木皮的文字，和没离梨条文字全同。但陈藏器《本草拾遗》楸木皮与没离梨两条文字内容不同。从性味主治功用看，陈藏器云："楸木皮味苦，小寒，无毒。主吐逆，杀三虫及皮肤虫，煎膏黏傅恶疮疽瘘，痈肿，疳，野鸡病，除脓血，生肌肤，长筋骨。叶捣傅疮肿，亦煮汤洗脓血，冬取干叶汤揉用之。"陈藏器又云："没离梨味辛，平，无毒。主上气，下食。"试看楸木皮主要作外用，治痈疽疮痔；没离梨可内服治上气咳逆和食滞不下行。而李珣《海药本草》在楸木皮条和没离梨条所讲的文字俱作"味温，主消食，涩肠，下气及上气咳嗽"。观其文字及内容，则与陈藏器所云没离梨条文字极相似，内容全同；而与陈藏器所云楸木皮条文字不同，内容也不相同。疑《海药本草》所讲的文字，似由陈藏器所云没离梨条文字删改而成。张绍棠刻的《本草纲目》卷35楸条

引有《海药本草》的文字，视《海药本草》文字为楸木皮。但《本草纲目》卷31目录中有没离梨的药名，书中脱漏没离梨的条文。1978年人民卫生出版社校点本《本草纲目》卷31没离梨及卷35楸条同录《海药本草》文字。所以校点本《本草纲目》在楸条和没离梨条主治项下所录《海药本草》文字完全相同。

兽部　卷第四

100 犀角[1]

谨按《异物志》[2]云：出东海水中，其牛乐闻丝竹[3]，彼人动乐，牛则出来，以此采之。有鼻角、顶角，鼻角为上。大寒，无毒。主风毒攻心[4]毷氉[5]热闷，痈毒赤痢[6]，小儿麸豆[7]，风热惊痫[8]。并宜用之。凡犀屑了，以纸裹于怀中良久，合诸色药物，绝为易捣。又按通天犀，胎时见天上物命过，并形于角上，故云通天犀也。欲验于月下，以水盆映，则知通天矣。《正经》[9]云：是山犀，少见水犀。《五溪记》[10]云：山犀者，食于竹木，小便即竟日不尽。夷僚家以弓矢而采，故曰黔犀。又刘孝标[11]言：犀堕角，里人以假角易之，未委虚实。（《大观本草》卷17页17，《政和本草》页383）

【校注】

[1] **犀角** 《尔雅》云："犀似豕"。郭璞注："形似水牛，猪头，大腹，痺脚，脚有三蹄，黑色。三角，一在顶上，一在额上，一在鼻上。好食棘，亦有一角者。"《名医别录》云："犀出永昌（今云南保山）山谷及益州（今四川省）。"陶弘景注云："今出武陵（今湖南常德）、交州（今越南北部）诸远山。犀角有二角，以额上者为胜。"

[2] **《异物志》** 书名。东汉杨孚撰。

[3] **丝竹** 指由丝弦竹子制成的乐器，如琴瑟笙箫管笛之属。《礼乐记》云："金石丝竹，乐之器也。"又丝竹亦用为音乐之总称。《汉书·张敞传》："口非恶旨甘，耳非憎丝竹也。"《三国志·魏志·陈思王植传》："目极华丽，耳倦丝竹。"此处丝竹似指音乐而言。

[4] **风毒攻心** 指风热毒邪攻心。症见高热，神昏，谵语，甚则昏迷不醒，四肢厥逆，或见抽搐等。

[5] **毷（mào 帽）氉（sào 臊）** 烦闷也。《唐国史补》："举子不捷而醉饱，谓之打毷氉。"打毷氉谓拂其烦闷也。

[6] **痢毒赤痢** 赤痢之因热毒所致者。症见痢下赤色脓血，或如烂鱼肠，并无大便。或下血如豚肝，心烦腹绞痛。

[7] **麸豆** 疑即麸痘疮。本书真珠条作“麸豆疮”。钱氏小儿方云：“痘疮稠密，生犀，于涩器中，新汲水磨浓汁，冷饮服之。”李时珍曰：“犀角主痘疮稠密，内热黑陷。”按，痘疮，一名肤疮，以东晋建武中于南阳击虏所得。或曰豌豆疮，言其形似豌豆也。

[8] **风热惊痫** 指高热惊厥抽风。

[9] **《正经》** 指《蜀本草》。

[10] **《五溪记》** 书名，作者不详，史志失载。

[11] **刘孝标** 是南北朝梁代（502—557年）人，他把刘宋时刘义庆编的《世说新语》，用400多种书进行补充注释，并纠正原书一些错误，使原书内容更加丰富。《世说新语》分德行、语言、政事、文学等36篇，全面地记载了上起汉末，下迄东晋这一时期士大夫的言行，揭示了这些人物的内心世界。

101 象牙[1]

谨按《内典》[2]云：象出西国[3]，有二牙四牙者。味寒，主风痫热[4]，骨蒸劳[5]，诸疮等。并皆宜生屑入药，得琥珀、竹膏、真珠、犀角、牛黄等良。西域[6]重之，用饰床坐。中国贵之，以为笏[7]。昆仑诸国有象，生于山谷，每遇解牙，人不可取。昆仑以白木削为牙，而用易之。《酉阳杂俎》[8]云：生文理必国富。又云：龙与象，六十岁骨方足。（《大观本草》卷16页8，《政和本草》页371，《本草纲目》页1765）

【校注】

[1] **象牙** 陈藏器《本草拾遗》云：“象肉味咸酸，不堪啖（食也）。胆主目疾，和乳滴目中。”《日华子本草》云：“象牙，平，治小便不通，生煎服之；小便多，烧灰饮下。胆明目及治疳。蹄底似犀，可作带。”《开宝本草》云：“象牙无毒，主诸铁及杂物入肉，刮取屑，细研，和水傅疮上及杂物刺等立出。”苏颂《本草图经》曰：“《尔雅》云：南方之美者，有梁山之犀象焉（今本《尔雅》无此文）。今多出交趾（今越南北部），潮州（今广东潮州）、循州（今广东惠阳）亦有之。彼人捕得，争食其肉。”

[2] **《内典》** 佛教徒对佛经的称呼。

[3] **西国** 指今东亚、南亚地区。

[4] **风痫热** 指高热惊厥抽风。

[5] **骨蒸劳** 指发热自骨髓透发而出。属劳瘵之类。多因阴虚内热所致。症见潮热，盗汗，喘息，无力，心烦少寐，手心常热，小便黄赤。

[6] **西域** 指中亚、西亚、南亚等地区。

[7] **笏（hù 沪）** 古代朝见时，大臣所执的手板，用以记事。《礼记·玉藻》云：“笏，天子以

球玉，诸侯以象，大夫以鱼须文竹，士以竹本。象笏，度二尺六寸，其中博二分，其蔱六分而去一。”明代规定四品以上的官用象牙制的笏，五品以下用木制的笏。

[8] **《酉阳杂俎》** 书名，唐代段成式撰。全书20卷，续集10卷。书中记载有关古代中外传说、神话、故事、传奇以及有关陨星、化石、矿藏的发现，动物的形态与特性。段成式字柯古，祖籍山东邹平，约生于803年，卒于863年，是晚唐的一位文学家，曾与温庭筠、李商隐齐名。

102 腽肭脐[1]

谨按《临海志》[2]云：出东海水中。状若鹿形，头似狗，长尾。每遇日出，即浮在水面，昆仑家以弓矢而采之[3]，取其外肾，阴干百日。其味甘香美，大温，无毒。主五劳七伤[4]，阴痿，少力[5]，肾气衰弱虚损[6]，背膊劳闷，面黑[7]精冷，最良。凡入诸药，先于银器中酒煎后，方和合诸药，不然以好酒浸炙入药用，亦得。(《大观本草》卷18页12，《政和本草》页394，《本草纲目》页1798)

【校注】

[1] **腽肭脐** 陈藏器《本草拾遗》云：“如烂骨，从西番来。骨肭兽似狐而大，长尾，脐似麝香，黄赤色。生突厥国，胡人呼为阿慈勃他你。”《药性论》云：“腽肭脐是新罗国海内狗外肾也。”苏颂《本草图经》云：“出西戎，今东海旁亦有之。云是新罗国海狗肾。旧说是骨肭兽，似狐而大，长尾，其皮上自有肉，黄毛，三茎共一穴。今沧州所图，乃是鱼类而豕首，两足，其脐红紫色，上有紫斑点，全不相类，医家亦兼用此。”寇宗奭《本草衍义》云：“今出登（今山东蓬莱）、莱州（今山东莱州）。观其状，非狗非兽，亦非鱼也。但前即似兽，尾即鱼，其身有短密淡青白毛，腹胁下全白，仍相间于淡青白毛，上有深青黑点，久则色复淡，皮厚且韧如牛皮。”按寇宗奭描述，腽肭脐是海豹。

[2] **《临海志》** 书名，三国吴·沈荣撰。

[3] **而采之** 《本草纲目》卷51腽肭脐条作“射之”。

[4] **五劳七伤** 《诸病源候论》卷3虚劳候：“五劳者，一曰志劳，二曰思劳，三曰心劳，四曰忧劳，五曰瘦劳。七伤者，一曰阴寒，二曰阴痿，三曰里急，四曰精连连，五曰精少，阴下湿。六曰精清。七曰小便苦数，临事不卒。”(卒，《外台秘要》作“举”)

[5] **阴痿，少力** 指男子阳痿，出现阴茎不举，或举而无力。

[6] **肾气衰弱虚损** 《本草纲目》卷51腽肭脐条作“肾虚”。

[7] **面黑** 面色暗黑。中医认为是风邪客于皮肤，痰饮渍于脏腑所致。

虫鱼部　卷第五

103 牡蛎[1]

按《广州记》云：出南海[2]水中。主男子遗精[3]，虚劳乏损[4]，补肾正气[5]，止盗汗[6]，去烦热[7]，治伤阴热疾[8]，能补养，安神[9]，治孩子惊痫[10]。久服轻身。用之炙令微黄色，熟后，研令极细，入丸散中用。（《大观本草》卷20页6，《政和本草》页412，《本草纲目》页1638）

【校注】

[1] **牡蛎** 《名医别录》云："牡蛎，一名牡蛤，生东海池泽，采无时。"苏颂《本草图经》云："牡蛎，今海旁皆有之，而南海闽中及通、泰间尤多。此物附石而生，傀儡相连如房，故名蛎房。一名蚝山，晋安（今福建南安）人呼为蚝蒲。初生海边，才如拳石，四面渐长，有一二丈者，崭岩如山。每一房有蚝肉一块，肉之大小，随房所生，大房如马蹄，小者如人指面。海潮来，则诸房皆开，有小虫入，则合之，以充腹。海人取之，皆凿房，以烈火逼开之，挑取其肉。而其壳左顾者雄，右顾者则牡蛎耳。"

[2] **南海** 今广东番禺。

[3] **男子遗精** 指男子梦中交合，遗泄精液。

[4] **虚劳乏损** 因脏腑气血亏损所致多种病之总称。

[5] **补肾正气** 按，牡蛎能涩精，止遗精，所以可起到补肾作用。肾精足则血足，因为精血同源。血能生气，血足则气盛，所以牡蛎亦能间接地起到补正气作用。

[6] **止盗汗** 醒时出汗为自汗，入睡后出汗为盗汗。牡蛎有收涩作用，故能涩精止盗汗。《本事方》云：牡蛎粉、麻黄根、黄芪等分为末。每服二钱，水一盏，煎七分温服，治虚劳盗汗。

[7] **烦热** 指虚烦而多热。《药性论》云："病人虚而多热，（牡蛎）加用之并地黄、小草（远志）。"

[8] **治伤阴热疾** 指热病伤阴，肝风内动，四肢抽搐之症，用牡蛎配龟板、鳖甲可治之。

[9] **能补养，安神** 凡由阴虚阳亢所致烦躁不安，心神不宁，心悸不寐，将牡蛎配以龙骨、龟

板、白芍，可起到补养肝阴、安定心神作用。

［10］**治孩子惊痫** 按，牡蛎能平肝潜阳，故凡由阴虚阳亢所致小儿惊痫，以本品配蜈蚣、僵蚕、全蝎、钩藤等可治之。

104 石决明[1]

主青盲内障[2]，肝肺风热[3]骨蒸劳极[4]，并良。凡用先以面裹熟煨，然后磨去其外黑处，并粗皮了，烂捣之，细罗[5]，于乳钵[6]中再研如面，方堪用也。

（《大观本草》卷20页12，《政和本草》页416，《本草纲目》页1642）

【校注】

［1］**石决明** 《名医别录》云："石决明生南海。"《唐本草》注云："此物是鳆鱼甲也，附石生，状如蛤，惟一片无对，七孔者良。今俗用紫贝，全别，非此类也。"《开宝本草》云："石决明生广州海畔（边），壳大者如手，小者如三两指，其肉南人皆啖（食）之。亦取其壳以水渍洗眼，七孔九孔者良，十孔以上者不佳。谓是紫贝及鳆鱼甲并误矣。"按，石决明为鲍科动物九孔鲍（光底石决明）和盘大鲍（毛底石决明）的贝壳。

［2］**青盲内障** 见龙脑香条注［4］。《名医别录》云："石决明主目障翳痛青盲。"《日华子本草》云："石决明明目。"

［3］**肝肺风热** 指风热犯肝犯肺。风热犯肝，症见头昏眩，甚至眩晕欲倒，胸中不舒，呕吐等。风热犯肺，症见咳嗽痰稠，身热，汗出恶风，口干咽痛，鼻流黄涕，苔薄，脉浮数等。按，《蜀本草》云：石决明寒，寒能胜热。石决明善能平肝潜阳，适用于肝阳亢兼见有热象者。配以菊花、夏枯草、钩藤之类，其效益著。

［4］**骨蒸劳极** 即结核病出现低热。

［5］**细罗** 即细筛。

［6］**乳钵** 即研钵。最早用于研石钟乳，故名乳钵。

105 秦龟[1]

谨按《正经》云：生在广州[2]山谷，其壳味带苦。治妇人赤白漏下[3]，破积癥[4]，顽风冷痹[5]，关节气壅[6]。或经卜者更妙。凡甲炙令黄，然后入药中[7]。

（《大观本草》卷20页8，《政和本草》页414，《本草纲目》页1627）

【校注】

［1］**秦龟** 《名医别录》云："秦龟，味苦，无毒。主除湿痹气，身重，四肢关节不可动摇。生山之阴土中，二月八月取。"陶隐居注云："此即山中龟，不入水者。形大小无定，方药不堪用。"陈藏器《本草拾遗》云："秦龟是山中大龟，如碑下者。食草根竹笋，深山谷有之。"《本草图经》云：

“秦龟，或云秦以地称，云生山之阴者是，秦地山阴也。今处处有之。山中龟，其形大小无定，大者有如碑趺，食草根竹萌，冬月藏土中，至春而出，游山谷中，然药中稀用。水龟，其骨白而厚，色至分明，所以供卜人及入药用。”

[2] **广州** 今广东广州。

[3] **赤白漏下** 妇女白带淋漓不止，或赤或白。

[4] **破积癥** 攻破积聚癥瘕。

[5] **顽风冷痹** 《诸病源候论·风痹候》：“风寒湿三气，合而为痹，风多者为风痹。风痹之状，肌肤尽痛。”顽风冷痹，由风寒所致的慢性痹证，症见疼痛游走不定，遇冷痛甚，病情顽固难治。

[6] **关节气壅** 此文接上句，由于顽风冷痹袭击关节，使关节邪气壅塞，运动不灵。“节”，《大观本草》卷20作“隔”。

[7] **凡甲炙令黄，然后入药中** 《本草纲目》卷45秦龟条作“以酥或酒炙黄用”。又秦龟条的主治文字，《本草纲目》注出处为“孟诜”。

106 鲛鱼皮[1]

谨按《名医别录》云：生南海。味甘、咸，无毒。主心气鬼疰[2]，蛊毒[3]，吐血。皮上有真珠斑。(《政和本草》页434)

【校注】

[1] **鲛鱼皮** 《唐本草》注云：“鲛鱼皮出南海，形似鳖无脚而有尾。主蛊气，蛊疰方用之。即装刀靶鲭鱼皮也。”陈藏器《本草拾遗》云：“一名沙（鲨，下同）鱼，一名鳆鱼皮。主食鱼中毒，烧末服之。”《蜀本草·图经》云：“圆广尺余，尾长尺许。”苏颂《本草图经》云：“《山海经》注云：‘鲛，沙鱼，其皮可以饰剑’是也。今南人但谓之沙鱼，然有二种，其最大而长喙如锯者，谓之胡沙，性善而肉美。小而皮粗者，曰白沙，肉彊而有小毒。”《山海经·中山经》：“中次八经，荆山，雎水出也，其中多鲛鱼。”清代郝懿行疏云：“鲛鱼，即今沙鱼。”按，鲛鱼为皱唇鲨科动物白斑星鲨，或其他鲨鱼。

[2] **心气鬼疰** 指有传染性的病原体。

[3] **蛊毒** 使人腹大消瘦的病原体。

107 鱁鳀[1]

谨按《广州记》云：生南海。无毒，主月蚀疮[2]，阴疮[3]，瘘疮[4]，并烧灰用。(《大观本草》卷20页12，《政和本草》页420，《本草纲目》页1621)

【校注】

[1] **鱁（zhú逐）鳀（tí题）** 陈藏器《本草拾遗》云：“鱁鳀鱼白，主竹木入肉，经久不出

者，取白傅疮上四边肉烂即出刺，一名鳔。”“鲢鳀”，《本草纲目》卷 44 作“鲢鮧”。按，《广韵》云：“鲢鮧，盐藏鱼肠也。”《齐民要术》有作鲢鮧法云：“取石首鱼、魦鱼、鲻鱼三种肠、肚胞脐浮洗空，著白盐，内器中，密封，置日中，熟时下姜醋等。”注谓：“昔汉武帝逐夷至海滨，闻有香气，乃是渔夫造鱼肠于坑中，香气上达，逐夷得此物，因名之。盖鱼肠酱也。”

［2］**月蚀疮** 症见耳后折缝间皮肤潮红，久则滋水淋漓，湿烂作痒，搔破流血水，甚则耳后折缝裂开，状如刀割，缠绵难愈。

［3］**阴疮** 一名阴蚀。症见外阴部溃烂，形成溃疡，脓血淋漓，或痛或痒，多伴有赤白带下，小便淋漓等。

［4］**瘘疮** 《本草纲目》卷 44 鲢鮧条作“瘘疮”。

108 蚺蛇胆[1]

谨按徐表《南州记》云：生岭南[2]。《正经》云：出晋安[3]及高贺州[4]，彼人畜养而食之。胆，大寒，有毒。主小儿八痫[5]，男子下部䘌疮[6]。欲认辨真假，但割胆看，内细如粟米，水中浮走者是真也，沉而散者非也。（《大观本草》卷 22 页 8，《政和本草》页 443，《本草纲目》页 1584）

【校注】

［1］**蚺蛇胆** 《名医别录》云：“蚺蛇胆味甘，苦，寒，有小毒。主心腹䘌痛，下部䘌疮，目肿痛。”陶弘景注云：“此蛇出晋安（今福建南安），大者二三围，在地行，住不举头。”《唐本草》注云：“今出桂广以南，高、贺等州，大有酱肉为脍，以为珍味。”苏颂《本草图经》云：“今岭南州郡皆有之。《岭表录异》云：雷州（广东雷州）有养蛇户，五月五日即担舁蚺蛇入官以取胆。每一蛇皆两人担舁，置大篮笼中，藉以软草屈盘其中，将取之，则出置地上，用杈枒十数，翻转蛇腹，旋复按之，使不得转侧，约分寸于腹间，剖出肝胆。胆状若鸭子大，切取之，复内肝腹中，以线缝合创口，蛇亦复活。舁归，放于川泽。”

［2］**岭南** 今广东、广西等地区。

［3］**晋安** 今福建南安。

［4］**高贺州** 高州即今广东茂名，贺州即今广西州县。

［5］**小儿八痫** 《本草纲目》卷 43 蚺蛇条注此文出处为“甄权”。

［6］**男子下部䘌疮** 即阴疮。

109 贝子[1]

云南极多，用为钱货易[2]。主水气浮肿[3]，及孩子疳蚀[4]，吐乳。并烧过入药中用。（《大观本草》卷 22 页 20，《政和本草》页 449，《本草纲目》页 1647）

【校注】

［1］**贝子** 《神农本草经》云："贝子主五癃，利水道。"《名医别录》云："贝子，一名贝齿，生东海池泽。"《蜀本草·图经》云："贝子，蜗类也，形若鱼齿，洁者良。"《药性论》云："贝子，使，能破五淋，利小便，治伤寒狂热。"《日华子本草》云："贝齿，凉，治翳障并鬼毒蛊气，下血，又名白贝。"苏颂《本草图经》云："贝子，今南海亦有之，贝类之最小者。《交州记》曰：大贝出日南（安南），如酒杯，小贝贝齿也。善治毒。俱有紫色是也。洁白如鱼齿，故一名贝齿。珂亦似此而大，黄黑色，其骨白，可以饰马。"

［2］**易** 《本草纲目》卷46贝子条作"交易"。

［3］**水气浮肿** 体内水湿停滞而致浮肿。

［4］**孩子疳蚀** 一名疳䘌、鼻䘌疮。由乳食不调，上焦积热，壅滞肺中所引起。症见鼻中赤痒，连唇生疮。涕多而黄，皮毛枯焦，肌肤枯瘦，手足潮热等。"孩子"，《本草纲目》卷46贝子条作"小儿"。

110 甲香[1]

和气清神，主肠风[2]瘘痔[3]。陈氏[4]云：主甲疽[5]，瘘疮[6]，蛇蝎蜂螫[7]，疥癣[8]，头疮[9]，馋疮[10]。（《大观本草》卷22页33，《政和本草》页455，《本草纲目》页1650）

【校注】

［1］**甲香** 苏颂《本草图经》云："甲香，生南海，今岭外闽中（今福建）近海州郡及明州（今浙江宁波）皆有之，海蠡之掩也。《南州异物志》曰：甲香大者如瓯面，前一边直才长数寸，围壳岨峿有刺。其掩杂众香烧之使益芳，独烧则臭，一名流螺。诸螺之中，流最厚味是也。其蠡大如小拳，青黄色，长四五寸。人亦啖其肉，今医方稀用，但合香家所须。"《本草纲目》卷46将甲香并在海螺条下。按，甲香即螺掩，掩亦作厣，即田螺等壳口之圆片状物，系由螺足部表皮分泌物所成。

［2］**肠风** 大便带血，或下纯血。

［3］**瘘痔** 痔疮和肛瘘的合称。

［4］**陈氏** 指陈藏器。

［5］**甲疽** 一名嵌甲。多因剪甲伤肌，或因穿窄鞋甲长侵肉，致使甲旁焮肿破烂，时渗黄水，胬肉高突，疼痛难忍，触之更甚。《诸病源候论》卷30作"代指"。其指先肿，焮焮热痛，其色不暗，然后方缘甲边结脓，极者爪甲脱也。亦名代甲，亦名糟指，亦名土灶。

［6］**瘘疮** 肛瘘和痔疮合称。

［7］**蛇蝎蜂螫（shì释）** "螫"，毒虫叮咬释放毒素。此处指毒蛇、蝎、蜂螫人，释毒伤人。

［8］**疥癣** 疥疮和各种癣之总称。

［9］**头疮** 谓头上有疮，含有脓血者，古病名曰疕。

［10］**馋（chán谗）疮** "馋"，即口旁馋疮，一名吻疮，一名口角疮。《诸病源候论》卷30云："口吻疮，其脏腑虚，为风邪湿热所乘，气发于脉，与津液相搏，则生疮。恒湿烂有汁，世谓之

肥疮，亦名燕口。”

111　小甲香[1]

若螺子状。取其蒂而修成也[2]。(《大观本草》卷22页33,《政和本草》页455,《本草纲目》页1650)

【校注】

［1］**小甲香**　苏颂《本草图经》云：“甲香须用台州（今浙江临海）小者佳。合香家所须。用时先以酒煮去腥及涎，云可聚香。《传信方》载其法：每甲香一斤，以泔（米汁）一斗半，于铛（小口蛇腹深底锅）中，以微塘火煮经一伏时，即换新泔，经三换，即漉出，众手刮去香上恶物，讫。用白蜜三合，水一斗，再煮，都三伏时，以香烂止。碳火热烧地，洒清酒令润，铺香于其上，以新瓷瓶盖合，密泥一伏时。待香冷硬，即臼中，用木杵捣令烂。以沉香三两，麝香一分，和合略捣令香乱，入即香成。以瓷瓶贮之，更能埋之，经久方烧尤佳。”

［2］此条，《本草纲目》卷46海螺条作“又有小甲香，状若螺子，取其蒂修合成也”。《本草纲目》并将此文插在“颂曰”文字之中。这就意味着此文出典为苏颂《本草图经》。

112　甲煎[1]

口脂用也[2]。《广州记》云：南人常食，若龟鳖之类。(《大观本草》卷22页33,《政和本草》页455)

【校注】

［1］**甲煎**　香名。《宋书·范蔚宗传》：“撰《和香方序》曰：枣膏昏钝，甲煎浅俗，非惟无助于馨烈，乃当弥增于尤疾。”庾信《镜赋》：“脂如甲煎。”陈藏器《本草拾遗》云：“甲煎，味辛，平，无毒。主甲疽疮及杂疮难差者，虫蜂蛇蝎所螫疼，小儿头疮吻疮，耳后月蚀疮，并傅之。合诸药及美果花，烧成灰，和蜡成口脂。所主与甲煎相同。三年者治虫杂疮及口旁㖞疮，甲疽等疮。”

［2］**口脂用也**　《本草纲目》卷46甲煎条云：“甲煎，以甲香同沉、麝诸药花物治成，可作口脂及焚爇也。唐李义山诗所谓‘沉香甲煎为廷燎’者，即此。”

113　珂[1]

谨按《名医别录》云：生南海，白如蚌。主消翳膜[2]及筋胬肉[3]，并刮点之。此外无诸要用也。(《大观本草》卷22页30,《政和本草》页454,《本草纲目》页1649)

【校注】

[1] **珂** 《唐本草》云："珂，味咸，平，无毒。主目中翳，断血生肌。贝类也。大如鳆，皮黄黑而骨白，以为马饰。生南海，采无时。"《太平御览》卷941螺条引"徐衷《南方记》"云："马珂螺，大者围九寸，细者围七八寸，长三四寸。"

[2] **翳膜** 即目肤翳。《诸病源候论》卷28目肤翳候："阴阳之气，皆上注于目。若风邪痰气，乘于脏腑，腑脏之气虚实不调，故气冲于目，久不散，变生肤翳。肤翳者，明眼睛上有物如蝇翅者即是。"

[3] **筋胬肉** 即胬肉攀睛，相当于目息肉淫肤。《诸病源候论》卷28："息肉淫肤者，此由邪热在脏，气冲于目，热气攻于血脉，蕴结不散，结而生息肉，在于白睛肤睑之间，即谓之息肉淫肤也。"

114 蛤蚧[1]

谨按《广州记》云：生广南[2]水中，有雌雄，状若小鼠，夜即居于榕树上。投一获二。《岭外录》[3]云：首如虾蟆，背有细鳞，身短尾长。旦暮自鸣蛤蚧。俚人采之，割腹以竹开张，曝干鬻于市[4]。力在尾，尾不全者无效。彼人用疗折伤。近日西路亦出。其状虽小，滋力一般，无毒。主肺痿上气[5]，咯血[6]，咳嗽，并宜丸散中使。凡用炙令黄熟后[7]捣，口含少许，奔走，令人不喘者是其真也。（《大观本草》卷22页15，《政和本草》页447，《本草纲目》页1582）

【校注】

[1] **蛤蚧** 《岭表录异》云："蛤蚧，首如虾蟆，背有细鳞如蚕子，土黄色，身短尾长。多窠于榕树中，端州（今广东高要）子墙内有。窠于听署城楼间者，旦暮则鸣，自呼蛤蚧。或云鸣一声者是一年者。俚人采之鬻于市为药，能治肺疾。医人云：药力在尾，尾不具者无功。"苏颂《本草图经》云："杨雄《方言》：桂林之中，守宫能鸣者，俗谓之蛤蚧，言其鸣自呼其名也。药力全在尾，人捕之，则自啮断其尾，因得释去。窠穴多依榕木，亦有在古屋城楼间者。人欲得其首尾完者，乃以长柄两股铁叉，如黏黐竿状，伺于榕木间，以叉刺之，一股中脑，一股著尾，故不能啮也。行常一雄一雌相随，入药亦须两用之。"

[2] **广南** 今广东、广西地区。

[3] **《岭外录》** 此书即刘恂《岭表录异》。

[4] **鬻（yù 域）于市** "鬻"，卖也。"鬻于市"即于市面上出卖。

[5] **肺痿上气** 指因肺叶枯萎而出现的以咳吐浊唾涎沫为主症的慢性虚弱疾患。症见口干咽燥，形体消瘦，或见潮热，甚则皮毛干枯，舌干红，脉虚数，咳吐稠黏涎沫，动则上气咳促，甚或少气不能相息。

[6] **咯血** 指喉中觉有血腥，一咯即有血块或鲜血。亦指痰中带有血丝者。

[7] **后** 人民卫生出版社影印本《政和本草》作"熟"；《大观本草》卷22蛤蚧条作"后"。

115　郎君子[1]

谨按《异志》[2]云：生南海[3]，有雄雌，青碧色，状似杏人。欲验真假，先于口内含，令热，然后放醋中[4]，雄雌相趁[5]，逡巡[6]便合，即下其卵如粟粒状，真也。主妇人产难[7]，手把便生，极有验也。乃是人间难得之物[8]。（《大观本草》卷21页26，《政和本草》页436，《本草纲目》页1653）

【校注】

[1] **郎君子**　顾玠《海槎录》云："郎君子似相思子，状如螺，中实如石，大如豆。藏箧笥（竹制方形盛饭食的器具）积岁不坏。若置醋中，即盘旋不已。"

[2] **《异志》**　书名，疑即《异物志》。

[3] **南海**　中国南边领海地区。

[4] **先于口内含，令热，然后放醋中**　《本草纲目》卷46郎君子条作"口内含热放醋中"。

[5] **趁**　《纂文》云："关西以逐物为趁。"《本草纲目》卷46郎君子条作"逐"。

[6] **逡（qūn）巡**　其意为有所顾虑而徘徊或退却。

[7] **妇人产难**　《诸病源候论·妇人难产病诸候》："产难者，或先因漏胎，去血脏燥，或子脏宿挟疹病，或触禁忌，或始觉腹痛，产时不到，便即惊动，秽露早下，致子道干涩，产妇力疲，皆令难也。"

[8] **乃是人间难得之物**　《本草纲目》卷46郎君子条作"亦难得之物"。

116　海蚕沙[1]

谨按《南州记》[2]云：生南海[3]山石间。其蚕形[4]，大如拇指。沙甚白，如玉粉状。每有节。味咸，大温，无毒。主虚劳[5]冷气，诸风不遂[6]。久服令人光泽[7]，补虚羸[8]，轻身延年不老。难得真者。多只被[9]人以水搜葛粉、石灰，以梳齿隐成，此即非也[10]，纵服无益，反损人，慎服之[11]。（《大观本草》卷21页26，《政和本草》页436，《本草纲目》页1522）

【校注】

[1] **海蚕沙**　《本草纲目》卷39作"海蚕"，省去"沙"字。

[2] **《南州记》**　书名，徐表撰。

[3] **南海**　中国南边领海地区。

[4] **其蚕形**　《本草纲目》卷39海蚕条作"状如蚕"。

[5] **虚劳**　气血虚弱，身体劳损的总称。

[6] **冷气，诸风不遂**　指风冷伤于人，形成痹痛，而且手足不遂，是一种痿痹的病证。即《诸病

源候论》卷3之虚劳风痿痹不随候。

［7］**光泽** 光华润泽。

［8］**虚羸** 虚劳羸瘦。《诸病源候论·虚劳羸瘦候》："夫血气者，所以荣养其身也。虚劳之人，精髓萎竭，血气虚弱，不能充盛肌肤，此故羸瘦也。"

［9］**多只被** 《本草纲目》卷39海蚕条作"彼"。

［10］**以梳齿隐成，此即非也** 《本草纲目》卷39海蚕条作"以梳齿印成伪充之"。

［11］**慎服之** 《本草纲目》作"宜慎之"。

117 青鱼枕[1]

南方人[2]以为酒器梳篦[3]也。（《大观本草》卷21页24，《政和本草》页435）

【校注】

［1］**青鱼枕** 《开宝本草》云："青鱼头中枕，蒸取干，代琥珀用之。摩服，主心腹痛。"苏颂《本草图经》云："青鱼，生江湖间，今亦出南方，北地或时有之。似鲤鲩，而背正青色，南人多以作鲊。古作鲭，所谓五候鲭鲊是也。头中枕蒸令气通，暴干，状如琥珀，云可以代琥珀非也。荆楚间，取此鱼枕煮拍作器皿甚佳。""枕"字原脱，据文意补。

［2］**南方人** 《大观本草》脱"方"字。

［3］**梳篦** 梳，整理头发的用具。《广韵》云："梳，栉也。"《释名·释首饰》："梳，言其齿疏也。""篦"，亦作"箅"（bì 泌），有空隙而能起间隔作用的片状器，如竹篦子。

118 真珠[1]

谨按《正经》云：生南海，石决明[2]产出也。主明目[3]，除面䵟[4]，止泄[5]。合知母，疗烦热消渴[6]。以左缠根[7]治儿子麸豆疮[8]入眼。蜀中西路女瓜亦出真珠，是蚌蛤产，光白甚好，不及舶上彩耀。欲穿，须得金刚钻也。为药，须久研如粉面，方堪服饵。研之不细，伤人脏腑。（《大观本草》卷20页9，《政和本草》页414）

【校注】

［1］**真珠** 《开宝本草》云："真珠，寒，无毒。主手足皮肤逆胪（手足爪甲际皮剥起），镇心。绵裹塞耳，主聋。傅面，令人润泽，好颜色。粉点目中，主肤翳障膜。"苏颂《本草图经》云："今出廉州（今广西合浦），北海（今广西北海）。生于珠牡，珠牡蚌类也。按《岭表录异》：廉州（合浦）边海中有州岛，岛上有大池，谓之珠池，每岁刺史亲监珠户入池，采老蚌割取珠，以充贡。池水乃淡。土人采小蚌肉作脯食之，往往得细珠如米者，乃知此池随大小皆有珠矣。而今取珠牡，云得之海旁，不必是珠池中也。"

［2］**石决明**　是相对于草决明而言。它是鲍科动物的贝壳，也能明目，兼有镇静作用。

［3］**明目**　《日华子本草》云："真珠子明目。"《药性论》云："真珠治眼中翳障白膜。"《开宝本草》云："真珠粉点目中，主肤翳障膜。"《圣惠方》以真珠粉调以鲤鱼胆。频点治肝虚目暗和青盲不见。

［4］**面皯**　脸上雀斑。

［5］**泄**　义同泻。指多种腹泻的总称。《素问·风论》："食寒则泄。"《奇效良方》："泄者泄漏之义，时时溏薄，或作或愈；泻者一时水去如注。"

［6］**烦热消渴**　指外感热证，壮热烦躁不安，口渴能饮。

［7］**左缠根**　《大观本草》卷20真珠条误作"左右根"。《本草纲目》卷18下忍冬条释名专目，谓忍冬一名左藤。疑左根或是左藤的根，亦即忍冬根。忍冬即金银花。

［8］**麸豆疮**　即天花传染时发的疮。

119　青蚨[1]

谨按《异志》[2]云：生南海诸山，雄雌常处不相舍。主泌精[3]，缩小便[4]。青金色相似，人采得，以法末之，用涂钱以货易，昼用夜归，亦是人间难得之物也。（《大观本草》卷22页34，《政和本草》页456，《本草纲目》页1525）

【校注】

［1］**青蚨**　陈藏器《本草拾遗》云："青蚨生南海，状如蝉，其子著木。一名蚨蜗。其味辛，温，无毒。主补中，益阳道，去冷气，令人悦泽。《搜神记》曰：南方有虫，名蝍蠋（一本作墩蝺），如蝉大，辛美可食，其子如蚕种，取其子归，则母飞来。"《太平御览》引《淮南万毕术》："青蚨还钱，青蚨一名鱼伯。"《广雅》云："蚨蝺、鱼伯、青蚨也。"《抱朴子·对俗篇》云："鱼伯识水旱之气，蜉蝣晓潜泉之地。"段成式《酉阳杂俎》续集卷8："青蚨似蝉而状稍大，其味辛可食。每生子，必依草叶，大如蚕子。人将子归，其母亦飞来，不以近远，其母必知处。青蚨，一名鱼伯。"

［2］**《异志》**　书名，疑即《异物志》。

［3］**泌精**　泌涩精液，止梦遗泄精。

［4］**缩小便**　即涩小便，治小便频数，或小儿遗尿。

果米部　卷第六

120 豆蔻[1]

生交趾[2]。其根似益智[3]，皮壳小厚。核如石榴，辛且香，蒳草树也[4]。叶如芄兰[5]而小，三月采其叶，细破阴干之。味近苦而有甘。（《大观本草》卷23页1，《政和本草》页460，《本草纲目》页811）

【校注】

[1] **豆蔻** 《名医别录》云："豆蔻，味辛，温，无毒。主温中，心腹痛，呕吐，去口臭气。生南海。"《唐本草》注云："豆蔻苗似山姜，花黄白；苗根及子亦似杜若、枸橼。"《蜀本草》引《图经》云："苗似杜若，春花在穗端如芙蓉，四房，生于茎下，白色，花开即黄，根似高良姜，实若龙眼，而无鳞甲，中如石榴子，茎叶子皆味辛而香。"苏颂《本草图经》云："豆蔻，即草豆蔻也。"

[2] **交趾** 今越南北部。

[3] **益智** 《证类本草》卷14益智子条引陈藏器云："《广志》云：叶似蘘荷，长丈余。其根上有小枝，高八九尺，无叶。萼子丛生，大如枣，中瓣黑，皮白，核小者名益智。"又《唐本草》注云："益智似连翘子头未开者。味甘，辛。其苗、叶、花、根与豆蔻无别，惟子小尔。"

[4] **蒳草树也** 《本草纲目》卷14豆蔻条无此文。"蒳"（nà纳），香草。《异物志》："蒳叶似栟榈而小，子似槟榔。"

[5] **芄（wán丸）兰** 芄，《毛诗》云："芄兰之枝。"陆玑疏云："一名萝摩，幽州谓之雀瓢。"陶弘景注云："萝摩作藤，生摘之，有白乳汁，叶厚而大，可生啖。"《尔雅》："雚，芄兰。"郭璞注云："雚。芄蔓生，断之有白汁，可啖。"按，陶注与郭注相同，芄兰即萝摩。《本草纲目》卷18萝摩条云："三月生苗，蔓延篱垣，其根白软，其叶长而后大前尖。根与茎叶，断之皆有白汁。"

121 荔枝[1]

谨按《广州记》云：生岭南[2]及波斯国。树似青木香。味甘、酸。主烦渴[3]，头重[4]，心躁[5]，背膊劳闷[6]，并宜食之。嘉州[7]已下，渝州[8]并有。其实熟[9]甘美。荔枝熟，人未采，则百虫不敢近。人才采之，乌鸟、蝙蝠之类，无不残伤。故采荔枝者，日中而众采之。荔枝子一日色变，二日味变，三日色味俱变。古诗云：色味不踰三日变。员安宇荔枝诗云：香味三日变。今泸渝[10]人食之，多则发热疮[11]。（《大观本草》卷23页22，《政和本草》页470，《本草纲目》页1299）

【校注】

[1] **荔枝** 陈藏器《本草拾遗》云："《广州记》云：荔枝精者，子如鸡卵大，壳朱，肉白，核如鸡舌香。《广志》曰：荔枝冬青。"《开宝本草》云："荔枝子，味甘，平，无毒。止渴，益人颜色。生岭南及巴中。其树高一二丈，叶青阴，凌冬不凋。形如松子大，壳朱若红螺纹，肉青白若水精，甘美如蜜。四五月熟。"苏颂《本草图经》云："今泉（今福建闽侯）福（今福建福州）漳（今福建漳州）嘉（今四川乐山）蜀（今四川崇州）渝（今重庆）涪州（今重庆涪陵）兴化军（今福建莆田）及二广州郡皆有之。其品闽中（今福建）第一，蜀川（今四川）次之。岭南（今广东、广西）为下。《扶南记》云：此木以荔枝为名者，以其结实时，枝弱而蒂牢，不可摘取，以刀斧劙（利）取其枝，故以为名耳。"

[2] **岭南** 今广东、广西等地区。

[3] **烦渴** 渴而能饮，饮亦不解渴。

[4] **头重** 头有沉重感。

[5] **心躁** 心中烦躁不安。

[6] **背膊劳闷** 膊，上肢。此指肩、背上肢劳累闷痛。

[7] **嘉州** 今四川乐山。

[8] **渝州** 今重庆。

[9] **熟** 人民卫生出版社影印本《政和本草》误作"热"。

[10] **泸渝** 今四川泸州及重庆。

[11] **热疮** 出《肘后方》。易发生在上唇、口角和鼻孔周围。患处和皮肤出现密集成簇的小疱，形如粟米，或如小豆，疱液澄清，渐变混浊，可有瘙痒灼痛，七日左右消退，愈后常可复发。

122　橄榄[1]

谨按《异物志》[2]云：生南海浦屿间。树高丈余。其实如枣，二月有花生，至八月乃熟，甚香。橄榄木高大难采，以盐擦木身，则其实自落[3]。（《大观本草》卷23页37，《政和本草》页479，《本草纲目》页1301）

【校注】

[1] **橄榄** 晋代嵇含《南方草木状》云："橄榄树，身耸，枝皆高数丈。其子深秋方熟，味虽苦

涩，咀之芬馥，胜含鸡骨香。吴（222—280）时岁贡，以赐近侍。本朝（晋朝）自太康（280—289）后亦如之。”陈藏器《本草拾遗》云：“橄榄树大，圆实，长寸许，南方人以为果，生实味酸。《南州异物志》曰：橄榄子，缘海浦屿间生。实大如轴，头皆反垂向下。”《开宝本草》云：“其树似木槵子，树高而端直，其形似生诃子无棱瓣，生岭南，八月九月采。又有一种名波斯橄榄，色类亦相似，其形核作三瓣，可以蜜渍食之。生邕州（广西邕宁）。”

[2] **《异物志》** 书名。《证类本草》卷23橄榄条陈藏器引作“南州异物志”，疑《海药本草》援引《异物志》即《南州异物志》。

[3] **以盐擦木身，则其实自落** 苏颂《本草图经》云：“山野中生者，子繁而木峻，不可梯缘，但刻其根下方寸许，内（同纳）盐于中，一夕子皆落，木亦无损。”本条，《本草纲目》卷31橄榄条集解专目引珣曰作“按南州异物志云：闽、广诸郡及缘海浦屿间皆有之。树高丈余，叶似榉、柳。二月开花，八月成实，状如长枣，两头尖，青色。核亦两头尖而有棱，核内有三窍，窍中有仁，可食。”

123 松子[1]

味甘美，大温，无毒。主诸风[2]，温肠胃[3]。久服轻身，延年，不老。味与卑占国[4]偏桃人相似。其偏桃人用与北桃人无异是也。（《大观本草》卷12页6，《政和本草》页291，《本草纲目》页1304）

【校注】

[1] **松子** 即松实。《名医别录》云：“松实，味苦，温，无毒。主风痹，寒气，虚羸，少气，补不足。九月采阴干。”苏颂《本草图经》云：“方书言松为五粒，字当读为鬣，言每五鬣为一叶，或有两鬣七鬣者。松岁久，则实繁，中原虽有，然不及塞上者佳好也。”《本草纲目》卷31海松子条云：“中国松子大如柏子，亦可入药，不堪果食。”

[2] **主诸风** 主治各种风邪所致的疾患。

[3] **温肠胃** 此处指温通肠胃。寇宗奭《本草衍义》云：“松子多从海东来，今关右亦有，但细小味薄，与松子仁同治虚秘。”

[4] **卑占国** 《大观本草》卷23作“卑方国”。《本草纲目》卷31海松子条作“卑古国”。段成式《酉阳杂俎》卷18作“偏桃出波斯国”。《岭表录异》卷中作“偏桃出毕占国”。人民卫生出版社影印本《政和本草》卷23海松子条作“卑占国”。

124 海松子[1]

去皮，食之甚香美。与云南松子不同。云南松子似巴豆，其味不厚，多食发热毒[2]。（《大观本草》卷23页40，《政和本草》页478）

【校注】

[1] **海松子** 《开宝本草》云："味甘，小温，无毒。主骨节风，头眩，去死肌，变白，散水气，润五脏，不饥。生新罗，如小栗，三角，其中人香美，东夷人食之当果，与中土松子不同。"《证类本草》卷12松脂引肃炳云："又有五粒松，道家服食绝粒；子如巴豆，新罗往往进之。"段成式《酉阳杂俎》前集卷18木篇云："松，凡言两粒，五粒，粒当言鬣。成式修行里私第，大堂前有五鬣松两株，大财如椀。甲子年结实，味与新罗南诏者不别。五鬣松，皮不鳞。"

[2] **热毒** 多指外科痈疡病证的主要致病因素。

125 偏桃人[1]

出卑占国[2]，味似海松子，用与北桃人无异也。(《大观本草》卷23页40，《政和本草》页478)

【校注】

[1] **偏桃人** 段成式《酉阳杂俎》前集卷18木篇云："偏桃，出波斯国（伊朗），波斯呼为婆淡。树长五六丈，围四五尺；叶似桃而阔大；三月开花，白色；花落结实，状如桃子而形偏，故谓之偏桃。其肉苦涩不可啖，核中人甘甜，西域诸国并珍之。"

[2] **卑占国** 《本草纲目》卷31海松子条作"卑古国"。

126 都角子[1]

谨按徐表《南州记》云：生广南[2]山谷。二月开花，至夏末结实如卵。主益气[3]，安神、遗泄[4]、痔[5]，温肠[6]。久服无所损也。(《大观本草》卷23页42，《政和本草》页479，《本草纲目》页1312)

【校注】

[1] **都角子** 陈藏器《本草拾遗》云："都角子生南方，树高丈余，子如卵。"徐表《南方记》云："都角树二月花，花连着实也。其味酸涩，平，无毒。久食益气，止泄。"李时珍曰："按魏王《花木志》云：都角树出九真（今越南顺化以北地区）、交趾（今越南北部），野生。二三月开花，赤色。子似木瓜，八九月熟。里民取食之。味酸，以盐、酸沤食，或蜜藏皆可。一云状如青梅。"

[2] **广南** 今广东、广西地区。

[3] **益气** 即补气，是治疗气虚证的方法。气虚主要表现为倦怠乏力，声低懒言，呼吸少气，面色晄白，自汗怕风，大便滑泄，脉弱或虚大。

[4] **遗泄** 梦遗泄精。

[5] **痔** 《本草纲目》卷31都角子条引李珣作"治痔"。"痔"，泛指多种肛门部疾病。近代认为，痔系直肠下端黏膜下和肛管皮肤下痔静脉扩大和曲张所形成的静脉团。按其生长部位不同，分内

痔、外痔、混合痔三种。

[6] **温肠** 陈藏器《本草拾遗》谓都角子酸涩止泄。适用于肠虚久泻，表现有温补大肠作用，故能温肠。

127 文林郎[1]

南山亦出，彼人呼榲桲[2]。是味酸香，微温，无毒。主水泻[3]，肠虚[4]、烦热[5]。并宜生食，散酒气也。(《大观本草》卷23页42，《政和本草》页479，《本草纲目》页1276)

【校注】

[1] **文林郎** 陈藏器《本草拾遗》云："文林郎，味甘，无毒。主水痢，去烦热。子如李，或如林檎。生渤海间，人食之。云其树从河中浮来，拾得人，身是文林郎，因以此为名也。"

[2] **榲桲** 马志等《开宝本草》云："榲桲，味酸、甘，微温，无毒。主温中下气，消食，除心间醋水，去臭，辟衣鱼。生北土，似楂子而小。"

[3] **水泻** 指便泄如水之状，多见于湿泻、寒泻、热泻等证。

[4] **肠虚** 指大小肠气虚，不能泌别清浊，导致小便不利，喘满或飧泄的病证。

[5] **烦热** 指热而烦躁不安。

128 无漏子[1]

树若栗木[2]。其实如橡子[3]，有三角。消食，止咳嗽，虚羸[4]，悦人[5]。久服无损也。(《大观本草》卷23页42，《政和本草》页479，《本草纲目》页1309)

【校注】

[1] **无漏子** 陈藏器《本草拾遗》云："无漏子，味甘，温，无毒。主温中，益气，除痰嗽，补虚损，好颜色，令人肥健。生波斯国。如枣，一云波斯枣。"段成式《酉阳杂俎》前集卷18云："波斯枣，出波斯国，波斯国呼为窟莽。树长三四丈，围五六尺。叶似土藤，不凋。二月生花，状如蕉花。有两甲，渐渐开罅，中有十余房。子长二寸，黄白色，有核，熟则紫黑，状类干枣，味如饧，可食。"

[2] **栗木** 《证类本草》卷23栗条引《蜀本草·图经》云："栗树高二三丈，叶似栎。花青黄色，似胡桃花。实大者如拳，小如桃李。"

[3] **橡子** 孙真人《枕中记》云："橡子非果非壳，而最益人。"按，橡子即橡实。寇宗奭《本草衍义》云："橡实，栎木子也，叶如栗叶。山中以椿桩仁为粮。"

[4] **虚羸** 虚弱羸瘦。

[5] **悦人** 悦泽人面。

129 摩厨子[1]

谨按《异物志》云：生西域[2]。二月开花，四月、五月结实如瓜许[3]。益气[4]，安神，养血[5]，生肌[6]。久服健人也[7]。（《大观本草》卷23页43，《政和本草》页480）

【校注】

[1] **摩厨子** 陈藏器《本草拾遗》："生西域及南海，子如瓜，可为茹。《异物志》云：木有摩厨，生自斯调。厥汁肥润，其泽如膏，馨香异射，可以煎熬，彼州之人，仰以为储。斯调国名也。"

[2] **西域** 指今中亚、西亚、南亚地区。

[3] **如瓜许** 《本草纲目》卷31摩厨子条作"如瓜状"。

[4] **益气** 指增强机体各种功能。

[5] **养血** 即补血，是补法之一，可疗血虚。血虚，多见面色苍白或萎黄，头晕目眩，心悸，气短，唇舌色淡，脉细。

[6] **生肌** 指生肌收口功能，用于痈疽溃后，脓水将尽者。

[7] **久服健人也** 《本草纲目》卷31摩厨子条作"久服轻健"。

130 君迁子[1]

谨按刘斯《交州记》[2]云：其实中有乳，汁甜美香好，微寒，无毒。主消渴烦热，镇心[3]。久服轻身，亦得悦人颜色也[4]。（《大观本草》卷23页43，《政和本草》页480）

【校注】

[1] **君迁子** 陈藏器《本草拾遗》："君迁子，味甘，平，无毒。主止渴，去烦热，令人润泽。生海南，树高丈余，子中有汁如乳汁。《吴都赋》云：平仲君迁。"《本草纲目》卷30君迁子条："司马光《名苑》云：君迁子似马奶，即今牛奶柿也，以形得名。崔豹《古今注》云：牛奶柿即楰枣，叶如柿，子亦如柿。《广志》云：楰枣，小柿也。肌细而厚，少核，可以供御。"

[2] **刘斯《交州记》** 《本草纲目》卷30君迁子条作"刘欣期交州记"。

[3] **镇心** 即安神。

[4] **久服轻身，亦得悦人颜色也** 《本草纲目》卷30君迁子条作"久服，悦人颜色，令人轻健"。

131 莕草[1]

其实如毬[2]子，八月收之。彼民常食之物。主补虚羸乏损[3]，温肠胃[4]，止

呕逆[5]。久食健人。一名自然谷[6]。中国人未曾见也[7]。(《大观本草》卷26页8，《政和本草》页498)

【校注】

[1] **莃(shī师)草** 莃，草名。《集韵》引《博物志》云："生扶海州上，实如大麦，一曰自然谷。"按，此草生海滨砂地，地下茎蔓延甚长，每节生多数之须根，可以藉之束沙土，海岸赖以坚固。陈藏器《本草拾遗》云："师草实，味甘，平，无毒。主不饥轻身。出东海州岛，似大麦，秋熟。一名禹馀粮，非石之馀粮也。"

[2] **毬(qiú求)** 毬，今作球，圆形的立体物。

[3] **虚羸乏损** 意同虚劳，见苏方木条注[4]。

[4] **温肠胃** 见松子条注[3]。

[5] **呕逆** 指饮食、痰涎从胃中上涌，自口而出。多为胃气失于和降所致。而脾胃虚弱，寒邪犯胃，湿热蕴蒸，痰饮内伏，饮食积滞，均可导致胃气上逆，呕吐。

[6] **一名自然谷** 《本草纲目》卷23莃草条作"自然谷"。

[7] **中国人未曾见也** 莃草，陈藏器《本草拾遗》已经收录，且陈氏《本草拾遗》早于李珣《海药本草》，故李珣所云"(莃草)中国人未曾见也"不可信。

《海药本草》后记

关于《海药本草》的后记，拟分以下几个问题来介绍。即该书作者的讨论、五代时李珣的简介、李珣著《海药本草》的背景、《海药本草》亡佚的情况、《海药本草》的辑复、《海药本草》的内容、《海药本草》的特点、辑复《海药本草》的意义、其他有关《海药本草》问题的讨论。现在分别介绍如下。

一、《海药本草》作者的讨论

南宋史学家郑樵《通志 · 艺文略》卷 45 艺文七："《海药本草》六卷，李珣撰。"但郑樵并未言明李珣是什么时候的人。《本草纲目》卷 1 上序例上历代诸家本草标题下，有《海药本草》的书名，并注云："唐人李珣所著，珣盖肃、代时人。"按，唐代有两个李珣，一是唐睿宗李旦的孙子李珣，一是唐末五代时的李珣。关于前一个李珣，《旧唐书》睿宗三子传说，他在玄宗天宝三年（744）已死，在这之后 12 年肃宗才即位，死后 18 年代宗才即位，显然不是肃宗、代宗时人；而且《旧唐书》说他早卒，并无事迹可传。则《海药本草》当然不会是前一个李珣所著。所以，《海药本草》应是五代时李珣所著。

二、五代时李珣的简介

吴任臣《十国春秋》卷 44 李珣传："李珣，字德润，梓州人，昭仪李舜玹之兄也。珣以小词为后主（前蜀王衍）所赏，尝制浣溪沙词，有‘早为不逢巫峡夜，那堪虚度锦江春’，词家互相传诵，所著有《琼瑶集》若干卷。”黄休复《茅亭客话》卷2李四郎条：“李四郎名玹，字廷仪，其先波斯国（伊朗）人，随僖宗入蜀，授率府率。兄珣有诗名，预宾贡焉。玹举止温雅，颇有节行，以鬻香药为业。”何光远《鉴诫录》卷4斥乱常条：“宾贡李珣，字德润，本蜀中土生波斯也。”

从上述资料来看，李珣字德润，是四川土生波斯人，即波斯裔华人，其祖先从丝绸之路来华经商，定居于长安，唐末战乱，随僖宗入蜀。史书谓僖宗奔蜀在庚子，即僖宗广明元年（880），则李珣先人入蜀当在880年。

李珣本人出生在四川梓州，人称蜀秀才。其弟做过前蜀王衍率府率（太子出行时护从一类的官），其妹李舜玹做过前蜀后主王衍的昭仪，并擅长写作，有蜀宫应制诗等篇章（《十国春秋》卷38昭仪李氏传）。李珣本人做过宾贡。宾贡是由地方推荐的充当统治者的宾礼和护送官的有才之人。李珣亦擅长诗词。何光远《鉴诫录》说李珣所吟的词，往往动人但常遭到王衍的翰林校书尹鹗嘲笑：“异域从来不乱常，李波斯强学文章，假饶折得东堂桂，狐臭熏来也不香。”

李珣的词是有名的，著有《琼瑶集》不传。后蜀赵崇祚《花间集》收录李珣词37首，宋代无名氏《尊前集》收载李珣词18首。南宋王灼《碧鸡漫志》卷5云：“伪蜀李珣《琼瑶集》亦有之。”清代沈雄《古今词话》卷7词评上，记有唐末五代时李珣《琼瑶集》条云：“李珣国亡不仕。”

三、李珣著《海药本草》的背景

李珣原在前蜀王衍殿下做宾贡，925年后蜀为后唐所灭，李珣就不再做官了，并乘船东下，经巫峡，过洞庭，到南方去游历，这从李珣《南乡子》17首词中记载的很多南方动物植物及风景中可证实。李珣《南乡子》的词中记有孔雀、象、豆蔻、荔枝、椰子、越王台、海潮等。从越王台、海潮等记载中可知，李珣到过当时逐渐发达的通商口岸广州等地。

李珣由于家庭是卖香药的，自己又到南方游历过，故对岭南地方药物和由海道输入的外来药都很熟悉，加以本人擅长文学，所以能够写出中国第一部有关外来药的专著——《海药本草》。

《海药本草》所载的药物，多数是从海外来的，或从海外移植到南方。“海药”的“海”字，即指外来输入的物品而言，此与古代将外来药品冠以“胡”字，和近代将外来药品冠以“洋”字之意义相同。《证类本草》援引《海药本草》资料，所言产地，大都是南方和海外。例如金屑出大食国，安息香、诃梨勒出波斯，椰木出安南，龙脑香出律国等。所以，李珣用“海药本草”来命名此书，是名副其实的。

四、《海药本草》亡佚的情况

《海药本草》原书已佚，但它的内容为后世本草所援引，其中以《证类本草》为最多，其他如宋代傅肱《蟹谱》、洪刍《香谱》、刘昉《幼幼新书》亦有所引。明代李时珍《本草纲目》引用的亦很多，但是李时珍并非直接从原书援引，多是从《证类本草》及其他书间接转引。唐慎微著《证类本草》时，所引《海药本草》资料，都是作为补充前代本草之不足而摘录的，并非全文抄录。像藤黄、车渠等，前代本草未见录的，即全文抄录；如果与前代本草内容部分不相同，即节录部分不同的内容；与前代本草完全相同的内容即不录了。所以《证类本草》援引《海药本草》资料，除少数条文是完整文字外，其余大部分药物条文都是节录性的文字。

由于《证类本草》援引《海药本草》资料大部分是节录性的文字，则《证类本草》所录《海药本草》资料，不论是在药物条文方面，或在药物品种方面，都是残缺不全的。例如，在药物品种方面，有很多外来药，像《唐本草》收录的底野迦；《广雅》记的“玳瑁形似龟，出南海巨延州”；《魏书·波斯国传》，记有郁金、千年枣；《北史·康国传》记有硇砂等，以上疑《海药本草》应有记载，唯所记内容，没有越出前代本草内容，所以唐慎微未加摘录。又如《证类本草》卷7海根条，唐慎微引《海药本草》云：“海根，胡人采得蒸而用之，余并同。”引文中“余并同”，是说海根条文还有其余的部分和前代本草内容相同。唐慎微并不录，用“余并同”三字概括之。

五、《海药本草》的辑复

笔者在20世纪60年代曾以1957年人民卫生出版社影印《政和本草》为底本，以1904年柯逢时影刻《大观本草》及1932年商务印书馆影印《政和本草》为校本，并以1957年人民卫生出版社影印《本草纲目》为旁校本，参考傅肱《蟹谱》及洪刍《香谱》等书，辑录《海药本草》药物131条。这个数字，当然不是原书应有的药物总数。原书所载的药物总数，应多于此数。

在药物条文方面，具有完整条文的只有16味药，即车渠、金线矾、波斯白矾、瓶香、钗子股、宜南草、藤黄、返魂香、海红豆、落雁木、莎木、栅木皮、无名木皮、奴会子、郎君子、海蚕沙。因为这16味药是《海药本草》新增的药，为前代本草所无，所以这16味药的条文是完整的。其余的药物条文均是节录性条文，残缺不全：有的条文仅录一点功用，如黄龙眼“功力胜解毒子也”，青鱼枕“南方人以为酒器梳篦也”；有的仅录畏恶，如补骨脂只录“恶甘草”3个字；有的仅录制法，如小甲香只录“若螺子状。取其蒂修成也”。

由于《证类本草》所引《海药本草》资料，无论在药物品种方面，还是在每个药物内容方面，都以前代本草所无为节录依据，所以《海药本草》残存的内容，也是《海药本草》最精华的部分。尽管这部分残存内容在药物总数和药物条文不能符合《海药本草》原书要求，但也能反映《海药本草》原书真实的情况。

《证类本草》援引《海药本草》药物条文是123条，其中玉石类11条，草类38条，木类46条，兽禽类3条，虫鱼类15条，果类9条，米类1条。北宋傅肱《蟹谱》援引石蟹1条。洪刍《香谱》亦曾援引过，但洪刍所引与《证类本草》所引完全相同。至于石蟹，本书并入玉石类，则玉石类有12种。在木类中有楸木皮和没离梨所引《海药本草》条文完全相同。在虫鱼类将甲香条分出小甲香和甲煎两条。加以其他药物的分条，本书共收录药物131条。

在这131条中，有10种药见录于《神农本草经》，有13种药见录于《名医别录》，有40多种药见录于《唐本草》，有50多种药见录于陈藏器《本草拾遗》，有16种药为《海药本草》新增的。该16种药，后被《嘉祐本草》收录为正品。

六、《海药本草》内容

《海药本草》原书虽佚，但从对诸书所辑《海药本草》131条的条文分析，亦可看出李珣对药物的叙述特点：在书写体例方面有一定的格式；在叙述范围上亦是非常广泛的，包括药名含义、出处、产地、形态、品质优劣、真伪鉴别、采收、炮制、性味、主治、附方、用法、禁忌、畏恶等各个方面。虽然不是每个药都按这些条目叙述，但大体上，在不同的药物中，对这些条目都有所涉及。现在按这些条目分别介绍如下。

1. 编写体例

从《海药本草》残存车渠、金线矾等16味药物完整的条文来看，李珣书写药物条文时，似有一定的格式。每个药物的开头是药物的名称，其次是引用前代文献说明产地和形态特性，再次是性味、主治功用及其他。兹以海蚕沙为例说明之。“海蚕沙（药名）：谨按《南州记》（引用前代文献）云：生南海山石间（产地）。

其蚕形，大如拇指。沙甚白，如玉粉状。每有节（形态和特性）。味咸，大温，无毒（性味）。主虚劳冷气，诸风不遂。久服令人光泽，补虚羸，轻身延年不老（主治功用）。难得真者，多只被人以水搜葛粉、石灰，以梳齿隐成，此即非也，纵服无益，反损人，慎服之（其他）。”

余下15味药物条文书写体例，基本与海蚕沙相同。李珣记载药物时，在用词上仍袭《唐本草》旧例。如援引前代文献，多冠以“谨按”二字；对于药物功效，多冠以“主”或“疗”，不用“治”字，这都是仿《唐本草》避讳的旧例。

2. 药名释义

有些药名，李珣做了解释。兹举例如下。落雁木：“雁衔至代州雁门皆放落而生，以此为名。”含水藤：“多在路旁，行人乏水处便吃此藤，故以为名。”干陀木：“生西国。彼人用染僧褐，故名。”鼠藤：“生南海山谷，藤蔓而生。鼠爱食此，故曰鼠藤。”海桐皮：“生南海山谷中。似桐皮，黄白色，故以名之。”返魂香：“其香名有六……一名返魂，一名惊精，一名回生，一名震坛，一名人马精，一名节死香。烧之一豆许，凡有疫死者，闻香再活，故曰返魂香也。”仙茅：“叶似茅，故名曰仙茅。”越王馀筭：“昔晋安越王，因渡南海，将黑角白骨筭筹，所余弃水中，故生此，遂名。”

3. 药物文献出处

李珣著《海药本草》所取的材料，除李珣目睹外，大都根据文献摘录，并注明引文出处，或注出文献作者的名字。例如根据陈藏器《本草拾遗》摘录的，或注“陈藏器”（如：瓶香），或注“陈氏”（如：零陵香、缩沙蜜），或注“拾遗”（如：奴会子）。又如引用陶弘景《名医别录》的资料，或注“陶弘景”（如：龙脑香、槟榔），或注“《名医别录》”（如：鲛鱼皮、珂）。类似此注法，有58条。

4. 药物产地

《海药本草》所记药物产地，有三种情况。一是外国产地，二是南方产地，三是其他地方产地。少数未记产地，如荓草、楸木皮、研药、甲香、必栗香、黄龙眼、石决明、元慈勒、无漏子、没离梨等。其余的药皆注明产地。所记地名以南方和海外为最多，其次是西方，再次是东方，北方的地名较少。注明海外产地的药物，往往附有“舶上来者”等语。注明产于南方的药物，其中有很多是从海外移植到当地的，日久，亦视为当地所产。

5. 药物形态

《海药本草》收录药物，多数皆有形态记载。例如车渠：“是玉石之类，形似蚌蛤，有纹理。”金线矾：“打破内有金线纹者为上。”波斯白矾：“其色白而莹净，内有棘针纹。”草犀根：“独茎，对叶而生，如灯台草，根若细辛。”人肝藤：“引蔓而生。”钗子股：“每茎三十根，状似细辛。”宜南草：“有荚，长二尺许，内有薄片似纸，大小如蝉翼。”冲洞根：“苗蔓如土瓜，根相似。”丁香：“二月三月花开，紫白色。至七月方始成实，大者如巴豆，为之母丁香；小者实为之丁香。”安息香：“树中脂也，状如桃胶。”鲛鱼皮：“皮上有真珠斑。”

6. 药物品质优劣

《海药本草》对于药物品质优劣亦有记载。兹举数例如下。蒟酱：“其实状若桑椹，紫褐色者为上，黑者是老不堪。”钗子股：“忠万州者佳。”乳头香：“紫赤如樱桃者为上。”又云：“红透明者为上。”金线矾：“打破内有金线纹者为上。”石硫黄：“颗块莹净，无夹石者良……光腻甚好。”

7. 药物真伪鉴别

《海药本草》对于药物真伪鉴别的记载很多。兹录如下。琥珀：“凡验真假，于手心热磨，吸得芥为真。”蚺蛇胆：“欲认辨真假，但割但看，内细如粟米，水中浮走者是真也，沉而散者非也。”蛤蚧：“凡用炙令黄熟后捣，口含少许，奔走，令人不喘者是其真也。”郎君子：“欲验真假，先于口内含，令热，然后放醋中，雄雌相趁，逡巡便合，即下其卵如粟粒状，真也。”沉香：“当以水试乃知仔细，没者为沉香，浮者为檀香，似鸡骨者为鸡骨香，似马蹄者为马蹄香，似牛头者为牛头香，枝条细实者为青桂，粗重者为笺香。”

8. 药物采收时月

《海药本草》对药物采收时月亦有记载。兹举例如下。安息香：“以秋月采之。”豆蔻：“三月采其叶，细破阴干之。”荔枝：“荔枝熟，人未采，则百虫不敢近。人才采之，乌鸟、蝙蝠之类，无不残伤。故采荔枝者，日中而众采之。”橄榄：“橄榄木高大难采，以盐擦木身，则其实自落。”藤黄：“就树采者轻妙。”

9. 药物炮制

《海药本草》对于药物炮制亦有记载。兹举例如下。仙茅：“用时竹刀切，糯米泔浸。”石决明：“凡用先以面裹熟煨，然后磨去其外黑处，并粗皮了，烂捣之，细罗，于乳钵中再研如面。”真珠：“为药，须久研如粉面，方堪服饵。”贝子：“烧过入药中用。”阿勒勃：“凡用先炙令黄用。”腽肭脐：“凡入诸药，先于银器中酒煎后，方和合诸药，不然以好酒浸炙入药用，亦得。”小甲香：“取其蒂而修成也。”牡蛎：“用之炙令微黄色，熟后，研令极细，入丸散中用。”秦龟：“凡甲炙令黄，然后入药中。”蛤蚧：“凡用炙令黄熟。”

10. 制剂及用法

《海药本草》有各种制剂和用法的记载。兹举例如下。①炼制为丸。柯树皮：“采皮，以水煮，去滓复炼，候凝结丸得为度。”返魂香：“采其根于釜中，以水煮，候成汁，方去滓，重火炼之如漆，候凝，则成香也。”②入丸散用。牡蛎、没药等皆云入丸散中用。③用作丸衣。金屑、银屑“入薄于丸散服”。④入膏用。紫铆：“宜入膏用。”龙脑香：“入膏煎良。”⑤煮汁饮。石莼：“宜煮汁饮。”⑥煎服。研药、榈木：“剉煎服。”鼠藤：“剉，浓煎服。”通草、千金藤：“宜煎服。”奴会子：“《刘五娘方》用为煎。”⑦酒煎。槟榔：“二枚，一生一熟，捣末，酒煎服。”⑧酒服。骐驎竭：“宜酒服。”千金藤：“浸酒治风。”⑨磨服。冲洞根：“取其根磨服。”通草：“磨亦得。”⑩含服。零陵香：“凡是齿痛，煎含良。”通草：“急即含之。”⑪洗浴。瓶香：“水煮，善洗水肿浮气。与土姜、芥子等煎浴汤，治风疟。”茅香：“主小儿遍身疮疱，以桃叶同煮浴之。”无名木皮：“囊下湿痒，并宜煎取其汁小浴，极妙也。”⑫刮点。珂：“主消翳膜及筋胬肉，并刮点之。”⑬烧灰用。鲢鳀：“主月蚀疮，阴疮，瘘疮，并烧灰用。”栟榈木：“生肌，止血，并宜烧灰使用。”⑭烧香辟疫。艾蒳香：“烧之辟温疫。”瓶香：“主天行时气，鬼魅邪精等，宜烧之。”⑮佩戴。宜南草：“小男女以绯绢袋盛一片，佩之臂上，辟恶，止惊。”降真香：“小儿带之能辟邪恶之气。”⑯染发。荜澄茄：“古方偏用染发。”毗梨勒：“主乌髭发。”⑰香衣。藒车香：“裛（包在衣服内）衣甚好。”⑱入面药。楸木皮：“宜入面药。”

11. 药物应用时注意事项

《海药本草》记载很多药应用时，多题记注意事项。举例如下。荔枝：“今泸渝人食之，多则发热疮。”海松子：“多食发热毒。”海蚕沙：“难得真者。多只被人以水搜葛粉、石灰，以梳齿隐成，此即非也，纵服无益，反损人，慎服之。”人参：“用时去其芦头，不去者吐人，慎之。”零陵香：“不宜多服，令人气喘。”胡椒：“不宜多服，损肺。”栟榈木：“其实黄白色，有大毒，不堪服食也。”椰子：“多食动气也。”蛤蚧：“力在尾，尾不全者无效。”

12. 药物畏恶制使

《海药本草》对药物畏恶制使多有记载。举例如下。波斯白矾：“火炼之良，恶牡蛎。”荜拨：“得诃子、人参、桂心、干姜，治脏腑虚冷，肠鸣泄痢神效。”零陵香：“得升麻、细辛善。”甘松香：“得白芷、附子良。”无名子：“得木香、山茱萸良也。”芜荑：“得诃子、豆蔻良。”缩沙蜜：“得诃子、鳖甲、豆蔻、芜荑等良。”象牙：“宜生屑入药，得琥珀、竹膏、真珠、犀角、牛黄等良。”莳萝：“不可与阿魏同合，夺其味尔。”补骨脂：“恶甘草。”

13. 其他

《海药本草》有些药物内容，出于传说或转录而来，并非真也。例如青蚨：“生南海诸山，雄雌常处不相舍……青金色相似，人采得，以法末之，用涂钱以货易，昼用夜归，亦是人间难得之物也。”这是小说家的神话，并非真有其事。莃草：“一名自然谷。中国人未曾见也。”按，莃草早在唐代开元年间陈藏器《本草拾遗》已经著录。既然陈藏器早有著录，为何说“中国人未曾见也”？因为《海药本草》关于本条是转引他处而记载于此的。

七、《海药本草》的特点

本书是总结唐末五代时南方药物及外来药的专著，所以本书也是唐末五代时有名的地方本草。兹将本书特点，分述如下。

1. 本书收录外来的药物

在上述131条药物中，李珣所记药物产地共有40多个。例如荔枝、蚺蛇胆等出岭南，真珠、牡蛎等出南海，豆蔻出交趾，延胡索生奚国，缩沙蜜生西海及西戎诸地，象牙生西国，龙脑香出律国，没药出波斯国，金屑出大食国，降真香出大秦国，肉豆蔻出秦国及昆仑，偏桃人出卑占国，艾蒳香出剽地，人参、白附子出新罗国。但有些药名也记有内地的地名。如落雁木出代州雁门（今山西代县雁门关），藤黄出鄂（今湖北武昌）、岳（今湖南岳阳）等州诸山崖。从每个地方所记药物数量来看，产于南海的有32种，产于岭南的有10种，产于广南的有10种，产于波斯国的有15种，产于大秦国的有5种，产于西海的有4种。至于岭南及南海所产的药物，除当地出产外，亦有进口的，故有些药记有“舶上者胜”等语。同时有些进口药，移植南方后，亦视为当地所产。本书所收录的海外药，从药物产地分布来看，大都在岭南、南海和海外；而药物来源的数量，又以岭南、南海、海外为最多。

2. 本书收录香药

香药有广义和狭义两个概念。狭义的概念，指有香味的药物；广义的概念，指外来药。《宋会要辑稿》列举诸多香药，包括牛筋、宝石、宾铁、木材等，这些东西根本无香味。还有古代阿拉伯商人所贩卖的香药，其中有很多是无香味的，如波斯白矾、石硫黄、珊瑚、琥珀、真珠、象牙、犀角等。以上药物皆无香味，但都列入香药范围内，所以这个香药为广义之香药，即外来药之异名。我们下面所讲的香药，是指有香味的药物。《海药本草》收录之香药有丁香、乳头香、茅香、迷迭香、瓶香、藒车香、甘松香、艾蒳香、降真香、必栗香、安息香、沉香、薰陆香、返魂香、木香、兜纳香、甲香等。这些香药除供药用外，亦作烧用。通过焚烧产生香气，借以辟除恶气。如艾蒳香烧之辟瘟疫，迷迭香烧之辟蚊蚋。有些香药藏在衣服内，使衣服有香味。如藒车香、甘松香记有"裛衣（包在衣服内）亦使衣香"。有些香药装在小布袋内，带在臂上，以辟邪恶气。如宜南草以绢袋盛之，小男佩之臂上，能辟邪止惊。又如兜纳香，带之夜行，能壮胆安神。《海药本草》收录香药多，一方面与李珣家世业香药有关；另一方面与当时社会风气好使用香药有关。据五代末年陶穀《清异录》记载，隋唐五代烧香风气很盛行。该书卷下熏燎条，讲到唐代长安大药商宋清，常以香药三勺煎赠送权贵们，谓烧之能招致富贵清妙，并说三勺煎多由"龙脑麝末精沉"等药制成。宋代陈敬《陈氏香谱》卷1香品举要云："唐明皇君臣多有沉、檀、脑、麝为亭阁。"由此可见当时权贵们把香药当作最豪华的享乐。

3. 本书记载五石散和炼丹

服食五石散，是从魏晋开始的，到了隋唐五代，此风仍在流行。唐代柳宗元亦提倡服食石钟乳。柳氏与崔连州书云："食之使人荣华温柔，其气宣流，生胃（气）通肠，寿考康宁。"五石散是有毒的，故当时由于服五石散而中毒者，不乏其人。所以《海药本草》书中，讲到很多有关预防和解救五石散中毒的方子。例如在菴摩勒条中说："凡服乳石之人，常宜服也。"在含水藤条云："丹石发动，亦宜服之。"在石硫黄条云："如有发动，宜以猪肉、鸭羹、余甘子汤并解之。"《海药本草》除记载有关五石散外，对炼丹之事亦记载不少。例如在石硫黄条云："并宜烧炼服。仙方谓之黄硇砂。"金线矾："打破内有金线纹者为上，多入烧家用。"波斯白矾："多入丹灶家，功力逾于河西石门者也。"银屑："今时烧炼家，每一斤生铅，只煎得一二铢。"藤黄："画家及丹灶家并时用之。"《海药本草》收录这么多炼丹的事情，可能与李珣受道家思想的影响有关。按黄休复《茅亭客话》卷4李四郎条云："李玹好摄养，以金丹延驻为务，暮年以炉鼎之费，家无余财，唯道书药囊而已。"又云："李玹赏得耳珠先生与青城南六郎书一纸，论淮南王炼秋石之法。"李玹是李珣的弟弟，所以李珣可能受李玹的影响，将养生思想发展为长生不老神仙术。如《海药本草》菴摩勒："久服轻身，延年长生。"乳头香："仙方多用辟谷。"桄榔子条："久服轻身，辟谷。"辟谷就是道家之人通过不吃饮食，服食某些药物，达到长生不死之目的。

4. 本书引前代的文献

在131种药物条文中，本书援引前代的书名或人名有58次。所引的书大都是六朝时书，也有唐代的书。从书的种类来看，有历史、地志、杂记、方书、本草等。如返魂香引《汉书》和《武王内传》，珊瑚引《晋书・石崇列传》，降真香引《仙传》，波斯白矾等21味药引《广州记》，白附子及海蚕沙引《南州记》，通草等15味药引徐表《南州记》，苏方木引徐表《南海记》，胡桐泪引《岭表记》，犀角引《五溪记》，越王馀筭引《异苑记》，椰子、蜜香、含水藤引《交州记》，君迁子引刘斯（欣期）《交州记》，干陀木皮引《西域记》，阿勒勃引《异域记》，玉屑引《楚记》及《异物志》，莎木引《蜀记》，大瓠藤水引《太康记》，银屑、骐驎竭引《南越志》，柯树皮、膃肭脐引《临海志》，槟榔等18味药引《广志》，金线矾引《广州志》，毗梨勒引《唐志》，昆布等4味药引《异志》，摩厨子等5味药引《异物志》，桄榔子引《岭表录》及《录异》，金屑引《岭表录异》，蛤蚧引《岭外录》，绿盐引《古今录》，蜜香、象牙引《内典》，藒车香引《齐民要术》，无风独摇草引《陶朱术》（《隋志》有《陶朱变化术》），无名木皮引《房中术》，银屑引《唐贞观政要》，象牙引唐代段成式《酉阳杂俎》，薇引《尔雅》，栅木皮引《尔雅注》，金屑等5味引《山海经》，玉屑引《仙经》及《别宝经》，沉香等5味药引《正经》，荔枝引员安宇《荔枝诗》，车渠引《韵集》，玉屑引《淮南子》及《淮南三十六水法》，石硫黄、乳香引《仙方》，奴会子引《刘五娘方》，槟榔引《脚气论》，龙脑香、珂、鲛鱼皮引《名医别录》，奴会子引《本草拾遗》，沉香、仙茅引古佛经梵书。

以上共引书名50余种。其中有些书是同书异名。例如《岭表录异》有好几个别名。《四库全书总目》所载《岭表录异》之提要云："诸书所引或称《岭表录》，或称《岭表记》，或称《岭表录异》，或称《岭表录异记》，或称《岭南录》；核其文句，实皆此书。"另外《海药本草》亦援引人名：无食子引张仲景，槟榔、龙脑香引陶弘景，瓶香引陈藏器，零陵香等7味药引陈氏，婆罗得引徐氏，犀角引刘孝标。

5. 本书对前代本草有所补正

前面讲过本书援引前代文献有50多种，其中以参考本草次数为最多，如沉香、蚺蛇胆等引用《正经》（即《蜀本草》）。另有50多味药参考过陈藏器《本草拾遗》，例如瓶香、奴会子、缩沙蜜、甘松香等条，都直题陈藏器；千金藤、钗子股、藕车香等条亦题陈氏云。所以李珣作《海药本草》似以陈藏器《本草拾遗》为主要参考资料。但李珣对陈藏器所言药物主治功用亦有所发展，对陈藏器书中某些错误亦有改正。例如石莼条，陈藏器云："下水，利小便。"李珣补正说："主风秘不通，五膈气，并小便不利，脐下结气，宜煮汁饮之。胡人多用作治耳疾。"又如草犀根条，陈藏器说："主解诸药毒……并煮汁服之。"李珣补正说："主解一切毒气，并宜烧研服，临死者服之得活。"又如迷迭香条，陈藏器说："味辛，温，无毒。主恶气，令人衣香，烧之去鬼。"李珣补正说："味平，不治疾。烧之祛鬼气，合羌活为丸散，夜烧之辟蚊蚋。"

李珣不仅对陈藏器《本草拾遗》有所补正，即对《名医别录》《唐本草》亦有补正。例如白附子条，《名医别录》云："主心痛血痹，面上白病，行药势。"《海药本草》云："主治疥癣风疮，头面痕，阴囊下湿，腿无力，诸风冷气，入面脂甚好。"蒟酱条，《唐本草》云："下气温中破痰积。"《海药本草》云："主咳逆上气，心腹虫痛，胃弱虚泻，霍乱吐逆，解酒食味。"

李珣不仅对前代本草有所补正，即对当时药物中存在的一些错误，亦加以纠正。例如藤黄条，李珣纠正说："今所呼铜黄谬矣。盖以铜、藤语讹也。"宜南草条，李珣说："此草生南方，故作南北字。今人多以男女字非也。"在无食子条，李珣说："番胡呼为没食子，今人呼为墨食子，转谬矣。"

6. 本书对药物性味有所发展

本书药性方面记载有温、大温、微温、温平、平、冷、寒、大寒。在药味方面记载有酸甘、咸涩、酸咸涩。兹将各药性味列举如下。沉香、零陵香等15味药性温，白附子、腽肭脐等5味药性大温，仙茅、荜澄茄等8味药性微温，通草、无食子等9味药性平温，茅香、苏方木等10味药性平，瓶香、象牙等4味药性寒，犀角、蚺蛇胆等4味药性大寒，莕摩勒、藕车香等4味药性微寒，大瓠藤水性冷。文林郎味酸，海桐皮、沉香等7味药味苦，荜拨、阿魏等11味药味辛，人参、仙茅等12味药味甘，玉屑、鲛鱼皮等5味药味咸，槟榔、毗梨勒味涩，波斯白矾、藤黄味酸涩，延胡索、豆蔻、莕摩勒味苦甘，荜澄茄、龙脑香、没药味辛苦，荔枝味甘酸，玄石味咸涩，金线矾味咸酸涩。

《海药本草》所言性味，其中有些药物也是补正前代本草药物的性味。例如昆布条，《名医别录》云："味咸寒。"《海药本草》云："性温。"阿魏条，《唐本草》

云："味辛平。"《海药本草》云："味辛温。"兜纳香条，《本草拾遗》云："味甘温。"《海药本草》作"味辛平"。冲洞根条，《本草拾遗》云："味辛平。"《海药本草》作"味辛温。"藒车香条，《本草拾遗》作"味辛温"，《海药本草》作"微寒"。无风独摇草条，《本草拾遗》无性味，《海药本草》补正"性温平"。又如补骨脂条，《药性论》未记其有畏恶，《海药本草》提出"恶甘草"。

八、辑复《海药本草》的意义

《海药本草》是我国第一部外来药的专著，也是对唐末五代时南方出产药物的总结，同时也是最早的地方本草专著，但原书久佚。为了展现我国古代科学文化的光辉成就，了解唐末五代以前中外文化交流的情况，应当辑复它，并借以说明中华民族在人类文明史上杰出的贡献。通过书中收载的大量外来药和外国地名，可以了解我国古代通过"丝绸之路"与中亚、南亚以及西亚各国之间友好关系的发展；并能了解中外文化交流和中外贸易的情况；可以得知许多海外的药物如何移植到我国，成为中药的一部分；并能借以了解到许多外籍人定居中国（如李珣、李玹之流），成为外裔的华人；同时亦可了解到许多外国出产的香药，通过阿拉伯商人贩运到中国，成为中国人的爱好品。例如宋代陈敬《陈氏香谱·香品举要》云："香最多品，类出交广崖州及海南诸国。然秦汉以前未闻，惟称蕙、兰、椒、桂而已。至汉武奢广，尚书郎奏事者，始含鸡舌香；迨晋武帝时，外国贡异香始此。隋代夜火山烧沉香、甲煎不计其数，海南诸品毕至矣。唐明皇君臣多有用沉、檀、脑、麝为亭阁。"

其次，为了便于全面系统地研究本草发展史，有利于祖国医药学遗产发掘和整理，亦有必要辑复它，卑能提供研究的方便。正如鲁迅为了研究中国文学史、小说史，感到史料不足，花了很多时间做亡佚书的辑复工作，他先后辑成《会稽郡故书杂集》《嵇康集》《古小说钩沉》等书，以为上述工作的准备。从这种意义来讲，我们辑《海药本草》，有利于人们研究唐末五代时药物发展的情况和外来药的情况。

九、其他有关《海药本草》问题的讨论

1.《海药本草》和《南海药谱》

《海药本草》和《南海药谱》是否为同一本书，范行准先生在 1958 年《广东中医》第八期论述很详。现在讨论如下。

《本草纲目》序例卷1，历代诸家本草标题下，有《海药本草》。该书名下注云："禹锡曰：《南海药谱》二卷，不著撰人名氏，杂记南方药物所产郡县及疗疾之功，颇无伦次，李珣所撰。珣盖肃、代时人，收采海药亦颇详明。"在这个注文中，李时珍认为《南海药谱》即是《海药本草》，两书是异名同书，其作者为李珣，并说李珣大概是唐朝肃宗、代宗时人。日本丹波元胤《中国医籍考》页172怀疑说："按《南海药谱》与《海药本草》，其目各见于《崇文总目》，不知李时珍何据为一，其言殆难信焉。"根据日本丹波元胤的看法，《南海药谱》与《海药本草》应是两种书，不是异名同书，宋代郑樵《通志·艺文略》既载有《南海药谱》，又载有《海药本草》，《证类本草》的槟榔、龙脑香、象牙3味药注文，既有掌禹锡援引《南海药谱》的资料，又有唐慎微援引《海药本草》的资料。从这些事实来看，《南海药谱》与《海药本草》似是两种书，不是同一种书。

在《证类本草》中，《南海药谱》与《海药本草》的资料，分别由掌禹锡和唐慎微各自单独援引。

《证类本草》卷1序例"补注所引书传"的目录中，仅有《南海药谱》的书名。掌氏在该书名下注云："不著撰人名氏，杂记南方药所产郡县及疗疾之验，颇无伦次，似唐末人所作，凡二卷。"掌禹锡《嘉祐本草》援引《南海药谱》资料作注文的有6条，即阳起石、桃花石、芦荟、槟榔、龙脑香、象牙。但掌禹锡未援引过《海药本草》。

在《证类本草》中，唐慎微援引《海药本草》作注文，都置于墨盖子标记之下。计唐慎微援引《海药本草》资料，有123条。但唐慎微没有引用过《南海药谱》。

从掌禹锡、唐慎微各自单独援引的事实来看，《海药本草》和《南海药谱》应是两种书。由于《本草纲目》视《海药本草》与《南海药谱》为同一种书，并认为作者即是李珣，所以李时珍在引用这两种书资料时，标注文献出处，互不一致。

《证类本草》援引的《海药本草》资料，《本草纲目》再次援引时注出处为《南海药谱》。例如《证类本草》卷13紫鉚、骐驎竭条有《海药本草》资料"紫鉚又可造胡燕脂"。而《本草纲目》卷15燕脂条注云："一种以紫鉚染绵而成者，谓之胡燕脂，李珣《南海药谱》载之。"类似此例很多。又如《证类本草》卷23文林郎条引有《海药本草》资料，《本草纲目》引此文注出处为李珣《南海药谱》。以上是李时珍注《证类本草》中《海药本草》资料为《南海药谱》。此外《证类本草》卷16象牙条，掌禹锡引《南海药谱》云："象牙以清水和涂疮肿上并差。

又口臭每夜和水研少许，绵裹贴齿根上，每夜含之，平明暖水漱口，如此三五度，差。”《本草纲目》卷 51 上象胆条主治下引此文，标注出典为“《海药》”。这是李时珍注《证类本草》中《南海药谱》资料为《海药本草》。

至于李时珍说李珣是唐朝肃、代时人，也不可信。《证类本草》卷 16 象牙条引有段成式《酉阳杂俎》，而唐代尉迟枢《南楚新闻》云：“太常（少）卿段成式，相国文昌子也，与举子温庭筠亲善，咸通四年（863）六月卒。”肃宗位于 756—761 年，代宗位于 762—779 年，比段成式早半个世纪，所以李时珍之说不可信。清初康熙三十六年（1697）王宏翰《古今医史》卷 4 唐李珣传，亦承袭李时珍之说，殊不可信。

2. 《海药本草》引《集韵》的问题

《证类本草》卷 3 引《海药本草》云：“车渠，《集韵》云：生西国。”《集韵》最初是宋代陈彭年等纂修《广韵》以后，宋祈等人认为多承用唐代韵书旧文，繁略失当，建议重修，故宋仁宗命丁度等人重修，于宝元二年（1039）完成，名为《集韵》。李珣《海药本草》成于五代（907—960），比丁度《集韵》要早近百年，则李珣不可能见到《集韵》，和《集韵》名字相似的书，叫作《韵集》。《新唐书·艺文志》和《旧唐书·经籍志》均载有《韵集》，题吕静撰。唐代欧阳询《艺文类聚》卷 84 琉璃条亦引有《韵集》书名。疑《海药本草》所引的《集韵》应为《韵集》。